Moonlight Mile

Série Kenzie et Gennaro

Un dernier verre avant la guerre
Ténèbres, prenez-moi la main
Sacré
Gone, Baby, Gone
Prières pour la pluie

Mystic River
Shutter Island
Coronado
Un pays à l'aube

Anthologie (sous la direction de Dennis Lehane)

Boston noir

Dennis Lehane

Moonlight Mile

Traduit de l'anglais (États-Unis)
par Isabelle Maillet

*Collection dirigée
par François Guérif*

Rivages/Thriller

Titre original : *Moonlight Mile*

© 2010, Dennis Lehane
© 2011, Éditions Payot & Rivages
pour la traduction française
106, boulevard Saint-Germain – 75006 Paris

Photo de couverture : © Getty Images

ISBN : 978-2-7436-2227-5

Pour Gianna Malia
Bienvenue, petite G

I am just living to be lying by your side
But I'm just about a moonlight mile on
down the road

Mick JAGGER/Keith RICHARDS,
Moonlight Mile.

I

TU FAISAIS SI BIEN SEMBLANT

1

L'air était inhabituellement doux en ce bel après-midi de début décembre quand Brandon Trescott est sorti du spa du Chatham Bars Inn, à Cape Cod, pour monter dans un taxi. Une fâcheuse succession d'arrestations pour conduite en état d'ivresse lui ayant coûté le droit de prendre le volant dans l'État du Massachusetts pendant encore trente-trois mois, il se déplaçait toujours en taxi. À vingt-cinq ans, pourvu d'une solide rente depuis sa naissance, ce rejeton d'une magistrate de la Cour suprême et d'un magnat des médias locaux ne se contentait pas d'être un banal petit con de gosse de riches ; il battait tous les records dans sa catégorie. Lorsque les autorités lui avaient finalement retiré son permis, il en était à sa quatrième infraction pour conduite en état d'ivresse. Les deux premières s'étaient soldées par une amende pour excès de vitesse, la troisième lui avait valu un sévère rappel à l'ordre, mais la quatrième avait donné lieu à une action en justice car elle avait occasionné des blessures sur une personne autre que le conducteur, qui s'en était tiré sans une égratignure.

En cette journée hivernale où le thermomètre indiquait un peu moins de cinq degrés, Brandon portait un sweat-shirt à capuche griffé, avec effet taché et délavé, valant bien neuf cents dollars, sur un T-shirt blanc en soie au col déformé par une paire de lunettes noires qui devait aller chercher dans les six cents. Quant à son bermuda, il s'ornait de fines déchirures – la touche finale obligeamment apportée par un gamin indonésien payé une misère pour sa peine. Chaussé de tongs malgré la température, Brandon arborait avec nonchalance une belle tignasse blonde de surfeur dont quelques mèches rebelles s'obstinaient à lui retomber devant les yeux pour un effet des plus charmants.

Un soir, après avoir bu comme un trou au Crown Royal, il avait retourné sa Dodge Viper en revenant de Foxwoods avec sa petite amie. Celle-ci ne l'était que depuis deux semaines, et il y avait peu de chances pour qu'elle puisse redevenir un jour la petite amie de quelqu'un : la jeune Ashten Mayles se trouvait dans un état végétatif permanent depuis que le toit de la voiture lui avait broyé le sommet du crâne. L'une des dernières choses qu'elle avait tenté de faire quand elle avait encore l'usage de ses bras et de ses jambes, c'était de prendre ses clés à Brandon sur le parking du casino. D'après les témoins, il avait répondu à ses inquiétudes en expédiant vers elle sa cigarette allumée.

Sans doute pour la première fois de sa vie, Brandon Trescott avait eu un aperçu des conséquences de ses actes quand les parents d'Ashten, qui ne roulaient pas sur l'or mais comptaient pas mal de relations politiques, avaient décidé de tout mettre en œuvre pour s'assurer que le responsable paye le prix de ses erreurs. D'où les poursuites intentées par le procureur du Suffolk pour conduite en état d'ivresse et mise en danger de la vie d'autrui. À aucun moment pendant le procès, Brandon ne s'était départi de son air scandalisé, comme s'il ne concevait pas qu'on puisse le tenir pour personnellement responsable de quoi que ce soit. Pour finir, il avait été reconnu coupable et condamné à quatre mois d'assignation à résidence. Dans une résidence vraiment chouette.

Au cours du procès civil qui avait suivi, il était apparu que le rejeton rentier se trouvait fort dépourvu. Il n'avait pas de rente, pas de voiture non plus, ni de maison. Pour autant qu'on puisse en juger, il n'avait même pas un iPod. Rien n'était à son nom. Oh, il y avait eu des choses à son nom, mais comme par hasard il les avait cédées à ses parents vingt-quatre heures avant l'accident. C'était ce « avant » qui révoltait tout le monde, sauf qu'il n'y avait pas moyen d'apporter la preuve du contraire. Quand le jury du tribunal civil avait accordé aux Mayles sept millions et demi de dollars de dommages et intérêts, Brandon Trescott s'était borné à retourner ses poches vides en haussant les épaules.

J'avais une liste de toutes ces choses que Brandon possédait autrefois et dont il n'avait plus le droit de se servir. L'usage des choses en question, avait précisé le tribunal, ne relèverait pas seulement de l'apparence de la propriété mais de la propriété de fait. Lorsque les Trescott avaient tenté de contester la définition même de « propriété » donnée par la cour, les journalistes leur étaient tombés dessus à bras raccourcis, et le tollé général avait retenti avec une force capable de ramener vers la côte les bateaux égarés en pleine nuit dans le brouillard ; sous la pression, ils avaient fini par accepter les termes du marché.

Le lendemain, comme en un magistral bras d'honneur adressé à la fois aux Mayles et aux voix sonores de la populace, Layton et Susan Trescott avaient offert à leur fils un appartement à Harwich Port, les avocats des Mayles n'ayant pas mentionné dans l'accord les gains à venir ou les futures possessions. Et c'est justement en direction d'Harwich Port que je suivais Brandon en ce début d'après-midi du mois de décembre.

Son appartement puait le moisi, la moquette imprégnée de bière et les restes de nourriture abandonnés dans l'évier sur des assiettes encroûtées. Je le savais pour y être entré à deux reprises afin de poser des mouchards, de récupérer les mots de passe sur son ordinateur, et plus généralement de faire tout le boulot du parfait fouille-merde que les clients sont prêts à payer une fortune du moment qu'ils peuvent prétendre ne rien savoir de ses activités. J'avais consulté les rares documents que j'avais pu trouver, mais sans découvrir la moindre trace de comptes bancaires dont nous aurions ignoré l'existence ou de relevés de situation qui n'auraient pas été communiqués. L'exploration minutieuse de ses fichiers informatiques ne m'en avait guère révélé plus : rien que de grandes tirades autocomplaisantes adressées à ses ex-copains d'université et quelques brouillons de lettres pathétiques, bourrées de fautes, en attente d'être envoyées à diverses rédactions. Il se rendait sur des tas de sites porno ou de jeux en ligne et lisait tous les articles écrits sur lui.

Quand le taxi l'a déposé devant l'immeuble, j'ai sorti de la boîte à gants mon magnétophone numérique. Le jour où je m'étais introduit chez Brandon pour pirater son ordinateur, j'avais également placé un premier émetteur radio pas plus gros qu'un grain de sel sous sa console de jeu et un second dans sa chambre. Je l'ai entendu pousser toute une série de petits grognements tandis qu'il se préparait à prendre une douche, puis je l'ai écouté passer sous le jet, s'essuyer, se rhabiller, se servir un verre, allumer son téléviseur à écran plat, s'arrêter sur une émission de téléréalité débile réunissant des décérébrés et s'installer sur le canapé pour se gratter à son aise.

Je me suis donné deux bonnes claques sur les joues afin de me réveiller avant de feuilleter le journal que j'avais abandonné sur le siège passager. On prévoyait une nouvelle hausse du chômage. Un chien avait réussi à sauver ses maîtres d'un incendie à Randolph alors que, tout juste opéré de la hanche, il avait les pattes arrière immobilisées dans une sorte de fauteuil roulant pour toutous éclopés. Le boss de la mafia russe locale était poursuivi pour conduite en état d'ivresse après avoir échoué sa Porsche sur la plage de Tinean à marée haute. Les Bruins avaient remporté une victoire dans un sport qui me rendait somnolent quand je le regardais à la télé, et un troisième base de la Major League au cou de taureau avait réagi avec la plus vive indignation quand on l'avait interrogé sur son éventuelle utilisation de stéroïdes.

La sonnerie du mobile de Brandon m'a interrompu dans ma lecture. Il s'est entretenu avec un gars qu'il n'arrêtait pas d'appeler « mon pelo », sauf qu'il prononçait « peleuh ». Ils ont parlé de *World of Warcraft* et de *Fallout 4* sur PS2, des rappeurs Lil Wayne et T.I., et aussi d'une nana qu'ils connaissaient du club de gym et dont la page Facebook mentionnait toutes les séances d'exercice qu'elle s'imposait sur sa Wii alors qu'elle habitait – « sérieux, je te jure » – en face d'un parc, et j'ai regardé par la vitre avec l'impression d'avoir vieilli. Ce sentiment-là me venait de plus en plus souvent, depuis quelque temps, sans pour autant me plonger dans la tristesse. Si c'est tout ce que les jeunes d'aujourd'hui savaient faire de leurs vingt ans, je les leur laissais volontiers. Leurs trente ans aussi, d'ailleurs. J'ai incliné mon siège vers l'arrière et fermé les yeux. Au bout d'un moment, Brandon et son « peleuh » ont pris congé :

– Bon, ben, gaffe à toi, mon peleuh.

– Pareil pour toi, mec. Pareil.

– Hé, peleuh…

– Quoi ?

– Non, rien. J'ai oublié. Fais chier.

– Quoi ?

– D'oublier des trucs.

– Sûr.

– Allez, à plus.

– Ouais, à plus.

Sur ce, ils ont raccroché.

J'ai cherché des raisons de ne pas me tirer une balle dans le crâne. J'en ai rapidement trouvé deux ou trois dizaines ; pour autant, je n'étais pas certain de pouvoir endurer de nouvelles conversations entre Brandon et un de ses « peleuhs ».

Pour Dominique, c'était une tout autre histoire. Dominique était une prostituée haut de gamme entrée dans la vie de Brandon dix jours plus tôt par l'intermédiaire de Facebook. Ce premier soir, ils avaient tchaté pendant deux heures. Depuis, ils s'étaient parlé trois fois sur Skype. Dominique avait gardé tous ses vêtements mais s'était lancée dans des descriptions débridées de ce qui arriverait si *a)* elle daignait coucher avec lui et *b)* il réussissait à se procurer la confortable liasse de billets nécessaire à la concrétisation d'une telle éventualité. L'avant-veille, ils avaient échangé leurs numéros de portable. Et ce jour-là, Dieu soit loué, elle lui a passé un coup de fil trente secondes à peine après le « peleuh ». Exemple de la manière dont cet abruti répondait au téléphone :

Brandon : Ouais, quoi ?

(Véridique. Et il y avait encore des gens pour l'appeler…)

Dominique : Salut.

Brandon : Hé, salut ! Merde. Hé ! T'es dans le coin ?

Dominique : J'y serai bientôt.

Brandon : Super, t'as qu'à faire un saut ici, alors.

Dominique : T'as déjà oublié notre petite conversation sur Skype ? Je ne coucherais pas avec toi dans cette décharge même en combinaison de protection.

Brandon : Alors ça y est, tu t'es enfin décidée à coucher avec moi ? Merde, j'avais encore jamais rencontré de pute qui choisissait ses clients.

Dominique : T'en avais déjà rencontré une qui avait ma classe ?

Brandon : Ça non. Sans compter que t'as, quoi, presque l'âge de ma mère. Pourtant, merde, t'es la meuf la plus canon que…

Dominique : T'es chou. Mais que les choses soient claires : je ne suis pas une pute, je suis une prestataire de services charnels.

Brandon : Waouh ! Je sais même pas dans quelle langue tu me parles.

Dominique : Tu m'en diras tant. Bon, file vendre une SICAV, encaisser un chèque ou je ne sais quoi, et rejoins-moi.

Brandon : Quand ?

Dominique : Maintenant.

Brandon : Là, tout de suite ?

Dominique : C'est ça, tout de suite. Je suis en ville juste pour l'après-midi. Il n'est pas question que j'aille à l'hôtel, alors t'as intérêt à trouver une autre solution, et vite, parce que je n'attendrai pas longtemps.

Brandon : Même pas dans un hôtel superchic ?

Dominique : Je vais raccrocher.

Brandon : Non, tu…

Elle a coupé la communication.

Brandon a pesté. Expédié sa télécommande contre le mur. Balancé un coup de pied dans un truc.

– Qu'est-ce que tu crois, que c'est la première et dernière pute surtarifée que tu croiseras dans ta vie ?

Tu sais quoi, mon peleuh ? Des comme elle, tu peux t'en payer treize à la douzaine. Avec de la poudre en prime. Suffit d'aller à Vegas.

Oui, il se donnait à lui-même du « peleuh ».

Son téléphone a de nouveau sonné. Il avait dû l'envoyer valdinguer quelque part en même temps que la télécommande, car la sonnerie me paraissait assourdie, et j'ai distingué des bruits dans la pièce me laissant supposer que Brandon retournait tout pour le retrouver. Quand il a enfin mis la main dessus, le combiné s'était tu.

– Fais chier !

Il avait crié tellement fort que si ma vitre avait été ouverte, je l'aurais sans doute entendu de la voiture.

Il s'est écoulé encore trente secondes avant qu'il se mette à prier.

– Écoute, mon peleuh, c'est vrai, j'ai déconné grave, mais si elle rappelle, je te promets que j'irai à l'église fourrer tout un tas de billets verts dans un de ces petits paniers. Et que je serai sage comme une image. Allez, peleuh, fais qu'elle rappelle.

Oui, il avait aussi donné du « peleuh » à Dieu.

Deux fois.

Le combiné avait à peine éructé une première sonnerie que Brandon soulevait le clapet.

– Ouais ?

– C'est ta seule chance.

– Je sais.

– Indique-moi une adresse.

– Merde. Je…

– OK, je raccro…

– 773 Marlborough Street, entre Dartmouth Street et Exeter Street.

– Quel bâtiment ?

– T'inquiète, tout est à moi.

– J'y serai dans quatre-vingt-dix minutes.

– Attends ! s'est-il exclamé. Comment veux-tu que je fasse pour avoir un taxi tout de suite ? En plus, ce sera bientôt l'heure de pointe.

– Alors vole, mon chou, vole ! Rendez-vous dans quatre-vingt-dix minutes, pas une de plus. Sinon, adieu.

La voiture était une Aston Martin DB9 de 2009, un joujou qui valait bien deux cent mille dollars. Quand Brandon l'a sortie du garage deux maisons plus loin, je l'ai cochée sur la liste posée à côté de moi. Lui, je l'ai photographié cinq fois au volant tandis qu'il attendait une occasion de s'insérer dans le flot de la circulation.

Lorsqu'il a démarré en trombe comme s'il voulait se propulser vers la Voie lactée, je n'ai même pas essayé de le prendre en chasse. À la façon dont il louvoyait d'une file à l'autre, même un empoté de première tel que lui n'aurait pas tardé à se rendre compte que je lui collais au train. Sans compter que je n'avais pas besoin de le suivre : non seulement je savais où il allait, mais je connaissais un raccourci.

Il est arrivé à destination quatre-vingt-neuf minutes exactement après le coup de téléphone de Dominique. Il s'est rué dans l'escalier, et j'ai encore pris quelques clichés au moment où il déverrouillait la porte. Il a ensuite grimpé quatre à quatre les marches à l'intérieur sans remarquer que je lui avais emboîté le pas. Je me tenais à environ cinq mètres de lui, mais il était tellement survolté qu'il lui a fallu deux bonnes minutes pour s'apercevoir de ma présence. Dans la cuisine, au premier, il a commencé par ouvrir le frigo avant de se retourner en entendant le déclencheur de mon SLR, puis de s'adosser à la haute fenêtre derrière lui.

– T'es qui, toi, putain ?

– Bah, c'est pas le problème.

– T'es un paparazzi ?

– Qu'est-ce que les paparazzi en auraient à cirer d'un branleur comme toi ?

Je l'ai de nouveau mitraillé.

Il a légèrement reculé pour mieux me jauger. Ayant déjà surmonté la peur suscitée par l'irruption d'un inconnu dans sa cuisine, il abordait l'étape suivante : l'évaluation du risque.

– T'es pas tellement costaud... (Il a redressé sa tête de surfeur.) Je pourrais te foutre dehors sans problème.

– Je ne suis pas costaud, c'est vrai, mais je te garantis que tu ne me foutras pas dehors. (J'ai baissé mon appareil.) T'as des doutes ? Alors regarde-moi bien dans les yeux.

Il s'est exécuté.

– Tu vois ce que je veux dire ?

En guise de réponse, il s'est fendu d'un hochement de tête à peine perceptible.

J'ai passé sur mon épaule la lanière de mon appareil avant d'adresser à Brandon un petit signe de la main.

– J'allais partir, de toute façon. Alors bonne journée, et tâche de ne plus bousiller le cerveau de personne.

– Qu'est-ce que tu vas faire de ces photos ?

Les mots m'ont brisé le cœur en même temps que je les énonçais :

– En gros, rien.

Brandon a paru tomber des nues – ce qui semblait assez courant chez lui.

– Tu bosses pour les Mayles, c'est ça ?

J'ai achevé de réduire mon cœur en charpie.

– Non. (J'ai soupiré.) Pour Duhamel & Standiford.

– C'est quoi, un cabinet d'avocats ?

J'ai esquissé un geste de dénégation.

– Une agence de sécurité, spécialisée dans les recherches et investigations.

La bouche ouverte, les yeux plissés, il me dévisageait toujours.

– Ce sont tes parents qui nous ont engagés, crétin. Ils étaient persuadés que tu finirais par faire une connerie parce que, eh bien, t'es qu'un con, Brandon. Ta petite démonstration d'aujourd'hui devrait confirmer leurs craintes.

– Hé, je suis pas un con ! La preuve, je suis allé à Boston College.

J'aurais pu lui balancer une bonne dizaine de vannes, au lieu de quoi j'ai senti un frisson de lassitude me parcourir tout entier.

C'était ça, ma vie, aujourd'hui. Mon lot quotidien.

J'ai quitté la cuisine.

– Bonne chance, Brandon. (Parvenu à mi-hauteur de l'escalier, je me suis arrêté.) Au fait, Dominique ne viendra pas.

Je me suis retourné et, le coude appuyé sur la rampe, j'ai ajouté :

– Et Dominique, ce n'est pas son vrai nom.

Ses tongs ont claqué sur le plancher avec un petit bruit de baiser mouillé quand il s'est avancé jusqu'à l'encadrement de la porte au-dessus de moi.

– Qu'est-ce que t'en sais, d'abord ?

– Elle bosse pour moi, tête de nœud.

2

Après avoir quitté Brandon, j'ai rejoint Dominique au Neptune Oyster, dans le North End.

Au moment où je m'asseyais, elle a déclaré, les yeux légèrement arrondis :

– Ça au moins, c'était marrant ! Vas-y, raconte-moi ce qui s'est passé quand t'es entré chez lui.

– On commande d'abord ?

– Les boissons ne devraient pas tarder. Allez, dis-moi tout…

Je me suis lancé. Nos boissons sont arrivées, et nous nous sommes accordé le temps de parcourir le menu avant d'opter pour des sandwichs au homard. Elle buvait une bière, moi une eau gazeuse. J'avais beau me répéter que c'était un choix plus sage que la bière, surtout l'après-midi, je n'en avais pas moins l'impression de renoncer à quelque chose – à quoi, je ne savais pas trop, mais l'impression était tenace.

Quand j'ai eu fini de lui relater mon entrevue avec Brandon le branleur en tongs, elle a applaudi.

– C'est vrai, tu l'as traité de con ?

– Entre autres. Le reste n'était pas franchement flatteur non plus.

24

Alors que le serveur nous apportait nos assiettes, j'ai enlevé ma veste, puis je l'ai pliée pour la placer sur l'accoudoir du siège à ma gauche.

— Décidément, je ne m'y ferai jamais, a-t-elle dit. Toi en costard-cravate…

— Bah, les temps changent. (J'ai mordu dans mon sandwich au homard – peut-être le meilleur de tout Boston, ce qui en faisait vraisemblablement le meilleur du monde.) En fait, ce n'est pas le costume qui me pose problème, c'est l'entretien de la coupe de cheveux.

— En attendant, c'est un beau costume, a-t-elle observé en effleurant la manche de la veste. Très beau, même. (Elle a attaqué son sandwich en examinant le reste de ma personne.) La cravate n'est pas mal non plus, à vrai dire. Cadeau de ta maman ?

— Non, de ma femme.

— Ah, c'est vrai que t'es marié… Dommage.

— Pourquoi ?

— Peut-être pas pour toi, remarque.

— Ni pour ma femme.

— Ni pour ta femme, a-t-elle admis. Mais on est quelques-uns à se rappeler une époque où t'étais beaucoup plus, hum, drôle, Patrick. Tu t'en souviens ?

— Je m'en souviens, oui.

— Et ?

— Cette époque-là me paraît plus « drôle » quand on en parle aujourd'hui qu'elle ne l'était sur le moment.

— Pas si sûr. (Elle a haussé un sourcil délicat tout en sirotant sa bière.) Si ma mémoire est bonne, tu la vivais plutôt bien…

J'ai avalé une gorgée d'eau. Et encore une autre, jusqu'à vider mon verre. Je l'ai ensuite rempli du précieux liquide contenu dans la bouteille bleue hors de prix que le serveur avait posée entre nous. Une fois de plus, je me suis demandé pourquoi on considérait comme convenable dans les restaurants de laisser sur la table une bouteille d'eau minérale ou de vin, mais pas de whiskey ou de gin.

— T'essaies de te défiler, Patrick.

— Pas du tout, je...

— Tu parles ! C'est exactement ce que t'es en train de faire.

C'est dingue comme la simple vue d'une belle femme peut ramollir le cerveau d'un homme. Juste parce qu'elle est belle.

De la poche intérieure de ma veste, j'ai retiré une enveloppe que je lui ai tendue.

— Ta part. L'agence a déjà déduit les charges.

— Charmante attention...

Elle a rangé l'enveloppe dans son sac.

— Je ne sais pas s'ils sont attentionnés, chez D&S, mais en tout cas ils sont très règlement-règlement, ai-je répliqué.

— Ce qui n'était pas ton cas.

— Bah, tout le monde change...

Ma réponse lui a donné à réfléchir, apparemment, et peu à peu un voile de tristesse a assombri ses grands yeux bruns. Soudain, son visage s'est éclairé. Elle a plongé la main dans son sac, d'où elle a ressorti l'enveloppe. Elle l'a flanquée sur la table entre nous.

— J'ai une idée, a-t-elle annoncé.

— Oh non...

— Si, je t'assure. On va jouer à pile ou face, d'accord ? Pile, c'est toi qui offres le déjeuner.

— Je comptais t'inviter, de toute façon.

— Face... (Elle a fait cliqueter son ongle sur son verre à bière.) Face, j'encaisse ce chèque, on fonce prendre une chambre au Millenium et on passe le reste de l'après-midi à mettre à l'épreuve la résistance des ressorts du sommier.

J'ai avalé une gorgée d'eau.

– Je n'ai pas de monnaie.

Elle a froncé les sourcils.

– Moi non plus.

– Tant pis…

– S'il vous plaît ? a-t-elle lancé au serveur. Vous auriez une pièce à nous prêter ? On vous la rend tout de suite.

Il s'est empressé de lui tendre un *quarter*, les doigts légèrement tremblants tant il semblait troublé par cette femme presque deux fois plus vieille que lui. Mais bon, elle avait le chic pour déstabiliser tous les représentants de la gent masculine, quel que soit leur âge.

Quand il s'est éloigné, elle m'a glissé :

– Plutôt mignon, le garçon.

– Mouais. Pour un zygote.

– Tsss ! (Elle a coincé la pièce entre l'ongle de son pouce replié et le bout de son index.) Choisis.

– Je ne joue pas.

– Allez, choisis !

– Faut que je retourne bosser.

– T'as qu'à sécher. Personne ne s'en apercevra.

– Moi, je le saurai.

– Ah, l'intégrité… C'est tellement surfait !

Son pouce s'est détendu, et le *quarter* s'est envolé vers le plafond en tournoyant avant de redescendre vers la table. Il a atterri sur le chèque, à égale distance entre mon verre d'eau et sa bière.

Pile.

– Merde, a-t-elle marmonné.

Comme le serveur passait près de nous, je lui ai rendu son *quarter* et demandé l'addition. Le temps qu'il la prépare, nous n'avons pas échangé un mot. Elle a fini sa bière, moi mon eau minérale. Puis, pendant que le serveur prenait l'empreinte de ma carte de crédit, j'ai fait un rapide calcul pour déterminer le montant d'un bon pourboire. Lorsqu'il est revenu, j'ai signé la facturette.

Enfin, j'ai affronté les grands yeux en amande de la femme en face de moi. Ses lèvres étaient entrouvertes ; quand on savait où regarder, on pouvait voir une petite ébréchure dans le bas de son incisive gauche.

– C'est d'accord, ai-je dit.

– Pour la chambre ?

– Oui.

– Et les ressorts ?

– *Sí.*

– Et les draps seront tellement froissés qu'ils seront irrécupérables.

– Évitons de placer la barre trop haut, tu veux ?

Elle a sorti son mobile et appelé l'hôtel. Quelques instants plus tard, elle m'a annoncé :

– Ils ont une chambre de libre.

– Vas-y, réserve-la.

– Ce n'est pas un peu décadent ?

– Hé, c'était ton idée !

À son correspondant, ma femme a déclaré :

– Bon, si elle est disponible tout de suite, on la prend. (Elle m'a gratifié d'un autre regard grisant ; on aurait dit une gamine de seize ans sur le point d'emprunter la voiture de son père sans qu'il le sache. Puis elle a rapproché ses lèvres du combiné.) À quel nom ? Kenzie. (Elle a épelé.) Oui, avec un « k » comme « kangourou ». Prénom, Angie.

Dans la chambre, j'ai demandé :

– Tu préfères que je t'appelle Angie ou Dominique ?

– Toi, qu'est-ce que tu préfères ?

– J'aime bien les deux.

– OK, va pour les deux.

– Hé…

– Quoi ?

– À ton avis, comment on va s'y prendre pour faire un sort aux draps si on reste sur la commode ?

– Bonne question. Tu penses à la même chose que moi ?

– Affirmatif.

Nous somnolions depuis un moment, bercés par les coups de klaxon assourdis qui, dix étages plus bas, rythmaient les embouteillages à l'heure de pointe, quand Angie s'est soudain redressée. En appui sur un coude, elle a déclaré :

– C'était de la folie.

– Sûrement.

– On peut se le permettre ?

Elle connaissait déjà la réponse, mais je l'ai énoncée quand même :

– Ça m'étonnerait.

– La poisse, a-t-elle murmuré, les yeux fixés sur les beaux draps blancs au tissage serré.

Je lui ai effleuré l'épaule.

– On devrait s'accorder un petit plaisir de temps en temps, Ange. Après tout, je suis pratiquement assuré de recevoir une proposition d'embauche définitive chez D&S à la fin de cette mission.

Elle m'a jeté un coup d'œil avant de reporter son attention sur les draps.

– Le problème, c'est le « pratiquement ».

– Je sais.

– Ils te font miroiter cette « embauche définitive » depuis…

– Je sais.

– … trop longtemps. Ce n'est pas correct.

– Je sais bien, mais qu'est-ce que tu veux que j'y fasse ?

Elle a froncé les sourcils.

– Qu'est-ce qui va se passer s'ils ne concrétisent pas leur offre ?

J'ai haussé les épaules.

– Aucune idée.

– On est presque à sec.

– Je sais.

– On a l'assurance à payer, ce mois-ci.

– Je sais.

– C'est tout ce que tu trouves à dire ? « Je sais » ?

Je me suis aperçu que je serrais les dents au point de les casser.

– Je ronge mon frein, Ange. Je me tape toutes sortes de jobs merdiques pour une boîte que je n'apprécie pas particulièrement dans l'espoir d'obtenir un jour un CDI qui nous garantira une couverture sociale et des congés payés. La situation ne me réjouit pas plus que toi, mais tant que tu n'auras pas terminé tes études et décroché un boulot, je ne vois pas ce que je pourrais dire ou faire pour y changer quelque chose.

Les joues un peu trop rouges, nous avons chacun repris notre souffle pour dissiper l'impression que les murs s'étaient resserrés autour de nous.

– Je voulais juste qu'on en parle, a-t-elle murmuré au bout d'un moment.

J'ai contemplé le ciel par la fenêtre pendant une bonne minute. Il me semblait que toutes les tensions et les peurs les plus obscures accumulées depuis quelques années se pressaient dans ma tête et accéléraient les battements de mon cœur.

Enfin, j'ai déclaré :

– Écoute, je n'ai pas mieux à te proposer pour l'instant. S'ils décident encore une fois à l'agence de m'agiter la carotte sous le nez, alors d'accord, on reconsidérera la situation. Espérons juste qu'ils ne le feront pas.

– OK.

Une réponse portée par un long, très long soupir.

– Tu veux que je te dise ? ai-je repris d'un ton plus enjoué. On est dans une telle mouise au niveau finances que la prime qu'on vient allègrement de claquer pour cette chambre serait passée inaperçue de toute façon.

Angie m'a tapoté la poitrine.

– T'es trop gentil.

– Oh, je suis un amour. Tu l'ignorais ?

– Non, a-t-elle répliqué en enroulant sa jambe autour de la mienne.

– Mmm…

Dehors, les coups de klaxon se faisaient plus insistants. Je me suis représenté les bouchons, les véhicules à l'arrêt, l'absence totale de mouvement.

– Qu'on parte maintenant ou dans une heure, on arrivera chez nous à peu près au même moment, ai-je observé.

– Tu penses à quoi ?

– À des tas de choses que la morale réprouve.

Angie s'est allongée sur moi.

– On a la baby-sitter jusqu'à sept heures et demie.

– Ça nous laisse largement le temps…

Elle a baissé la tête jusqu'à appuyer son front contre le mien, et nous avons échangé un long baiser gourmand – de ceux qui nous semblaient si naturels quelques années plus tôt. Quand nos lèvres se sont écartées, Angie a pris une profonde inspiration, puis elle s'est de nouveau penchée vers moi et nous avons remis ça.

– T'es partant pour encore deux ou trois dizaines comme ça ? a-t-elle chuchoté.

– Avec plaisir.

– Après, je recommencerais bien ce truc qu'on a essayé tout à l'heure…

– Intéressant, pas vrai ?

– Après, on s'accorde une bonne douche chaude…

– Vendu.

– Et après, on file rejoindre la puce.

– Marché conclu.

3

Il était trois heures du matin quand le téléphone a sonné.

– Vous vous souvenez de moi ? a demandé une femme.

– Hein ?

Toujours à moitié endormi, j'ai essayé de voir le numéro de l'appelant ; il était masqué.

– Vous l'avez déjà retrouvée une fois. Retrouvez-la encore.

– Qui est à l'appareil ?

À l'autre bout de la ligne, elle a énoncé d'une voix pâteuse :

– Vous avez une dette envers moi.

– Retournez cuver, ai-je répliqué. Je raccroche.

– Vous avez une dette envers moi.

Elle a coupé la communication.

Au réveil, je me suis demandé si j'avais rêvé de cet appel ou s'il était réel, auquel cas j'avais déjà du mal à me rappeler quand je l'avais reçu : la nuit précédente ou celle d'avant ? Quoi qu'il en soit, j'aurais probablement oublié cette histoire dès le lendemain. Sur le trajet jusqu'au métro, j'ai avalé mon gobelet de café Dunkin' Donut sous un ciel bas couleur d'argile où traînaient quelques nuages en lambeaux. Des feuilles mortes, grises et sèches, frissonnaient dans le caniveau en attendant d'être fossilisées par les premières chutes de neige. Les arbres qui bordaient Crescent Avenue étaient dénudés, et une brise froide en provenance de l'océan traquait les ouvertures dans mes vêtements. La station JFK/UMass ainsi que le parking attenant se situaient entre l'extrémité de Crescent Avenue et le port lui-même. À cette heure matinale, il y avait foule dans l'escalier menant aux quais.

Pourtant, un visage apparu soudain en haut des marches a irrésistiblement attiré mon regard. C'était un visage que j'avais espéré ne jamais revoir – celui, marqué par la fatigue et les souffrances, d'une femme dont le tour avait sauté quand la vie distribuait la chance. En me voyant approcher, elle m'a adressé un petit signe de la main assorti d'un sourire hésitant.

Beatrice McCready.

– Bonjour, Patrick.

Le vent soufflait plus fort là-haut. Pour s'en protéger, Beatrice se pelotonnait dans un mince blouson en jean dont elle avait relevé le col jusqu'aux oreilles.

– Bonjour, Beatrice.

– Désolée de vous avoir dérangé en pleine nuit. Je…

Elle a ponctué ces mots d'un haussement d'épaules résigné avant de s'absorber quelques instants dans la contemplation des voyageurs.

– Bah, ne vous en faites pas.

Des gens nous bousculaient en se dirigeant vers les tourniquets. Nous nous sommes écartés de leur passage, pour nous arrêter près d'une cloison métallique blanche sur laquelle était peint un plan du métro.

– Vous avez l'air en forme, a-t-elle dit.

– Vous aussi.

– C'est gentil à vous de mentir.

– Je ne mentais pas.

J'ai fait un rapide calcul, pour conclure qu'elle devait avoir la cinquantaine. Mais si à cinquante ans aujourd'hui on en paraît souvent à peine quarante, Beatrice donnait l'impression d'en avoir largement plus de soixante. Ses cheveux autrefois blond vénitien avaient blanchi et son visage s'était creusé de rides profondes, du genre à nécessiter un colmatage au mortier. Elle avait l'air de quelqu'un qui tente désespérément de se raccrocher à une pente savonneuse.

Des années plus tôt – une éternité, me semblait-il –, sa nièce avait été kidnappée. Je l'avais retrouvée et ramenée dans le foyer qu'elle partageait alors avec sa mère Helene, la belle-sœur de Beatrice, dont je savais pourtant que l'instinct maternel n'était pas le fort[1].

– Comment vont les enfants ? ai-je demandé.

– Pardon ? Je n'en ai qu'un.

Et merde.

J'ai fouillé ma mémoire. Un garçon. Oui, je me rappelais, maintenant ; il devait avoir cinq ou six ans à l'époque, peut-être même sept. Mark. Non, Matt. Non, Martin. Oui, Martin, c'était bien ça.

J'ai envisagé de relancer la conversation en mentionnant le prénom de son fils, mais j'avais déjà laissé le silence se prolonger trop longtemps.

– Matt aura bientôt dix-huit ans, a-t-elle précisé en me considérant avec attention. Il est en terminale au lycée de Monument.

Autrement dit, le genre d'établissement où les élèves apprennent les maths en comptant leurs munitions.

– Oh. Il s'y plaît ?

---

1. Voir *Gone, Baby, Gone*. (Toutes les notes sont de la traductrice.)

– Il est… enfin, compte tenu des circonstances, il a… il faut le reprendre en main, quelquefois, mais à sa place d'autres s'en seraient sans doute moins bien sortis.

– C'est… super.

À peine ce mot avait-il franchi mes lèvres que je le regrettais ; c'était tellement convenu, tellement vide de sens…

Ses yeux verts ont brillé d'un éclat farouche me laissant supposer qu'elle mourait d'envie de m'expliquer en détail à quel point sa vie était effectivement « super » depuis que j'avais contribué à envoyer son mari en prison. Lionel était un type bien qui avait fait quelque chose de mal pour de bonnes raisons et s'était ensuite démené en vain tandis que la situation tournait au désastre. Il m'avait tout de suite inspiré de la sympathie. C'était d'ailleurs l'un des aspects les plus ironiques de l'affaire Amanda McCready : je me sentais à l'époque beaucoup plus d'affinités avec les méchants qu'avec les gentils – à l'exception de Beatrice et d'Amanda, les deux seuls êtres véritablement innocents parmi tous les protagonistes entraînés dans ce vaste merdier.

En l'occurrence, Beatrice me dévisageait toujours comme si elle cherchait un autre moi derrière l'image que je projetais. Un moi plus digne, plus authentique.

Un groupe d'adolescents a franchi les tourniquets dans notre direction. Tous portaient le blouson de leur équipe sportive – certainement des lycéens qui se rendaient à Boston College, à dix minutes de marche par Morrissey Boulevard.

– Quand vous l'avez retrouvée, Amanda avait, quoi, quatre ans ? a repris Beatrice.

– Oui.

– Elle en a seize aujourd'hui. Presque dix-sept. (Du menton, elle a indiqué les jeunes qui descendaient l'escalier en direction du boulevard.) Le même âge qu'eux.

Cette remarque a fait mouche. Jusque-là, j'avais toujours refusé d'admettre qu'Amanda McCready ait pu vieillir. Qu'elle ne soit plus cette fillette de quatre ans que j'avais vue pour la dernière fois dans l'appartement de sa mère, fixant d'un regard vide l'écran de télé où passait une publicité qui vantait les mérites d'une pâtée pour chien, le visage baigné par les lueurs du tube cathodique.

– Seize ans…, ai-je répété.

– C'est difficile à croire, hein ? (Beatrice souriait.) Le temps file à une vitesse…

– On a à peine fait le plein que le réservoir est déjà vide.

– C'est bien vrai.

D'autres jeunes, dont quelques-uns arboraient un air studieux, s'approchaient de nous.

– Beatrice ? Vous m'avez dit au téléphone qu'elle avait encore disparu.

– Oui.

– Elle a fugué ?

– Avec une mère comme Helene, c'est une possibilité qu'on ne peut pas exclure.

– Vous avez des raisons d'envisager une éventualité plus… inquiétante ?

– D'abord, l'attitude d'Helene, qui nie tout en bloc.

– Vous avez prévenu les flics ?

Elle a hoché la tête.

– Bien sûr. Quand ils ont interrogé ma belle-sœur, elle leur a répondu qu'Amanda allait bien. Ils n'ont pas cherché à en savoir plus.

– C'est bizarre, non ?

– Comment ça, bizarre ? Je vous rappelle que ce sont des fonctionnaires municipaux qui ont enlevé Amanda en 98 ! À l'époque, l'avocat d'Helene a intenté des poursuites contre eux, contre leur syndicat et contre la

ville. Il a obtenu trois millions de dommages et intérêts.
Il en a mis un dans sa poche, les deux autres ont été
investis dans un fonds de placement pour Amanda.
Depuis, les flics ont une peur bleue d'Helene, d'Amanda
et de tout ce qui touche à cette affaire. Alors, si Helene
les regarde droit dans les yeux en disant « Fichez le
camp, il n'y a pas de problème avec ma gosse », devinez
ce qu'ils font...

— Vous avez essayé d'alerter les médias ?

— Évidemment. Ils n'ont pas voulu s'en mêler non
plus.

— Pourquoi ?

Elle a haussé les épaules.

— Ils avaient d'autres chats à fouetter, j'imagine.

Son histoire ne me paraissait pas claire. Je sentais
bien qu'elle me cachait quelque chose, mais je ne voyais
pas quoi.

— Qu'est-ce que vous attendez de moi au juste,
Beatrice ?

— Je ne sais pas... Qu'est-ce que vous pouvez faire ?

La brise, désormais plus douce, soulevait mollement
ses cheveux blancs. À ses yeux, c'était forcément ma
faute si son mari avait été blessé et accusé d'une liste
de crimes longue comme le bras alors qu'il gisait sur
son lit d'hôpital. Il était sorti de chez lui pour me
retrouver dans un bar de South Boston. De là, direction
les urgences. Des urgences, direction le centre de détention, puis le pénitencier. Il avait quitté sa maison un
jeudi après-midi pour ne plus jamais y retourner.

L'expression de Beatrice en cet instant me rappelait
cependant trop celle des bonnes sœurs à l'école primaire
pour que je ne me rebiffe pas.

— Écoutez, je suis sincèrement désolé que votre mari
ait enlevé votre nièce parce qu'il la croyait négligée par
sa mère...

– Comment ça, il la « croyait » négligée ?

– Le fait est qu'il l'a kidnappée.

– Pour son bien.

– Donc, d'après vous, on devrait laisser le premier venu décider de ce qui est bon ou pas pour un enfant qui n'est pas le sien ? OK, pourquoi pas ? Hé, tous les gosses qui ont à se plaindre d'un de leurs parents, regroupez-vous à la station de métro la plus proche ! On vous enverra tous chez Willy Wonka, au merveilleux pays du chocolat, où vous vivrez heureux pour toujours.

– Ça y est, vous avez fini ?

– Non. (Je sentais gronder en moi la colère qui, d'année en année, remontait un peu plus à la surface.) Après cette affaire, j'en ai pris plein la gueule juste pour avoir fait mon boulot en enquêtant sur la disparition d'Amanda. Or j'avais été engagé pour ça, Bea, c'était mon job.

– Pauvre Patrick, a-t-elle ironisé. Incompris de tous…

– C'est *vous* qui m'avez engagé. Vous m'avez dit « Retrouvez ma nièce », et moi j'ai rempli ma mission. Vous voulez m'accabler sous le poids de votre réprobation pendant les dix ans à venir ? Très bien, ne vous gênez pas. Je vous le répète, j'ai fait mon boulot.

– Et beaucoup de gens ont souffert.

– Je n'ai jamais cherché à leur nuire. J'ai retrouvé Amanda et je l'ai ramenée chez elle, c'est tout.

– C'est ce que vous aimeriez croire, hein ?

Je me suis adossé contre la cloison en relâchant longuement mon souffle pour tenter de me calmer. Puis j'ai plongé la main dans ma poche, d'où j'ai retiré mon passe à insérer dans le tourniquet.

– Je dois y aller, Bea. Ravi de vous avoir revue. Désolé de ne pas pouvoir vous aider.

– C'est une question d'argent ?

– Quoi ?

– Je sais bien qu'on ne vous a jamais réglé vos honoraires la première fois, mais…

– Quoi ? Non, non, ce n'est pas ça…

– Où est le problème, alors ?

– Écoutez, ai-je répondu en m'efforçant de ne pas la brusquer, moi aussi je souffre de la crise, comme tout le monde. Ce n'est pas une question d'argent, je vous le confirme, mais je ne peux pas non plus me permettre de travailler pour rien. Et là, j'ai rendez-vous avec une personne susceptible de me proposer une embauche définitive, alors il me serait de toute façon impossible d'accepter une affaire supplémentaire. Vous comprenez ?

– Helene s'est acoquinée avec ce gars, son dernier petit copain… Il a fait de la prison, bien sûr. Devinez pour quel motif.

Au comble de l'exaspération, j'ai secoué la tête et tenté de l'éloigner d'un geste.

– Agressions sexuelles, a-t-elle ajouté.

Douze ans plus tôt, Amanda McCready avait été kidnappée par son oncle Lionel et des flics agissant en francs-tireurs qui n'avaient jamais eu l'intention d'exiger une rançon ou de lui faire du mal. Tout ce qu'ils voulaient, c'était la confier à un foyer aimant, à une mère qui ne passait pas son temps à picoler comme si elle avait investi dans le London Gin ou à choisir ses partenaires sur LesAccros-du-sexe-point-com. Quand j'avais retrouvé Amanda, elle vivait avec un couple qui l'adorait. Les Doyle étaient déterminés à lui offrir une vie saine, la stabilité et le bonheur. Au lieu de quoi, ils avaient été envoyés derrière les barreaux et Amanda avait été rendue à sa mère. Par mes soins.

– Vous avez une dette, Patrick.

– Quoi ?

– J'ai dit : vous avez une dette.

Une nouvelle fois, j'ai senti la colère renaître – une sorte de pulsation sourde qui se muait peu à peu en rythme de tam-tam. J'avais pris la bonne décision, je le savais ; je n'avais pas le moindre doute sur la question. Pas de doute, mais cette rage sourde, irrationnelle, qui grandissait chaque jour un peu plus depuis douze ans. J'ai enfoncé les mains dans mes poches pour ne pas céder à la tentation de flanquer un coup de poing dans la cloison blanche où figurait le plan du métro.

– Je ne dois rien à personne, ai-je répliqué. Ni à vous, ni à Helene, ni à Lionel.

– À Amanda non plus ? Vous n'avez pas l'impression de lui devoir quelque chose ? (Elle a rapproché le pouce et l'index, presque jusqu'à les faire se toucher.) Un tout petit quelque chose ?

– Non. Prenez soin de vous, Bea.

Je me suis dirigé vers les tourniquets.

– Vous ne m'avez rien demandé sur lui.

Ces mots m'ont stoppé net dans mon élan. Avec un soupir, je me suis retourné.

– Lionel, a précisé Beatrice en transférant son poids d'une jambe sur l'autre. Il devrait déjà être sorti, après tout c'est quelqu'un d'honnête… Quand on a accepté de plaider coupable, l'avocat nous a dit qu'il serait condamné à douze ans de réclusion mais qu'il en ferait seulement six. Oh, pour la sentence, il ne s'était pas trompé ! (Elle a avancé d'un pas, hésité, reculé de deux. Parmi tous les voyageurs qui déferlaient autour de nous, seuls quelques-uns nous jetaient un regard intrigué au passage.) Il est souvent tabassé, là-bas. Peut-être qu'il subit aussi d'autres choses bien plus terribles, mais il n'en parle pas. Ce n'est pas un endroit pour lui, il est trop gentil… (Elle a encore reculé.) Un jour, il s'est bagarré avec ce gars qui voulait lui prendre – bah, je ne sais pas, ce que mon mari ne voulait pas lui donner… Et comme Lionel est costaud, l'autre a été blessé. Résultat, il a dû faire les douze ans, et aujourd'hui il en voit enfin le bout. Sauf que les autorités ont parlé d'invoquer de nouvelles charges contre lui au cas où il refuserait de jouer les balances. Il faut qu'il aide les fédéraux à démanteler un gang à l'intérieur qui a la mainmise sur la drogue et les trafics en tout genre. Sinon, sa sentence sera réexaminée et vraisemblablement prolongée. Et nous qui pensions qu'il serait libre au bout de six ans… (Ses lèvres s'étaient figées en une ébauche de sourire interrompue par un froncement de sourcils perplexe.) Des fois, j'ai vraiment l'impression de ne plus rien comprendre à rien. Rien du tout.

Je n'avais nulle part où me cacher. Je me suis efforcé de soutenir son regard jusqu'au moment où, vaincu, je me suis absorbé dans la contemplation du sol de caoutchouc noir.

D'autres jeunes sont passés derrière elle. Ils riaient, indifférents au drame qui se jouait près d'eux. Beatrice les a suivis des yeux en se tassant sur elle-même comme si leur joie de vivre sapait ses dernières forces. J'avais l'impression que la brise aurait pu l'envoyer rouler au bas de l'escalier tant elle semblait fragile et légère.

J'ai écarté les bras.

– Je ne travaille plus en indépendant.

De la tête, elle a indiqué ma main gauche.

– Vous êtes marié ?

– Oui. (J'ai fait un pas vers elle.) Bea, je…

Elle m'a interrompu d'un geste brusque.

– Des enfants ?

Je me suis immobilisé sans rien dire. Les mots ne me venaient plus.

– Vous n'êtes pas obligé de me répondre, Patrick. Je suis désolée. Vraiment. Je n'aurais jamais dû vous aborder, c'était idiot. Je m'étais dit que, je ne sais pas, je voulais juste… (Ses yeux se sont brièvement fixés sur un point à sa droite.) Je parie que vous vous en sortez très bien.

– Hein ?

– Vous êtes un bon père, j'en suis sûre. (Elle m'a gratifié d'un sourire tout de guingois.) J'ai toujours pensé que vous en aviez l'étoffe.

Elle s'est détournée pour se fondre dans la foule qui sortait de la station. De mon côté, j'ai franchi les tourniquets puis descendu les marches jusqu'au quai. De là, je distinguais le parking donnant sur Morrissey Boulevard. Durant quelques secondes, j'ai encore aperçu Beatrice parmi le flot des voyageurs qui s'engageaient sur le bitume. Ensuite, je l'ai perdue de vue. Elle était environnée de lycéens qui, pour la plupart, la dépassaient d'une bonne tête.

4

En prenant la Red Line, je n'étais qu'à quatre stations du bureau. N'empêche, quand on est une bonne centaine à s'entasser dans une boîte de conserve ambulante, quatre stations, c'est suffisant pour transformer en serpillière n'importe quel costume. À la sortie de South Station, j'ai secoué bras et jambes dans une vaine tentative pour redonner un peu de tenue à mon complet et mon pardessus, puis je me suis dirigé vers le Two International Place, une tour aussi profilée et impitoyable qu'un pic à glace. C'était là, au vingt-huitième étage, que se trouvaient les locaux de Duhamel & Standiford Global.

L'agence Duhamel & Standiford n'utilisait pas les réseaux sociaux. Elle n'avait pas de blog et n'apparaissait pas dans les publicités Google quand on tapait « enquêtes privées Boston ». Elle ne figurait pas dans les Pages jaunes ni au dos des revues professionnelles, ne sollicitait pas les clients sur les chaînes de télé à deux heures du matin entre un spot pour un appareil de musculation et un autre pour une messagerie érotique. La plupart des habitants de la ville n'en avaient jamais entendu parler. Son budget publicitaire s'élevait au même montant tous les trimestres : zéro.

Pourtant, elle était en activité depuis cent soixante-dix ans.

Ses locaux occupaient la moitié du vingt-huitième étage du Two International Place. Les fenêtres orientées à l'est dominaient le port, celles orientées au nord dominaient la ville. Aucune n'était munie de store. Toutes les portes et les cloisons de séparation entre les différents postes de travail étaient en verre trempé, si bien qu'au plus fort d'une belle journée ensoleillée on avait parfois envie de sortir son parapluie. Les caractères sur la vitre de la porte d'entrée étaient encore plus petits que la poignée :

DUHAMEL & STANDIFORD
COMTÉ DU SUFFOLK, MASSACHUSETTS
SOCIÉTÉ FONDÉE EN 1840

Après avoir appuyé sur l'interphone pour me faire ouvrir cette porte, j'ai pénétré dans une vaste salle d'attente aux murs d'un blanc neigeux, sur lesquels n'étaient accrochés que des carrés et des rectangles en verre trempé dont aucun ne dépassait trente centimètres dc large ou de haut. Il était impossible de s'asseoir ou de rester debout dans cet endroit sans avoir l'impression d'être observé.

Derrière l'unique bureau de cette pièce immense trônait un homme ayant survécu à tous les employés capables de se remémorer une époque où il n'était pas assis à cette place. Il s'appelait Bertrand Wilbraham, et il n'était pas facile de lui donner un âge : il pouvait passer aussi bien pour un quinquagénaire fatigué que pour un octogénaire alerte. Sa peau me rappelait le savon brun que mon père gardait toujours sur le lavabo du sous-sol ; il était chauve, et, à l'exception de deux sourcils très fins et très noirs, son visage était dépourvu de toute pilosité. Jamais le moindre soupçon de barbe n'ombrait ses joues. Le règlement exigeait que tous les employés et sous-traitants masculins de Duhamel & Standiford portent un costume et une cravate. Si le style du costume et de la cravate en question était laissé à la libre appréciation de chacun – sachant néanmoins que les tons pastel et les imprimés fleuris étaient mal vus –, la chemise devait impérativement être blanche. D'un blanc immaculé, s'entend, exempt de la moindre rayure, même discrète. Or Bertrand Wilbraham arborait toujours une chemise gris clair. La couleur de ses costumes et de ses cravates changeait – de façon presque imperceptible, il est vrai –, alternant l'anthracite, le noir et le bleu marine unis, mais la chemise affichait invariablement un gris subversif, comme pour affirmer : « La révolution sera tristounette. »

M. Wilbraham ne semblait pas particulièrement m'apprécier, ce qui ne me perturbait pas outre mesure ; après tout, il ne semblait pas particulièrement apprécier grand monde. En me voyant ce matin-là, il a saisi un petit Post-It rose posé sur la surface impeccable de sa table de travail.

– M. Dent requiert votre présence dans son bureau dès votre arrivée.

– Je suis arrivé.

– J'en prends bonne note.

Il a écarté les doigts, lâchant le papier rose, qui a voltigé jusque dans la corbeille. Il m'a ensuite déverrouillé une autre porte, et je me suis engagé dans un couloir recouvert d'une moquette gris tourterelle. Il y avait à mi-chemin un bureau réservé aux sous-traitants comme moi quand ils avaient besoin de facturer des heures ; il était vide ce matin-là, ce qui me donnait le droit de le squatter. J'y suis entré en m'autorisant à rêver quelques instants de pouvoir me l'approprier définitivement d'ici à la fin de la journée. Puis, chassant cette pensée de mon esprit, j'ai posé mon chargement sur la table : le sac de sport qui contenait mon appareil photo et presque tout le matériel de surveillance requis par l'affaire Trescott, ainsi que la sacoche où j'avais rangé mon ordinateur portable et une photo de ma fille. J'ai ôté mon arme de son holster pour la glisser dans un tiroir ; elle y resterait jusqu'à mon départ, car j'aime à peu près autant me trimballer armé que manger du chou frisé.

Enfin, j'ai quitté le réduit vitré et suivi le couloir gris tourterelle jusqu'au sanctuaire de Jeremy Dent, directeur adjoint des ressources humaines – l'homme qui m'avait recruté deux ans plus tôt. Avant, quand j'exerçais en indépendant, je bénéficiais gratuitement d'un local niché dans le clocher de l'église St. Bartholomew – grâce à un arrangement tout ce qu'il y avait de plus officieux entre le père Drummond et moi. Lorsque l'archevêché de Boston avait dû rendre des comptes pour avoir couvert pendant des dizaines d'années les viols d'enfants commis par des prêtres malades, un enquêteur avait été délégué à St. Bart ; à la suite de quoi, mon petit nid d'aigle s'était volatilisé, tout comme la cloche de l'église que personne n'avait revue depuis la présidence de Carter.

Jeremy Dent, issu d'une longue lignée d'officiers de carrière virginiens, s'était lui-même classé troisième de sa promotion à West Point. Ensuite il y avait eu le Viêt-nam, l'école d'officiers et une ascension rapide dans la hiérarchie de l'armée. Il avait été envoyé au Liban dans les années quatre-vingt, puis, de retour au pays, il avait débranché la machine : il s'était retiré à trente-six ans, au grade de lieutenant-colonel, pour des raisons que personne n'avait jamais vraiment comprises. Il n'en continuait pas moins de fréquenter les vieilles familles aisées de Boston – celles dont les ancêtres avaient gravé leur nom dans le bois des cambuses du *Mayflower* –, et certains de leurs représentants avaient mentionné une opportunité dans une agence dont ils étaient peu nombreux à parler, au sein de leur cercle, tant que la situation n'atteignait pas un point critique.

Vingt-cinq ans plus tard, Jeremy Dent avait accédé au statut d'associé dans l'agence en question et possédait toute la panoplie de rigueur : la demeure coloniale blanche à Dover et la résidence d'été à Vineyard Haven, l'épouse ravissante, le fils à la mâchoire volontaire, les deux filles sveltes et les quatre petits-enfants superbes qui avaient l'air de poser pour des publicités Abercrombie après l'école. Malgré tout, il paraissait toujours rongé par ce qui l'avait poussé à quitter l'armée ; aussi charmant fût-il, on ne se sentait jamais vraiment à l'aise en sa présence dans la mesure où il ne semblait pas l'être lui-même.

– Entrez, Patrick, m'a-t-il dit quand sa secrétaire m'a ouvert.

Je suis allé lui serrer la main. Le sommet de la Custom House s'élevait derrière son épaule droite tandis qu'une piste de l'aéroport Logan était visible sous son coude gauche.

– Je vous en prie, asseyez-vous.

Je me suis installé sur un siège alors qu'il prenait place dans son fauteuil puis contemplait quelques instants le panorama sur la ville offert par son bureau d'angle.

– Layton et Susan Trescott m'ont téléphoné hier soir pour m'informer que vous aviez réglé le problème avec Brandon. Vous l'avez amené à dévoiler son jeu, n'est-ce pas ?

J'ai acquiescé.

– Ça n'a pas été très difficile.

Il a saisi son verre d'eau, l'a levé comme pour porter un toast et l'a approché de ses lèvres.

– Ils envisagent de l'envoyer en Europe.

– Je ne suis pas sûr que son agent de probation soit d'accord, ai-je fait remarquer.

Jeremy Dent a gratifié son reflet d'un léger froncement de sourcils.

– C'est ce que je leur ai dit. Quand je pense que sa mère est juge… Et elle avait l'air sincèrement surprise. Ah, je vous jure, c'est quelque chose d'élever des gosses ! Les chances de ne pas se planter sont de l'ordre de, quoi, trois sur un million ? Et là, je parle pour les mères. En tant que père, j'ai toujours pensé qu'au mieux mon rôle serait celui de l'eunuque avec la plus grosse queue. (Il a vidé son verre avant d'ôter ses pieds de la table.) Vous voulez un jus de fruit, peut-être ? Personnellement, je ne supporte plus le café.

– Volontiers.

Il s'est dirigé vers le bar sur lequel était placé un téléviseur à écran plat et en a retiré une bouteille de jus de canneberge avant de se mettre en quête de glaçons. Il a rempli deux gros verres en cristal de Waterford, m'en a donné un et nous avons trinqué. Enfin, il a reposé ses fesses sur le fauteuil, ses pieds sur la table et son regard sur la ville.

– Bon, j'imagine que vous vous interrogez sur votre avenir chez nous, a-t-il déclaré.

Je me suis borné à hausser légèrement les sourcils, espérant ainsi montrer mon intérêt sans pour autant paraître suspendu à ses lèvres.

– Vous avez fait du bon boulot, et je me rappelle vous avoir dit qu'on reparlerait de la possibilité de vous engager à plein temps une fois réglée l'affaire Trescott.

– Je m'en souviens aussi.

Il a souri puis avalé une gorgée de jus de fruit.

— D'après vous, comment ça s'est passé ?

— Avec Brandon Trescott ?

— C'est ça.

— Aussi bien qu'on pouvait l'escompter : on l'a démasqué avant qu'il puisse raconter sa vie à une journaliste de la presse à scandale se faisant passer pour une effeuilleuse. Je suis prêt à parier que les Trescott ont déjà commencé à chercher de nouvelles planques pour ses actifs.

Il a étouffé un petit rire.

— Ils s'y sont mis hier dès cinq heures du soir.

— Ah. Donc, l'un dans l'autre, je dirais que tout s'est déroulé au mieux.

— En effet. Vous leur avez permis d'économiser un sacré paquet de fric et vous avez donné une bonne image de nous.

J'ai attendu le « mais ».

— Mais, a-t-il enchaîné, Brandon Trescott a dit à ses parents que vous l'aviez menacé et insulté.

— Je crois me souvenir que je l'ai traité de crétin.

Il a consulté un document sur son bureau.

— De « branleur » aussi. Et de « con », entre autres. Vous avez également plaisanté sur le fait qu'il bousillait le cerveau des autres.

— Il a condamné sa passagère à la chaise roulante. À vie.

Jeremy Dent a haussé les épaules.

— On ne nous paie pas pour défendre les intérêts de cette fille ni ceux de sa famille. Non, on nous paie avant tout pour empêcher Les Mayles de mettre nos propres clients sur la paille. La victime, ce n'est pas notre problème.

— Je n'ai jamais dit le contraire.

– Vous venez de déclarer, je cite : « Il a condamné sa passagère à la chaise roulante. »

– Mais je ne lui en tiens pas personnellement rigueur. Pour reprendre votre expression, il s'agissait juste d'un « boulot ». Je m'en suis acquitté, point final.

– Vous l'avez insulté, Patrick.

– Je l'ai insulté, c'est vrai, ai-je énoncé lentement.

– En effet. Or c'est en partie grâce à ses parents que nous pouvons régler nos factures d'électricité.

J'ai posé mon verre sur son bureau.

– Je n'ai fait que leur confirmer ce que tout le monde sait : leur fils est fondamentalement un demeuré. Je leur ai en outre fourni toutes les informations dont ils avaient besoin pour continuer à le protéger de lui-même et éviter que la famille d'une paraplégique ne se rue avec avidité sur son bolide à deux cent mille dollars.

Ses yeux se sont arrondis de surprise.

– C'est ce que ça coûte ? Une Aston Martin ?

J'ai hoché la tête.

– Deux cent mille dollars… (Il a émis un sifflement.) Pour une bagnole anglaise.

Nous avons gardé le silence pendant un petit moment. Sans toucher à mon jus de fruit, j'ai fini par déclarer :

– J'en déduis qu'il n'est pas question d'embauche définitive.

– Non. (Il a secoué la tête.) Vous n'avez pas encore acquis la culture de l'entreprise, Patrick. Vous êtes un excellent enquêteur, c'est évident, mais cette hargne qui vous habite…

– Cette quoi ?

Il s'est esclaffé en me portant un toast.

– Cette haine des nantis que vous croyez dissimuler sous un beau costume – moi, je ne vois que ça. Elle vous colle à la peau. Et nos clients la voient aussi. À votre avis, pourquoi n'avez-vous pas encore rencontré Big D ?

« Big D » était le surnom donné en interne à Morgan Duhamel, soixante-dix ans, le directeur de l'agence. C'était le dernier des Duhamel – il avait quatre filles toutes mariées –, et il avait survécu aux Standiford, dont on avait perdu la trace au milieu des années cinquante. Son bureau, tout comme celui de certains associés seniors, se trouvait toujours au siège historique de Duhamel & Standiford, une bâtisse discrète couleur chocolat, à façade incurvée, située dans Acorn Street au pied de Beacon Hill. C'était là-bas que les patriarches des vieilles familles bostoniennes allaient parler de leurs affaires ; leurs rejetons et les nouveaux riches étaient reçus au Two International Place.

– J'ai toujours pensé que Big D ne s'intéressait pas beaucoup aux sous-traitants, ai-je répondu.

Jeremy Dent a secoué la tête.

– Détrompez-vous, il a une connaissance encyclopédique de l'agence. Il sait tout sur tout le monde – ses employés, leurs conjoints, leurs proches… Et les sous-traitants. C'est lui qui m'a parlé de vos liens avec un trafiquant d'armes. Rien ne lui échappe, a-t-il ajouté en haussant les sourcils.

– Donc, il me connaît.

– Tout juste. Et il apprécie ce qu'il voit. Par conséquent, il aimerait beaucoup vous engager à plein temps – moi aussi, d'ailleurs – et vous permettre d'accéder un jour au statut d'associé. Mais si, et seulement si, vous changez d'attitude. Vous croyez vraiment que nos clients apprécient de traiter avec un homme qui leur donne l'impression de les juger ?

– Je ne…

– Tenez, l'année dernière, quand le P.-D.G. de Branch Federated est venu tout exprès de Houston pour vous remercier… Jamais il n'avait pris la peine de faire le déplacement pour féliciter un associé, et voilà que tout d'un coup il saute dans un avion afin de rencontrer un sous-traitant ! Vous vous rappelez ?

Je ne voyais pas comment j'aurais pu oublier – entre autres, parce que la prime rapportée par cette affaire m'avait permis de payer l'assurance maladie de ma famille l'année précédente. Branch Federated possédait quelques centaines de sociétés, dont Downeast Lumber Incorporated, l'une des plus rentables. DLI, basée à Bangor et aux alentours du lac Sebago, dans le Maine, était le premier producteur national d'étais en bois, que les ouvriers sur les chantiers utilisent pour soutenir les ouvrages de maçonnerie. J'avais été envoyé dans les bureaux du lac Sebago, où j'avais pour mission de sympathiser avec une femme répondant au nom joliment allitératif de Peri Pyper. Branch Federated la soupçonnait de vendre des secrets de fabrication à la concurrence – du moins, c'est ce qu'on nous avait dit. Après un mois de collaboration, il était devenu évident pour moi que Peri Pyper rassemblait des indices pour prouver que Branch Federated trafiquait les systèmes de contrôle de la pollution dans ses scieries. En la côtoyant d'un peu plus près, j'avais découvert qu'elle possédait suffisamment d'éléments concrets pour démontrer que la holding et sa filiale avaient sciemment violé la législation en vigueur concernant la qualité de l'air et fait de fausses déclarations. Branch Federated avait ordonné à ses managers de dérégler les capteurs de pollution dans huit États, fourni des informations erronées au ministère de la Santé dans quatre, et falsifié les résultats de ses propres tests d'assurance qualité dans chacun de ses sites sans exception.

Peri Pyper se savait surveillée, aussi ne pouvait-elle pas prendre le risque de sortir des documents des locaux ou même de les transférer sur son ordinateur personnel. Patrick Kendall en revanche, le modeste responsable commercial avec qui elle allait parfois boire un verre, en avait la possibilité. Au bout de deux mois, dans un Chili's de South Portland, elle avait fini par me demander un coup de main. J'avais accepté de l'aider, et nous avions scellé notre pacte en commandant d'autres margaritas et un second plateau de tapas. Le lendemain soir, je la conduisais droit dans les bras grands ouverts des agents de sécurité de Branch Federated.

Elle avait été poursuivie pour non-respect de son contrat, abus de confiance et divulgation de secrets. Elle avait été accusée de vol qualifié et condamnée pour cela. Elle avait perdu sa maison, et ensuite son mari, qui avait filé alors qu'elle était assignée à résidence. Sa fille s'était fait renvoyer de son école privée, son fils avait été obligé d'abandonner la fac. Aux dernières nouvelles, Peri Pyper passait ses journées à répondre au téléphone chez un concessionnaire de voitures d'occasion à Lewiston, et ses nuits à récurer les sols d'un entrepôt BJ's Wholesale dans la ville voisine d'Auburn.

Elle avait vu en moi son copain de bar, son flirt innocent, son alter ego politique. Au moment où les menottes se refermaient autour de ses poignets, elle avait scruté mes traits et pris la mesure de ma duplicité. Ses yeux s'étaient écarquillés, ses lèvres avaient formé un « O » parfait.

– Bon sang, Patrick, tu faisais si bien semblant…, m'avait-elle dit juste avant d'être emmenée.

C'est sans doute le pire compliment qu'on m'ait jamais adressé.

Alors quand son patron, une espèce de gros lard fier de son handicap 7 au golf et du drapeau américain peint sur la dérive de son Gulfstream, était venu à Boston me remercier personnellement, je lui avais serré la main avec suffisamment de force pour faire trembloter ses mamelons. J'avais répondu à ses questions et même accepté d'aller boire un verre avec lui. En somme, j'avais fait tout ce qu'on attendait de moi. Branch Federated et Downeast Lumber Incorporated pouvaient continuer tranquillement d'envoyer leurs étais à des chantiers de construction partout en Amérique du Nord, au Mexique et au Canada ; les nappes phréatiques et la couche superficielle du sol dans toutes les localités où se trouvaient les scieries pouvaient continuer d'empoisonner les tables familiales dans un rayon de trente kilomètres à la ronde. De retour chez moi après la réunion, j'avais fait passer un comprimé de Zantac 150 avec une grande lampée de Maalox liquide.

— J'ai été très poli avec lui, ai-je souligné.

— Oh, bien sûr, a répliqué Jeremy Dent. Tout comme je le suis avec la sœur de ma femme, celle qui a toujours un putain de bouton d'herpès sous la narine droite.

— Vous jurez beaucoup, pour un sang-bleu.

— Je ne vous le fais foutrement pas dire ! (Il a agité un doigt dans ma direction.) Mais seulement derrière des portes fermées, Patrick, c'est toute la différence. Je suis capable de moduler certains aspects de ma personnalité en fonction de mon auditoire. Pas vous. (Il s'est levé pour contourner son bureau.) Évidemment, dans la mesure où notre intervention a permis d'éliminer un gêneur au sein de DLI, Branch Federated nous a royalement rétribués. Mais la prochaine fois, à qui s'adresseront-ils ? Qui engageront-ils pour résoudre leurs problèmes ? Croyez-moi, ce ne sera pas nous.

J'ai gardé le silence, préférant admirer la vue : le ciel hésitant entre le gris et le bleu, le fin voile de brume qui donnait à l'air des reflets de nacre, les arbres noirs et dénudés visibles à l'horizon, loin au-delà du centre-ville.

En face de moi, Jeremy Dent se tenait adossé à sa table, les chevilles croisées.

— Vous avez déjà rempli votre 479 pour l'affaire Trescott ?

— Non.

— Eh bien, installez-vous dans le bureau des sous-traitants pour le faire. Tant que vous y êtes, préparez aussi vos notes de frais et n'oubliez pas non plus de remplir le formulaire 692. Ensuite, allez voir Barnes pour lui rendre votre équipement. Vous aviez pris quoi, le Canon et le Sony ?

J'ai hoché la tête.

— J'ai aussi posé dans l'appartement du gamin quelques-uns de ces nouveaux mouchards Tarenti.

— Ah oui ? J'ai entendu dire qu'ils étaient foireux.

— Pas du tout. Ils ont fonctionné à merveille.

Jeremy Dent a terminé son verre avant de reporter son attention sur moi.

— Écoutez, Patrick, on va vous trouver une nouvelle affaire, d'accord ? Et cette fois, si vous réussissez à la régler sans hérisser personne, on vous engagera définitivement. Dites à votre épouse que je vous ai donné ma parole.

L'estomac noué, j'ai acquiescé.

De retour dans le bureau vide, j'ai réfléchi à mes options.

Elles n'étaient pas légion. Je n'avais qu'une enquête en cours, et elle ne me rapporterait pas des mille et des cents, loin s'en fallait. Un vieux copain, Mike Colette, m'avait demandé de l'aider à découvrir qui, parmi les employés de sa société de transport et de distribution, détournait des fonds. Après avoir passé quelques jours à éplucher de la paperasse, j'avais réduit la liste des suspects éventuels au superviseur de nuit et à un ou deux chauffeurs régionaux, mais j'avais ensuite approfondi mes recherches et conclu que cette piste n'était pas aussi prometteuse qu'elle le paraissait au début. Je me concentrais désormais sur la comptable, une femme que Mike m'avait présentée comme une collaboratrice fiable, au-dessus de tout soupçon.

Je pouvais espérer lui facturer encore cinq heures de travail, six à tout casser.

En fin de journée, je quitterais les locaux de Duhamel & Standiford et j'attendrais le prochain appel de Jeremy Dent, la prochaine mise à l'épreuve. Dans l'intervalle, les factures continueraient d'arriver tous les jours dans la boîte aux lettres et le frigo ne se remplirait pas par miracle. J'avais une échéance de mutuelle à régler ce mois-ci et pas de quoi la payer.

Je me suis appuyé contre le dossier de mon fauteuil. Bienvenue dans le monde merveilleux des adultes.

Il me restait une demi-douzaine de dossiers à mettre à jour et trois rapports à rédiger sur Brandon Trescott ; au lieu de quoi, j'ai appelé Richie Colgan, le Noir le plus blanc de toute l'Amérique.

Il a répondu aussitôt.

– *Tribune*, informations de la communauté urbaine, j'écoute.

– À t'entendre, on croirait jamais que t'es black.

– Mes frères ne se distinguent pas par leur accent, mais par une histoire remarquable dont ils peuvent être fiers et que des esclavagistes armés de fouets ont temporairement interrompue.

– T'es en train de me dire que si j'avais Dave Chappelle et George Will[1] en ligne, j'aurais du mal à deviner lequel est blanc ?

---

1. Acteur noir américain et journaliste blanc.

— Non, juste que c'est toujours *verboten* d'évoquer le sujet en compagnie choisie.

— T'es allemand, maintenant ?

— Seulement du côté français raciste de mon père. Alors, quoi de neuf ?

— Tu te souviens d'Amanda McCready ? La gosse qui...

— ... a disparu il y a quoi, cinq ans ?

— Douze.

— Douze ans ? Merde, ça nous fait quel âge ?

— Tu te rappelles au lycée ce qu'on pensait de tous ces vieux schnocks qui parlaient des Dave Clark Five et de Buddy Holly ?

— Ouais ?

— Ben, c'est ce que les gosses d'aujourd'hui pensent de nous quand on parle de Prince et de Nirvana.

— Nan...

— Comme je te le dis, lopette. Bref, pour en revenir à Amanda McCready...

— Tu l'as retrouvée chez ce flic, tu l'as ramenée à sa mère, t'es devenu la bête noire de la police, t'as un service à me demander.

— Non.

— T'as rien à me demander ?

— Euh, si, mais c'est en rapport avec Amanda McCready. Elle a encore disparu.

— C'est une blague ?

— Pas du tout. Et d'après sa tante, personne n'en a rien à cirer. Ni les flics, ni vous.

— Alors là, j'ai du mal à le croire ! Maintenant, avec le cycle d'infos en continu, tout est bon pour faire un reportage.

— Ce qui explique Paris Hilton.

— Non, ça, ça dépasse l'entendement, a affirmé Richie. Bon, je récapitule : une gamine manque de nouveau à l'appel alors que sa première disparition, il y a douze ans, a entraîné le démantèlement d'un gang de flics et coûté à la ville quelques millions de dollars en période de restriction budgétaire… Merde, c'est un sacré scoop, ça, p'tit Blanc !

— C'est bien ce que je pensais. T'as presque parlé comme un Black, là, au fait.

— Espèce de raciste. Dis-moi, euh… lopette, elle s'appelle comment, la tante ?

— Bea. Beatrice McCready.

— Tante Bea ? Comme celle de Mayberry[1] ? Dieu sait pourtant qu'on en est loin !

Il m'a rappelé vingt minutes plus tard.

— Mission accomplie, a-t-il annoncé. Un vrai jeu d'enfant.

— Alors ? Qu'est-ce qui s'est passé ?

— J'ai bavardé avec l'officier chargé de l'enquête, un certain inspecteur Chuck Hitchcock. Il m'a raconté qu'ils avaient pris en compte les déclarations de la tante et qu'ils s'étaient rendus chez la mère, à qui ils avaient posé quelques questions avant de s'entretenir avec la fille.

— *Quoi ?* Ils ont vu Amanda ?

— Oui, m'sieur. Tout ça n'était qu'un canular.

— Mais pourquoi Bea aurait-elle inventé une…

— Oh, elle n'en est pas à son coup d'essai, loin de là ! Tu savais que la mère d'Amanda – Helene, c'est ça ? – avait été obligée de demander à plusieurs reprises une interdiction d'approcher à l'encontre de cette femme ? Depuis que son gosse est mort, elle a…

---

1. Petite ville fictive qui sert de cadre à deux séries télévisées. Tante Bea est l'un des personnages récurrents.

– Hé, attends un peu. De quel gosse tu me parles, là ?

– Celui de Beatrice McCready.

– Il n'est pas mort, il est en terminale à Monument.

– Non, il n'est pas à Monument, a-t-il répondu lentement. Il est au cimetière. L'année dernière, il a voulu faire une virée en bagnole avec quelques copains ; aucun n'avait l'âge de conduire ni de boire, mais ils ne s'en sont pas privés. Ils ont grillé un stop au pied de cette grande colline – tu vois ce que je veux dire ? Là où se trouvait l'hôpital St. Margaret, avant. Bref, ils se sont encastrés dans un bus au niveau de Stoughton Street. Deux des mômes sont morts, les deux autres parleront bizarrement toute leur vie sans jamais pouvoir remarcher. L'une des deux victimes était ce Matthew McCready. J'ai consulté nos archives sur le Web, j'ai l'article sous les yeux en ce moment même. C'était le 15 juin de l'année dernière. Je t'envoie le lien ?

5

Quand j'ai émergé de la station JFK/UMass pour rentrer chez moi, j'avais toujours la tête ailleurs. Après avoir pris congé de Richie, j'avais cliqué sur le lien qu'il m'avait transmis et découvert ainsi toute l'histoire, relatée dans un article en page 4 datant du mois de juin précédent – celle de quatre adolescents partis en virée dans une voiture volée et qui, dopés par un mélange de shit et de Jager, avaient dévalé une colline à toute blinde. Le chauffeur de bus n'avait même pas eu le temps de klaxonner. Bilan : Harold Endalis, quinze ans, paralysé à partir de la taille ; Stuart Burfield, quinze ans, paralysé à partir de la nuque ; Mark McGrath, seize ans, décédé à son arrivée aux urgences de Carney ; Matthew McCready, seize ans, mort sur les lieux. En descendant l'escalier de la station, puis en me dirigeant vers Crescent Avenue, j'ai repensé à toutes les conneries que j'avais moi-même faites lorsque j'avais seize ans, à toutes ces fois où j'aurais pu – et sans doute dû – mourir avant mon dix-septième anniversaire.

Les deux premières maisons dans la partie sud de l'avenue – deux petits pavillons blancs identiques de style Cape Cod – étaient abandonnées, victimes de cette remarquable crise des subprimes qui, depuis quelque temps, semait l'allégresse dans tout le pays. Je longeais la seconde lorsqu'un SDF m'a abordé.

– Hé, vieux, je peux te parler une minute ? T'inquiète, j'en ai pas après ton fric.

Petit, noueux et barbu, il portait des vêtements striés de crasse – sweat-shirt à capuche, jean élimé, casquette de base-ball –, et, à en juger par l'odeur, il ne s'était pas lavé depuis un bon moment. Pourtant, il n'avait pas les yeux explosés ; il n'y avait pas d'agressivité en lui, ni aucune trace de cette nervosité caractéristique des accros au crack.

Je me suis arrêté.

– Qu'est-ce qui se passe ?

– Je suis pas un clochard, a-t-il affirmé en écartant largement les mains comme pour parer à toute éventuelle objection de ma part. Je voudrais que ce soit bien clair.

– D'accord.

– C'est vrai.

– OK.

– Le problème, tu vois, c'est que j'ai un môme et qu'y a plus de boulot nulle part. Ma gonzesse est malade, et le petiot, il a quand même besoin de sa bouillie. Cette saloperie-là, ça va chercher au moins dans les sept dollars, et moi je…

À aucun moment je n'ai vu son bras bouger, mais en un éclair il m'avait délesté de ma sacoche et détalait vers l'arrière de la maison abandonnée la plus proche. Dans cette sacoche, j'avais rangé mes notes sur l'affaire en cours, mon ordinateur et une photo de ma fille.

– Pauvre con, ai-je marmonné, sans trop savoir si je parlais de moi, du SDF ou de nous deux.

Merde, comment aurais-je pu deviner que ce crétin avait les bras aussi longs ?

Je me suis lancé à sa poursuite sur le côté de la maison, me frayant tant bien que mal un passage au milieu d'un fouillis d'herbes folles envahies par des canettes de bière écrasées, des boîtes d'œufs en polystyrène et des bouteilles cassées. Des squatteurs avaient dû occuper les lieux. Quand j'étais gosse, c'était la propriété des Cowan, qui l'avaient revendue aux Ursini. Plus tard, une famille vietnamienne l'avait achetée et retapée. Les travaux de rénovation commençaient tout juste dans la cuisine lorsque le père avait perdu son travail et la mère le sien.

Il manquait toujours un pan de mur à l'arrière, et la brise faisait claquer certaines des bâches en plastique encore clouées aux encadrements. Lorsque j'ai tourné à l'angle du pavillon, le SDF n'avait plus que quelques mètres d'avance sur moi. Un grillage se dressait devant lui, qui le ralentirait forcément, et j'allais accélérer quand j'ai soudain décelé un mouvement sur ma gauche. L'une des bâches venait de s'écarter, révélant un type brun armé d'une barre de fer qu'il m'a prestement expédiée dans la tempe ; sonné, j'ai senti que je m'empêtrais dans le plastique avant de m'affaler dans la cuisine inachevée.

J'ignore combien de temps je suis resté par terre – assez longtemps en tout cas pour remarquer, alors que la pièce paraissait frissonner derrière une brume de chaleur, que les éléments en cuivre sous l'évier et dans les murs s'étaient volatilisés. Et pour avoir la certitude que ma mâchoire n'était pas cassée, même si le côté gauche de mon visage me semblait à la fois engourdi et en feu, et libérait un flot de sang. Enfin, je suis parvenu à me mettre à genoux, et aussitôt une bombe à fragmentation a explosé à l'intérieur de mon crâne. Tout ce qui n'était pas juste sous mon nez a disparu derrière un voile noir tandis que le sol commençait à tanguer.

Quelqu'un m'a aidé à me redresser puis m'a poussé contre un mur, quelqu'un d'autre a éclaté de rire. Une troisième personne, plus loin, a ordonné :

— Amène-le par ici.

— Je crois pas qu'il puisse marcher.

— Alors soutiens-le.

Des doigts m'ont enserré la nuque comme dans un étau pour me guider vers ce qui était autrefois le salon. Le voile noir s'estompait peu à peu, me permettant de distinguer une petite cheminée dont le manteau avait été arraché et sans doute transformé en bois de chauffage. Je n'étais entré dans cette pièce qu'une fois, à seize ans, avec tout un groupe de copains qui avaient suivi Brian Cowan pour vider le bar à liqueurs de son père. Un canapé se trouvait alors sous les fenêtres donnant sur la rue ; aujourd'hui, c'était un banc public qu'on avait installé à la place, occupé par un individu dont je sentais le regard peser sur moi. On m'a assis d'autorité sur le canapé en face de lui – un meuble orange miteux qui puait autant qu'une benne à ordures derrière un restaurant de fruits de mer.

— Tu vas dégueuler ? m'a-t-il lancé.

— Ben, je me pose encore la question…

— Je lui avais dit de te faire dégringoler, pas de t'expédier dans les vapes, mais voilà, il s'est emporté.

J'ai jeté un coup d'œil à l'homme à la barre de fer – un Latino mince en maillot de corps et pantalon de toile kaki. Il a haussé les épaules en faisant rebondir la barre sur sa paume.

— Oups, a-t-il lâché.

— « Oups », ai-je répété. D'accord, je m'en souviendrai.

— Tu te souviendras de rien du tout, *pendejo*, ou la prochaine fois je cogne plus fort.

Difficile d'argumenter dans ces conditions. J'ai donc détaché mon regard du sous-fifre pour examiner le boss sur le banc. Je m'attendais à découvrir un type aux yeux délavés couleur de gin, au corps affûté et à l'air sournois d'un ex-taulard. Au lieu de quoi, l'inconnu affichait une allure décontractée : pantalon brun en velours côtelé, chemise à carreaux verts et jaunes sous un pull noir, Vans en toile imprimée de minuscules carrés noirs et or. L'un dans l'autre, il n'avait pas l'air d'un chef de gang, plutôt d'un prof de sciences du secondaire – une impression encore renforcée par sa tignasse rousse en bataille.

– Je sais que t'as des copains pas commodes, et que pour t'être déjà retrouvé dans de sacrés merdiers t'es pas du genre à avoir facilement la trouille, a-t-il déclaré.

Première nouvelle. En vérité, j'étais tétanisé de trouille. Fou de rage aussi, bien sûr, ce qui m'amenait à essayer instinctivement de mémoriser le plus de détails possible sur les deux types que je pouvais voir, tout en réfléchissant aux différents moyens de mettre la main sur la barre de fer du Latino et de la lui fourrer dans le cul. Mais avant tout, je balisais comme un malade.

– Si on te laisse vivre, la première chose que tu vas faire, c'est nous chercher des emmerdes, a-t-il ajouté.

Sur ce, il a déballé une tablette de chewing-gum et l'a glissée entre ses lèvres.

Si on te laisse vivre.

– Tadeo ? File-lui de quoi s'essuyer la figure. (Sans me quitter des yeux, le prof a arqué un sourcil.) Oui, t'as bien entendu, je l'ai appelé par son nom. Et tu sais pourquoi, Patrick ? Parce que tu vas nous foutre la paix. Et ça, tu sais pourquoi ?

Craignant d'avoir encore plus mal si je remuais la tête, je me suis contenté de répondre :

– Non.

— Parce qu'on est des putains de méchants et que t'es un putain de dégonflé. Oh, c'était peut-être pas le cas avant, mais depuis l'eau a coulé sous les ponts. Le bruit court que ta boîte s'est cassé la gueule quand tu t'es mis à refuser tout ce qui ressemblait de près ou de loin à une sale affaire ; bon, tu me diras, c'est compréhensible pour un type qui s'est fait tirer dessus plusieurs fois et qui a failli se vider de son sang. N'empêche, on raconte que t'as plus assez de couilles pour jouer dans la cour des grands. Que t'es plus dans le coup, quoi. Et que de toute façon t'en as plus envie.

Revenu de la cuisine, Tadeo m'a tendu deux feuilles de papier absorbant. Alors que je me penchais pour les récupérer, il a frotté l'extrémité de la barre de fer sur le côté de mon cou en étouffant un petit rire.

J'ai saisi la barre en même temps que je lui expédiais mon pied dans le genou. Il est parti à la renverse, et je m'étais déjà levé lorsque le prof a crié « Hé ! » en pointant un pistolet vers moi. Aussitôt, je me suis figé. Tadeo a reculé sur les fesses jusqu'au mur, contre lequel il s'est appuyé pour se redresser en transférant son poids sur sa jambe valide. La barre à la main, le bras prêt à se détendre, je ne bougeais toujours pas. Enfin, le prof a baissé son arme, sans doute pour m'inciter à baisser la mienne. J'ai acquiescé d'un léger hochement de tête juste avant d'effectuer une rapide rotation du poignet. La barre a voltigé à travers la pièce et atteint Tadeo entre les sourcils. Il a poussé un glapissement de douleur tout en s'écartant de la cloison. Une entaille s'était ouverte au-dessus de son nez, déversant un flot de sang dans ses yeux. Il a fait deux pas vers le centre de la pièce, trois autres sur le côté, puis il est reparti en sens inverse et s'est payé le mur. Il y a plaqué ses paumes en aspirant de grandes goulées d'air.

— Oups, ai-je dit.

Le prof m'a enfoncé le canon de son pistolet dans la nuque.

— Rassieds-toi, bordel.

Au même instant, le troisième lascar nous a rejoints – un balèze, dans les un mètre quatre-vingt-dix pour près de deux cents kilos, qui soufflait comme un bœuf en avançant d'un pas pesant.

— Emmène Tadeo à l'étage, lui a ordonné le prof. Mets-le sous la douche, fais couler l'eau froide, essaie de voir s'il a un traumatisme…

— Ça se voit à quoi ? s'est enquis le balèze.

— Je sais pas, moi, merde ! Regarde ses yeux, demande-lui de compter jusqu'à dix…

— Ce serait vraiment une surprise s'il n'y arrivait pas ? ai-je lancé.

— Toi, je t'ai dit de la fermer.

— Non, tu m'as dit : « Rassieds-toi, bordel. » Faudrait te décider.

Le balèze est allé chercher son comparse pour le guider vers l'escalier. Tadeo n'arrêtait pas de griffer l'air devant lui tel un chien en train de rêver.

J'ai ramassé les feuilles de papier absorbant tombées par terre, pressé le côté encore propre au-dessus de ma pommette gauche et obtenu une sorte dc test de Rorschach pourpre.

— Je vais avoir besoin de points de suture.

Le prof s'est penché en avant, l'arme dirigée vers mon ventre. Il avait un visage ouvert, égayé par quelques taches de rousseur, et arborait un grand sourire factice de mauvais comédien s'efforçant de jouer le rôle du mec serviable.

— Qu'est-ce qui te fait croire que tu vas sortir d'ici ?

— C'est simple, le compteur tourne, t'as de moins en moins d'options, ai-je répondu. Il y avait du monde dans la rue quand ce type m'a fauché ma sacoche ; à l'heure qu'il est, les flics doivent sûrement être prévenus. La maison de derrière est occupée, contrairement à celle d'à côté, et il y a toutes les chances pour que quelqu'un ait vu Tadeo m'assommer. Alors, j'ignore qui t'a engagé pour me transmettre un message, mais à ta place je m'agiterais un peu.

Je n'avais certainement pas affaire à un idiot. Et s'il avait voulu me tuer, il m'aurait logé deux balles dans la nuque quand j'étais à genoux sur le sol de la cuisine inachevée.

— T'approche pas d'Helene McCready. (Il s'était accroupi devant moi, laissant le pistolet pendre entre ses cuisses tandis qu'il scrutait mes traits.) Si tu t'avises de tourner autour d'elle ou de sa gosse, si tu te mêles de poser des questions, je te troue la peau.

— Pigé, ai-je répliqué en affectant une désinvolture que j'étais loin d'éprouver.

— T'as un môme aujourd'hui, Patrick, et aussi une femme. Une belle petite vie. Alors tu y retournes et t'en sors plus. Comme ça, on pourra tous oublier ce qui vient de se passer.

Il s'est redressé, puis il a reculé pour me laisser me relever. Je me suis dirigé vers la cuisine, où j'ai ramassé le rouleau de papier absorbant qui traînait par terre. J'en ai arraché plusieurs feuilles pour les presser sur mon visage. Posté sur le seuil, l'arme glissée dans sa ceinture, le rouquin m'observait. J'ai songé à mon propre pistolet toujours dans un tiroir chez Duhamel & Standiford. De toute façon, même si je l'avais eu sur moi, il ne m'aurait servi à rien après l'attaque surprise de Tadeo. Sans compter que j'aurais maintenant à déplorer la perte d'un ordinateur portable, d'une sacoche *et* d'une arme.

J'ai regardé mon interlocuteur bien en face.

– Je vais devoir aller aux urgences pour qu'on me recouse la figure, mais t'inquiète, j'en fais pas une affaire personnelle.

– C'est vrai ? Tu me le jures ?

– T'as aussi menacé de me tuer, mais je t'en veux pas non plus.

– Monsieur est trop bon.

Il a formé une grosse bulle de chewing-gum et l'a faite claquer.

– Ce qui m'embête plus, c'est que tu m'as fauché mon portable et que j'ai pas les moyens de m'en offrir un autre. Tu me le rendrais pas, des fois ?

Il a secoué la tête.

– Nan, c'est celui qui le trouve qui le garde.

– Entre nous, vieux, tu me mets dans la merde, mais je vais pas en faire un plat. Parce que c'est juste du business, pas vrai ?

– On n'a qu'à dire ça pour le moment.

J'ai jeté un coup d'œil aux feuilles de papier absorbant dans ma main – un véritable massacre. Je les ai repliées pour les appliquer de nouveau sur ma tempe puis j'ai reporté mon attention sur le rouquin toujours immobile dans l'encadrement.

– Soit, ai-je dit.

Sur ce, j'ai lâché la boule de papier ensanglantée, arraché de nouvelles feuilles au rouleau et quitté la maison.

6

Lorsque nous sommes passés à table, le regard d'Angie exprimait toujours cette rage contenue qui bouillonnait en elle depuis le moment où elle avait découvert mon visage tuméfié, écouté le récit de mon passage aux urgences et acquis la certitude que je n'allais pas mourir ce soir-là.

— Bon, récapitulons, a-t-elle dit. (De sa fourchette, elle a harponné quelques petits bouts de laitue.) Donc, Beatrice McCready t'attendait à la station JFK.

— Oui, m'dame.

— Et elle t'a raconté que sa pouffiasse de belle-sœur avait encore une fois égaré sa fille.

— Helene est une pouffiasse ? Tiens, c'est marrant, j'avais pas remarqué…

Ma femme s'est fendue d'un sourire – pas le gentil, l'autre.

— Papa ?

J'ai tourné la tête vers Gabriella.

— Oui, mon cœur ?

— Ça veut dire quoi, pouffiasse ?

— C'est comme zinzin, sauf que ça rime avec radasse.

— Ça veut dire quoi, radasse ?

– C'est comme toquée, sauf que ça ne rime pas avec zinzin. Pourquoi tu ne manges pas tes carottes ?

– T'as l'air tout drôle.

– Ah bon ? Je mets des gros pansements sur ma figure tous les jeudis, pourtant...

– Non, c'est pas vrai.

Les yeux de Gabriella se sont écarquillés tandis qu'elle prenait un air solennel. Ses grands yeux caramel, elle les tient de sa mère, tout comme son teint mat, sa bouche large et ses cheveux bruns. De mon côté, elle a hérité les boucles, un nez fin et un amour immodéré pour les pitreries et les jeux de mots.

– Pourquoi tu ne manges pas tes carottes ? ai-je répété.

– J'aime pas les carottes.

– Tu les aimais, la semaine dernière.

– Non, c'est pas vrai.

– Si, c'est vrai.

Angie a posé sa fourchette.

– Ah non, vous n'allez pas remettre ça, tous les deux ! Arrêtez tout de suite.

– C'est pas vrai.

– Si, c'est vrai.

– Non, c'est pas vrai.

– Si, c'est vrai. J'ai des photos.

– Non, c'est pas vrai.

– Si, c'est vrai. Je vais aller chercher mon appareil pour te montrer.

Alors qu'elle saisissait son verre de vin, Angie a fixé sur moi des yeux aussi ronds que ceux de notre fille.

– S'il te plaît ? Pour me faire plaisir...

Je me suis de nouveau tourné vers Gabriella.

– Allez, mange.

– D'accord.

Docilement, ma fille a piqué une carotte avec sa fourchette, puis l'a enfournée et mâchouillée. Son visage s'est éclairé.

Comme je lui jetais un coup d'œil interrogateur, elle a déclaré :

– C'est bon.

– Ah. Je n'avais pas raison ?

En réponse, elle en a embroché une autre qu'elle a grignotée tout aussi allègrement.

– Ça fait quatre ans que je vous observe et je n'ai toujours pas compris comment tu t'y prends, a commenté Angie.

– Oh, c'est un vieux truc chinois. (J'ai mastiqué très lentement un minuscule morceau de blanc de poulet.) À propos, je ne sais pas si t'es au courant, mais ce n'est pas évident de manger quand on ne peut mâcher que d'un côté.

– Tu veux que je te dise ce que je trouve le plus drôle ? a-t-elle demandé d'un ton laissant supposer qu'elle n'était pas du tout sensible au côté comique de la chose.

– Euh, vas-y.

– Pour la plupart, les autres privés ne se font ni kidnapper ni tabasser.

– Il semblerait néanmoins que cette pratique ait tendance à se répandre…

Quand elle a froncé les sourcils, j'ai eu le sentiment que nous étions tous les deux piégés à l'intérieur de nous-mêmes, aucun de nous ne sachant trop comment réagir à l'intrusion de la violence dans cette journée. Il y avait eu une époque où nous aurions géré le problème en professionnels aguerris : Angie m'aurait lancé une poche de glace en partant au club de gym, persuadée qu'à son retour je serais sur pied et impatient de reprendre le boulot. Mais ce temps-là était bel et bien révolu, et la facilité avec laquelle la brutalité venait de resurgir dans notre vie nous amenait à rentrer chacun dans notre coquille. La sienne est faite de rage froide et de détachement circonspect, la mienne d'humour et de sarcasme. À nous deux, nous avons tout d'un comique recalé à un cours de gestion de la colère.

— C'est moche, a-t-elle déclaré enfin, avec dans la voix une note de tendresse qui m'a surpris.

— Oh, c'est juste quatre ou cinq fois plus douloureux que ça en a l'air… Non, t'en fais pas, ça va.

— Grâce au Percocet.

— Et à la bière.

— Je croyais qu'on n'était pas censé mélanger les deux, a-t-elle observé.

— Je refuse de me conformer aux idées reçues. Je suis un décideur, moi ! Et j'ai décidé que je ne voulais pas avoir mal.

— Tiens donc. Et ça marche ?

Je lui ai porté un toast avec ma bière.

— Mission accomplie.

— Papa ? a lancé Gabby.

— Oui, ma chérie ?

— J'aime bien les arbres.

— Moi aussi, mon cœur.

— Ils sont grands.

— Très juste.

— Mais t'aimes tous les arbres, toi ?

— Tous sans exception.

— Même les petits ?

— Bien sûr, mon cœur.

— Comment ça se fait ?

Ma fille a écarté les mains, paumes vers le haut – signe qu'elle estimait cet interrogatoire de la plus haute importance et qu'à ce titre, ô joie, elle le poursuivrait indéfiniment si nécessaire.

Angie m'a gratifié d'un regard qui signifiait clairement : « Moi, j'y ai droit à longueur de temps. »

Au cours des trois années écoulées, j'avais passé mes
journées à bosser ou, à mesure que les opportunités se
raréfiaient, à prospecter. Trois soirs par semaine, je
gardais Gabby pendant qu'Angie suivait ses cours. Mais
elle aurait bientôt terminé : les vacances de Noël approchaient, et ses examens finaux auraient lieu une semaine
plus tard. Après le nouvel an, elle commencerait un
stage au centre d'apprentissage Blue Sky, un organisme
à but non lucratif spécialisé dans l'éducation des adolescents atteints du syndrome de Down. À la fin de cette
période, en mai, elle obtiendrait sa maîtrise de socio-
logie appliquée. Jusque-là, nous ne pouvions donc
compter que sur un seul salaire. Parmi nos amis, nombreux étaient ceux à nous avoir suggéré de nous installer
en banlieue, où les maisons étaient moins chères, les
écoles plus sûres, les taxes foncières et les primes d'assurance automobile moins élevées.

Le problème, c'est qu'ayant grandi ensemble à
Boston, Angie et moi éprouvons autant d'attirance pour
les clôtures blanches et les grandes maisons de plain-
pied que pour les tapis à poils longs et les combats de
l'Ultimate Fighting – à savoir, pas beaucoup. Je pos-
sédais autrefois une belle voiture, mais je l'ai vendue
pour ouvrir un compte destiné à financer les études de
Gabby, et aujourd'hui il arrive que ma vieille jeep reste
garée devant chez nous pendant plusieurs semaines d'af-
filée. Je préfère le métro : on s'engouffre dans un trou
d'un côté de la ville, on ressort de l'autre, et on n'a
jamais besoin de donner un coup de klaxon. Je n'aime
ni tondre la pelouse, ni tailler les haies, ni ramasser
l'herbe et les branches coupées. Je ne prends aucun
plaisir à faire mes courses dans les centres commerciaux

ou à manger dans les restaurants des grandes chaînes. À vrai dire, l'attrait de l'idéal suburbain – pour moi comme pour les autres – m'échappe totalement.

J'aime le bruit des marteaux-piqueurs, le hurlement des sirènes la nuit, les snacks ouverts vingt-quatre heures sur vingt-quatre, les graffitis, le café servi dans des gobelets en carton, la vapeur qui monte des plaques d'égout, les pavés, les tabloïdes, le sigle des stations-service CITGO, le passant qui crie « Ta-xi ! » par une soirée froide, les gamins qui traînent au coin des rues, les œuvres d'art sur les trottoirs, les pubs irlandais et les gars prénommés Sal.

Bref, pas mal de choses qu'on ne trouve pas facilement en banlieue, ou du moins pas dans les proportions auxquelles je suis habitué. Quant à Angie, elle est encore plus accro que moi.

Aussi avons-nous décidé d'élever notre enfant en ville. Nous avons acheté une petite maison dans une rue relativement résidentielle, dotée d'un minuscule jardin et située à quelques minutes de marche d'une aire de jeux (ainsi que d'un lotissement assez hideux, mais c'est une autre histoire). Nous connaissons la plupart de nos voisins, et Gabriella est déjà capable de nommer cinq stations de métro sur la Red Line, dans l'ordre – un exploit qui emplit son paternel d'une fierté sans nom.

– Ça y est, elle dort ?

Angie a abandonné son manuel quand je suis entré dans le salon. Elle s'était changée et portait désormais un pantalon de survêtement sur lequel elle avait enfilé l'un de mes T-shirts, un blanc que j'avais acheté pendant la tournée Stay Positive de The Hold Steady. En la voyant nager dedans, je me suis demandé si elle mangeait assez.

– Gabby la pipelette a fini par reprendre son souffle pendant un discours sur les arbres…

– Arghhh... (Angie a appuyé sa nuque contre le dossier du canapé.) Mais qu'est-ce qu'elle a avec les arbres ?

– ... et elle s'est endormie comme une masse.

Je me suis laissé choir à côté d'elle et je lui ai saisi la main pour y déposer un baiser.

– Bon, à part cette raclée, comment s'est passée ta journée ? m'a-t-elle demandé.

– À l'agence, tu veux dire ?

– C'est ça.

J'ai inspiré un grand coup.

– Je ne suis pas embauché définitivement.

– Et merde !

Angie avait crié si fort que j'ai dû lever la main pour la mettre en garde. Elle a aussitôt jeté un coup d'œil vers la chambre de Gabby en grimaçant.

– Jeremy Dent m'a reproché d'avoir insulté Brandon Trescott. D'après lui, je suis un rustre qui aurait bien besoin de quelques leçons de savoir-vivre avant de pouvoir bénéficier de leurs avantages sociaux.

– Merde, a-t-elle répété à voix basse. (Cette fois, son intonation trahissait plus le désespoir que la surprise.) Qu'est-ce qu'on va faire ?

– J'en sais rien.

Nous avons gardé le silence pendant quelques instants. Il n'y avait pas grand-chose à ajouter. Tout ça – l'inquiétude permanente, le poids des soucis – finissait par nous engourdir.

– Je vais laisser tomber les cours, a-t-elle déclaré.

– Pas question.

– Oh si. Je n'aurai qu'à...

– Tu y es presque, Ange. Encore une série d'examens après Noël, un stage, et avant l'été t'auras un salaire. À ce moment-là, je pourrai...

– Encore faudrait-il que je trouve du travail !

– ... me permettre de bosser en indépendant. Non, tu ne vas pas abandonner maintenant, alors que tu touches au but. D'autant que t'es dans les meilleures, tu te feras embaucher sans problème. (Je me suis efforcé de mettre dans mon sourire une confiance que je n'éprouvais pas.) On va s'en sortir.

Elle a reculé un peu pour examiner une nouvelle fois mon visage.

– OK, ai-je dit pour changer de sujet. Vas-y, engueule-moi.

– Pourquoi ?

Toute d'innocence feinte.

– Quand on s'est mariés, on a pris l'engagement d'arrêter les conneries.

– Exact.

– Plus question de violence, de...

– Patrick. (Elle m'a saisi les mains.) Reprends tout depuis le début, s'il te plaît.

J'ai obéi.

À la fin de mon récit, elle a déclaré :

– Donc, en plus de ne pas avoir décroché ce poste chez Duhamel & Standiford, t'as appris que la plus mauvaise mère du monde avait encore perdu sa gamine, et bien que t'aies refusé de t'en mêler on t'a quand même dérouillé et menacé. Résultat des courses, t'as dû débourser le prix de la consultation à l'hosto et t'as perdu un chouette portable.

– Je sais, d'accord ? J'adorais cette bécane, elle pesait moins lourd que ton verre de vin. Et puis, chaque fois que je l'allumais, un smiley apparaissait sur l'écran en disant : « Bonjour ».

– Tu l'as mauvaise.

– C'est peu dire.

– Mais tu ne vas pas te lancer dans une croisade personnelle juste parce qu'on t'a piqué ton ordi, hein ?

– Et le smiley, alors ?

– Je suis sûre que tu pourras en avoir un autre sur ton nouveau portable.

– Avec quels sous tu veux que j'en rachète un ?

Angie n'a pas répondu.

Elle avait étendu ses jambes sur mes genoux et nous sommes restés ainsi un moment, sans bouger ni parler. J'avais laissé entrebâillée la porte de la chambre de Gabby, et dans le silence nous entendions sa respiration régulière, chacune de ses expirations s'accompagnant d'un sifflement à peine perceptible. Ce seul son suffisait à me rappeler, comme si souvent, à quel point elle était vulnérable. Et à quel point nous l'étions nous-mêmes en raison de notre amour pour elle. La peur qu'il lui arrive quelque chose, n'importe quand – quelque chose que je ne serais pas en mesure d'empêcher – était devenue tellement omniprésente dans ma vie que je l'imaginais parfois pousser comme un troisième bras au milieu de ma poitrine.

– Tu te souviens du jour où on t'a tiré dessus ? a demandé Angie, choisissant de mettre un autre sujet drolatique sur le tapis.

J'ai esquissé un geste vague.

– Plus ou moins. Je me rappelle surtout le bruit.

– Sans blague. (Perdue dans ses souvenirs, elle a souri.) Ça faisait un sacré boucan, là-dedans ! Tous ces flingues, les murs en ciment… L'horreur.

– Sûr.

J'ai poussé un léger soupir.

– Il y avait ton sang sur les murs, a-t-elle poursuivi. T'étais dans les vapes quand les urgentistes sont arrivés, et moi je ne pouvais pas détacher mon regard de ces éclaboussures. C'était ton sang – c'était toi –, et il n'était plus dans ton corps. Non, il était partout autour de nous. T'étais pas blanc comme un linge, t'étais bleu clair, de la même couleur que tes yeux. Je te voyais allongé devant moi, mais en même temps t'étais plus là, tu comprends ? J'avais l'impression que t'étais déjà en route pour le paradis, pleins gaz.

Les yeux fermés, j'ai levé une main. Je ne supportais pas qu'on me remette cette journée en mémoire et elle en avait parfaitement conscience.

— D'accord, j'arrête, a-t-elle dit. J'aimerais juste qu'on n'oublie pas, ni toi ni moi, pourquoi on a laissé tomber les affaires glauques : pas seulement parce que tu t'es fait tirer dessus, mais parce qu'on était accros. On aimait ça, Patrick ; on aime toujours ça. (Elle s'est passé une main dans les cheveux.) Je ne suis pas venue au monde uniquement pour lire *Goodnight, Moon* trois fois par jour et tenir des discussions d'un quart d'heure sur le pourquoi du comment des gobelets en plastique pour les enfants.

— Je sais.

C'était vrai. Aucune femme n'était moins faite qu'Angie pour être mère au foyer. Oh, elle s'en sortait bien, elle excellait même dans ce rôle, mais elle refusait de s'y cantonner. Alors elle avait repris des études, et comme les fins de mois devenaient difficiles il nous avait paru judicieux de nous organiser pour économiser sur les frais de nounou pendant quelque temps ; ainsi, elle gardait Gabby la journée et assistait à ses cours le soir. Voilà comment – d'abord insidieusement, puis tout d'un coup, comme dirait l'autre – on s'était retrouvés dans cette situation.

— Tout ça me rend dingue.

Du regard, elle a indiqué les albums de coloriage et les jouets éparpillés sur le sol du salon.

— J'imagine.

— Complètement marteau, a-t-elle renchéri.

– Oh, c'est certainement plus proche de la terminologie médicale officielle… Quoi qu'il en soit, tu te débrouilles comme un chef.

Elle a levé les yeux vers le plafond.

– C'est gentil de dire ça, bébé. Le problème, c'est que j'ai beau être douée pour faire semblant, eh bien… je fais semblant, justement.

– Comme tous les parents, non ?

En guise de réponse, elle a grimacé.

– Sérieux, Ange. Tu peux me dire quel individu sain d'esprit aurait envie de subir quatorze interrogatoires sur les arbres en l'espace de vingt-quatre heures ? Je l'adore, cette gosse, mais il faut bien admettre que c'est une vraie anarchiste ! Elle nous réveille quand ça lui chante, elle est persuadée que déborder d'énergie à sept heures du matin est une qualité, parfois elle se met à hurler sans raison, elle change d'avis toutes les deux secondes à propos de ce qu'elle aime manger, elle fourre ses menottes, voire sa figure, dans des endroits franchement dégoûtants… et on en a encore pour quatorze ans comme ça au bas mot – du moins, si on a la chance qu'une fac trop chère pour nous veuille bien nous la prendre.

– En attendant, notre ancienne vie aurait fini par avoir notre peau.

– Exact.

– En même temps, elle me manque tellement, cette putain d'ancienne vie…

– À moi aussi. N'empêche, s'il y a bien une chose que j'ai apprise aujourd'hui, c'est que je suis devenu un peu chochotte sur les bords.

Un sourire a éclairé son visage.

– Tiens donc.

J'ai hoché la tête.

Elle s'est penchée vers moi.

– Entre nous, t'as jamais vraiment été téméraire…

– Je sais. Alors tu vois d'ici la mauviette ?

– Merde, y a vraiment des fois où je t'aime plus que tout.

– Je t'aime aussi.

Elle a lentement fait glisser ses jambes sur mes cuisses.

– Mais t'as rudement envie de récupérer ton portable, pas vrai ?

– Oh oui.

– Et tu comptes aller le chercher, c'est ça ?

– Cette pensée m'a traversé l'esprit, je l'avoue.

– OK. À une condition.

Jamais je n'aurais cru qu'elle accepterait. Et même si, tout au fond de moi, je l'espérais un peu, jamais je n'aurais osé imaginer qu'elle accepterait aussi vite. Je me suis redressé, aussi attentif et servile qu'un setter irlandais.

– Je t'écoute.

– Emmène Bubba.

Bubba était le partenaire idéal pour ce genre de mission, et pas seulement parce qu'en plus d'être bâti comme une porte blindée il n'a jamais connu la peur. (C'est vrai, il est allé jusqu'à me demander un jour de lui expliquer ce qu'on ressent dans ces cas-là. De même, la notion d'empathie lui passe complètement au-dessus de la tête.) Ce qui faisait aussi de lui le candidat tout désigné pour participer aux festivités à venir, c'est qu'il avait diversifié ses activités au cours des dernières années en se lançant sur le marché noir de la santé. Au départ, il s'agissait d'un simple investissement : il avait financé l'entreprise d'un médecin qui, ayant perdu son autorisation d'exercer, voulait monter un cabinet destiné aux personnes se trouvant dans l'impossibilité d'aller à l'hôpital se faire soigner pour une blessure par balle, un coup de couteau, un traumatisme crânien ou des fractures diverses. Bien sûr, comme il fallait des médicaments pour traiter de tels patients, Bubba avait dû trouver une source susceptible de lui fournir illégalement ces drogues « légales ». Il l'avait dénichée au Canada, et, malgré tout le ramdam post-11 Septembre sur le renforcement des contrôles aux frontières, il recevait tous les mois d'énormes sacs de pilules. Jusque-là, il n'avait pas perdu un seul chargement. Si une compagnie d'assurances refusait de rembourser un médicament, ou si les laboratoires pharmaceutiques décidaient de le vendre à un prix trop élevé pour les ouvriers et la population défavorisée du quartier, la rumeur de la rue finissait en général par guider l'intéressé vers l'un des nombreux contacts – barmen, fleuristes, vendeurs de hot dogs ou caissiers à la supérette du coin – qui constituaient les réseaux de Bubba. Ainsi, tous ceux qui étaient exclus ou juste à la marge du système de santé avaient rapidement contracté une dette envers lui. Bubba n'était pas Robin des Bois – il dégageait des profits –, mais ce n'était pas Pfizer non plus : ses profits restaient raisonnables, de l'ordre de quinze à vingt pour cent, ils ne prenaient pas des proportions à vous exploser le fondement, style mille pour cent.

Grâce à ses relations dans la communauté des sans-abri, il ne nous a guère fallu plus de vingt minutes pour identifier un homme qui correspondait au signalement de mon voleur.

– Oh, c'est Webster que vous cherchez ? a demandé le plongeur d'un restaurant dans Fields Corner qui servait la soupe populaire.

– Le petit Black de la série télé qui passait dans les années quatre-vingt-dix ? a lancé Bubba. Pourquoi on le chercherait ?

– Mais non, pas lui, évidemment ! On est en 2010, t'es pas au courant ? (Le plongeur a froncé les sourcils.) Webster, c'est un Blanc pas très grand, qui porte la barbe.

– C'est lui, ai-je confirmé.

– J'ai jamais su si c'était son prénom ou son nom de famille, mais il créchait du côté de Sydney...

– Non, il a vidé les lieux aujourd'hui.

Nouveau froncement de sourcils. Pour un plongeur, il était drôlement susceptible.

– On parle bien de sa piaule dans Sydney Street, près de Savin Hill Avenue ?

– Non, je pensais à celle qui se trouve de l'autre côté, près de Crescent Avenue, ai-je expliqué.

– Ben tu te gourais, a répliqué mon interlocuteur. Tu sais que dalle, d'accord ? Alors mets-la en sourdine, gamin.

– Ouais, a renchéri Bubba à mon adresse. Mets-la en sourdine, gamin.

Comme j'étais trop loin pour lui envoyer un coup de pied, j'ai opté pour un silence dédaigneux.

– Webster, il a installé ses quartiers au bout de Sydney Street, a précisé le plongeur. Vous voyez le croisement avec Bay Street ? Ben, c'est là. Une baraque jaune, au premier. Y a un climatiseur à la fenêtre, un de ces vieux machins qui est tombé en panne sous Reagan et que quelqu'un va finir par se prendre sur le crâne un jour ou l'autre.

– Merci, ai-je dit.

– Le petit Black de la série des années quatre-vingt-dix, a-t-il repris à l'intention de Bubba. Pfff ! Si j'avais pas cinquante-neuf piges et des poussières, je te ferais ravaler tes conneries à coups de pompe dans le cul !

7

À l'endroit où Sydney Street croise Savin Hill Avenue, elle devient Bay Street et suit le tracé du métro. Toutes les cinq minutes, l'ensemble des bâtiments alentour se met à vibrer au passage d'une rame. Bubba et moi avions déjà senti cinq secousses de ce genre, aussi pouvions-nous en déduire que nous étions dans son SUV Escalade depuis presque une demi-heure.

Bubba a du mal à rester assis tranquillement quelque part. Ça lui rappelle trop les foyers d'accueil, les orphelinats et les prisons – autant d'établissements où il a été domicilié pendant à peu près la moitié du temps qu'il a passé sur cette terre. Il avait déjà tripoté le GPS, entrant des adresses au hasard dans des villes au hasard pour voir entre autres si Amarillo, au Texas, avait une Groin Street, ou si Toronto envoyait des touristes se balader du côté de Rogowski Avenue. Lorsqu'il s'était lassé de chercher des rues imaginaires dans des villes qu'il n'avait pas la moindre intention de visiter un jour, il avait joué avec l'autoradio, s'arrêtant rarement plus de trente secondes sur une station avant de lâcher une exclamation contrariée, mi-soupir mi-grognement, et de changer de fréquence. Au bout d'un moment, il a retiré de sous le siège une bouteille de vodka polonaise et en a avalé une bonne lampée.

Il m'a tendu la bouteille mais j'ai décliné l'offre. Sur un haussement d'épaules, il s'en est accordé une nouvelle rasade.

— Pourquoi on défoncerait pas la porte ? a-t-il lancé.

— On ne sait même pas s'il est là.

— On y va quand même, d'accord ?

— Et s'il se pointe pendant qu'on est à l'intérieur, qu'il voit sa porte démolie et qu'il détale comme un lapin, qu'est-ce qu'on fait ?

— On le bute par la fenêtre.

J'ai tourné la tête vers lui. Il observait le premier étage du petit immeuble condamné où Webster était censé habiter, et son visage de chérubin déjanté reflétait la sérénité – une expression qui lui vient en général quand il se prépare pour la baston.

— Personne ne bute personne, ai-je déclaré. On ne lève pas la main sur ce gars.

— Il t'a fauché des trucs.

— Il est inoffensif.

— Il t'a fauché des trucs.

— C'est un sans-abri.

— Peut-être, mais il t'a quand même fauché des trucs. Faut faire un exemple.

— Pour qui ? Tous les autres sans-abri prêts à me piquer ma sacoche pour que je leur donne la chasse jusque dans une baraque où je recevrai une bonne dérouillée ?

— Ouais, eux. (Il a bu un peu de vodka.) Et arrête de me bassiner avec tes histoires de sans-abri. (Il a pointé la bouteille vers le bâtiment de l'autre côté de la rue.) Il crèche là, pas vrai ?

— Il squatte, Bubba.

– N'empêche, il a un abri. Donc, c'est pas un sans-abri. CQFD.

Selon une logique qui n'appartenait qu'à lui, il marquait un point.

De l'autre côté de Savin Hill Avenue, la porte du Donovan s'est ouverte. J'ai donné un coup de coude à Bubba puis indiqué Webster qui traversait la rue dans notre direction.

– Tu dis que c'est un SDF, mais ça l'empêche pas de traîner dans les bars, a-t-il marmonné. Ce mec profite plus de la vie que moi… Tu paries combien qu'il a un putain d'écran plasma et une petite Brésilienne qui vient tous les jeudis nettoyer sa piaule et passer un coup d'aspirateur ?

Il a brutalement poussé sa portière au moment où notre homme allait dépasser le SUV. Surpris, Webster a marqué une pause, perdant ainsi toute chance de s'échapper. Bubba s'est planté devant lui, le toisant de toute sa hauteur, tandis que je faisais le tour de la voiture pour les rejoindre.

– Tu te souviens de mon copain ? a grondé Bubba.

Webster s'était tassé sur lui-même. Quand il m'a reconnu, ses yeux se sont réduits à deux fentes.

– Je ne vais pas te frapper, vieux, ai-je dit.

– Moi si, a décrété Bubba, qui l'a aussitôt giflé sur la tempe.

– Hé ! a protesté Webster.

– Je te préviens, je vais recommencer.

– Webster ? Où est ma sacoche ? ai-je demandé.

– Quelle sacoche ?

– Tu te fous de moi ?

Webster a jeté un coup d'œil craintif à Bubba.

– Donc, ma sacoche…

– Je l'ai refilée à quelqu'un.

– À qui ?

– À Max.

– Qui est Max ?

– Ben, c'est Max, quoi. Le mec qui m'a payé pour faucher votre sacoche.

– Le rouquin ?

– Non, Max, il a des cheveux noirs.

La main de Bubba s'est de nouveau écrasée sur sa tempe.

– Hé, pourquoi tu m'as tapé ? a gémi Webster.

Pour toute réponse, Bubba s'est borné à hausser les épaules.

– Il s'ennuie vite, ai-je expliqué.

– Mais j'ai rien fait, moi !

– Et ça, alors ? ai-je rétorqué en lui montrant mon visage.

– Je savais pas qu'ils allaient vous dérouiller. Ils m'ont juste dit de piquer la sacoche.

– Où est le rouquin ?

– Je connais pas de rouquin.

– Bien. Où est Max ?

– Aucune idée.

– La sacoche, elle est où ? ai-je insisté. Tu ne l'as pas rapportée dans la baraque où tes copains me sont tombés dessus, j'imagine…

– Non, je l'ai déposée dans un garage.

– Quel genre de garage ?

– Hein ? Ben, le genre où on répare les bagnoles et tout. Y en a quelques-unes à vendre garées devant.

– L'adresse ?

– Dans Dot Avenue, juste avant Freeport, sur la droite.

– Ah ouais, je connais, est intervenu Bubba. Ça s'appelle Castle Automotive, un truc comme ça.

– Kestle. Avec un K, a précisé Webster.

Une remarque qui lui a valu une troisième baffe.

– Aïe ! Merde.

– T'as pris quelque chose dans cette sacoche, Webster ?

– Ben non, Max m'avait dit de rien toucher.

– Mais t'as quand même regardé ce qu'y avait dedans ?

– Oui. Enfin, non. (Il a levé les yeux au ciel.) Oui.

– Y avait la photo d'une gosse.

– Je sais, j'ai vu.

– Tu l'as remise à sa place ?

– Ouais, je te jure.

– Si elle n'y est pas quand je récupérerai la sacoche, on reviendra, Webster, lui ai-je assuré. Et ce coup-ci, crois-moi, on ne sera pas aussi gentils.

– Parce que vous avez été gentils, là ?

Bubba lui a balancé une quatrième claque.

– Plus gentils que nous, c'est pas possible, ai-je affirmé.

Le garage Kestle Cars & Repair se trouvait en face d'un Burger King dans la partie de mon quartier que les habitants ont baptisée la « piste Hô Chi Minh » – une portion de Dorchester Avenue s'étendant sur sept pâtés de maisons où, vague après vague, des immigrants vietnamiens, cambodgiens et laotiens sont venus s'établir. Il y avait six voitures devant l'établissement, toutes dans un état douteux, toutes ornées de l'inscription « FAIRE UNE OFFRE » peinte en jaune sur le pare-brise. Le portail du garage était fermé et les lumières éteintes, mais nous entendions des bribes de discussion animée à l'intérieur. Je me suis posté près de la porte vert foncé à gauche du portail et j'ai regardé Bubba.

– Quoi ?

– C'est fermé, ai-je observé.

– Et alors ? Tu sais plus crocheter une serrure ?

– Si, mais j'évite de me trimballer avec le matos sur moi. Ça contrarie les flics.

En grimaçant, il a retiré de sa poche un petit étui en cuir contenant toutes sortes d'outils parmi lesquels il a choisi un crochet.

– Y a des trucs que tu sais encore faire ? a-t-il maugréé.

– Je suis le roi de l'espadon à la provençale.

Il a esquissé un geste de dénégation.

– Les deux dernières fois, il était tout desséché.

– Faux, je ne t'ai jamais servi de poisson desséché.

– Si c'est pas toi, a-t-il répliqué en forçant la serrure, alors c'est un type qui te ressemblait comme deux gouttes d'eau. Et c'est ce qu'y avait dans mon assiette les deux dernières fois où j'ai mangé chez toi.

– T'es dur.

En entrant, nous avons été assaillis par les bouffées d'air chaud et vicié, d'huile de moteur brûlée, de marijuana et de cigarettes mentholées qui s'échappaient du bureau du fond. Nous y avons découvert quatre hommes, dont deux que j'avais déjà rencontrés : le gros qui soufflait comme un bœuf et Tadeo, dont le nez et le front disparaissaient sous un pansement grotesque qui, par comparaison, faisait paraître le mien un tout petit peu moins ridicule. Le gros se tenait sur la gauche et Tadeo juste devant nous, la moitié du corps dissimulée par un bureau métallique couleur coquille d'œuf. Un troisième larron, en salopette de mécanicien, faisait circuler un joint quand nous sommes entrés. Il n'avait manifestement pas encore l'âge légal de boire, et la peur a crispé ses traits dès qu'il a vu Bubba apparaître derrière moi ; à moins que cette peur ne le rende bêtement téméraire (ça arrive), celui-là serait le cadet de nos soucis.

Le quatrième type, un brun, se trouvait lui aussi derrière le bureau, légèrement sur notre droite. Sur son visage luisant de sueur, les gouttes perlaient à vue d'œil. Il avait bien le profil du trentenaire promis sous peu à la crise cardiaque : l'odeur de la merde qui lui consumait les veines devait se sentir jusqu'à Terre-Neuve, son genou gauche tressautait compulsivement sous la table et sa main droite tapait un rythme régulier sur le plateau. Mon ordinateur était ouvert devant lui. Il nous a détaillés de ses yeux trop brillants à l'étrange fixité.

– C'est un de ceux-là ?

Le gros m'a désigné.

– C'est lui qui a amoché Tadeo.

Celui-ci s'est aussitôt tourné vers moi :

– Tout ça va se payer, connard. Tu peux me croire.

Il y avait malgré tout un tremblement dans sa voix, sans doute provoqué par ses efforts pour ne pas regarder Bubba.

– Moi, c'est Max. (Le shooté derrière mon portable s'est fendu d'un grand sourire, puis il a pris une profonde inspiration et m'a fait un clin d'œil.) L'expert en informatique du lot. Chouette bécane, à propos.

J'ai approuvé d'un signe de tête.

– *Ma* bécane.

Ces mots ont paru le dérouter.

– Hein ? Non, non, c'est la mienne.

– C'est marrant, elle ressemble drôlement à la mienne.

– C'est ce qu'on appelle une série, a-t-il décrété. (Ses yeux semblaient sur le point de lui sortir de la tête.) S'ils étaient tous différents, ce serait une sacrée galère pour les fabriquer, non ?

– Ça, c'est sûr, est intervenu Tadeo à mon adresse. T'es débile ou quoi ?

– Moi ? Nan, je suis comme dans *Coup de foudre à Notting Hill*, « une fille qui se tient devant un garçon et… » … reluque son ordi.

– J'avais cru comprendre qu'on t'avait remis les idées en place, a déclaré Max. Et qu'on devait plus jamais te revoir. Match nul, pas de faute, pas de pénalité. Si tu tiens vraiment à nous mêler à ta vie, c'est que t'as pas la moindre idée du bordel qu'on peut y foutre.

Il a refermé mon portable avant de le placer dans le tiroir à sa droite.

– En attendant, j'ai pas les moyens de le remplacer, ai-je souligné.

Max s'est penché vers son bureau, faisant saillir les os sous sa peau.

– T'as qu'à appeler ta compagnie d'assurances.

– Je l'ai pas assuré.

– T'as entendu ça, mon frère ? a-t-il dit à Bubba. Putain, il est pas croyable, ce mec… (Il a vérifié la position de ses acolytes avant de s'adresser de nouveau à moi.) Tu fais pas le poids, OK ? Alors tu laisses tomber une bonne fois pour toutes et tu retournes à ta petite vie pépère.

– Oh, j'en ai bien l'intention, ai-je affirmé. Sauf qu'avant, je vais reprendre mon portable. Et la photo de ma fille qui se trouvait dans la sacoche. La sacoche, tu peux la garder.

Tadeo s'est écarté de la table tandis que le gros, qui soufflait toujours bruyamment, restait adossé au mur. Le jeune mécano respirait fort lui aussi et n'arrêtait pas de cligner des yeux.

– Évidemment que je vais la garder ! (Max s'est levé.) Elle est à moi, tout comme ce bureau, ce plafond, et même ton trou du cul si ça me chante !

– Ah bon. Euh, d'accord, ai-je dit. Hé, qui t'a engagé, à propos ?

– Putain, toi et tes foutues questions… (Il a tendu les mains vers moi comme s'il passait un casting pour une vidéo de Lil Weezy, puis il s'est gratté furieusement l'arrière du crâne.) Tu me demandes rien, tu rentres chez toi. Allez, pschhhh… (Il a agité les doigts, me signifiant ainsi qu'il me chassait.) Écoute, mon frère, j'ai qu'un mot à dire pour que tu…

La balle tirée par Bubba l'a fait tournoyer sur place. Il a poussé un cri perçant en s'affalant sur sa chaise, qui a heurté le mur et l'a expédié sur le sol tandis qu'une tache rouge s'élargissait au niveau de sa taille.

– Y commencent à me gaver, tous, avec leurs « mon frère » ! a rugi Bubba.

Il a baissé son arme – un Steyr 9 mm, son nouveau joujou de prédilection. Fabriqué en Autriche. Hideux.

– Oh, merde ! a lancé Tadeo. Putain de bordel de merde…

Le canon du Steyr a pivoté d'abord vers lui, puis vers le gros. Tadeo a placé les mains sur sa tête, imité par son acolyte, et tous deux sont restés comme ça, tremblants, à attendre les instructions.

Bubba n'a même pas accordé un coup d'œil au gamin, qui était tombé à genoux et, le front appuyé par terre, chuchotait frénétiquement :

– Je vous en prie, je vous en prie…

– Mais enfin, pourquoi tu lui as tiré dessus ? ai-je crié. T'y es allé un peu fort, là, non ?

– Hé, c'était pas la peine de me mettre dans le coup si t'avais décidé de laisser tes couilles à la maison ! (Bubba a froncé les sourcils.) C'est pas croyable ce que tu t'es ramolli, vieux.

J'ai tourné la tête vers Max au moment où il lâchait un hoquet de douleur. Il a pressé son front sur le ciment en même temps qu'il le martelait de son poing.

– Il est rudement amoché, ai-je observé.

– Peuh, je l'ai à peine touché.

– Tu lui as explosé la hanche…

– Et alors ? Il en a deux.

Max s'était mis à trembler. Très vite, ses tremblements se sont mués en convulsions. Tadeo a fait un pas vers lui et Bubba en a fait deux vers Tadeo, le Steyr braqué sur sa poitrine.

– Toi, je vais te flinguer juste parce que t'es petit.

– Désolé, a dit Tadeo en levant les mains le plus haut possible.

Max a roulé sur le dos. Un sifflement de bouilloire s'échappait de sa poitrine chaque fois qu'il essayait d'avaler une goulée d'air.

– Ou juste parce que tu cocottes, a ajouté Bubba à l'intention de Tadeo. Et je vais flinguer aussi ton copain parce que c'est ton copain.

Tadeo a amené devant son visage ses mains agitées de tressaillements. Il a fermé les yeux.

C'est pas mon copain ! a protesté son copain. Il arrête pas de m'emmerder avec mon poids.

Bubba a arqué un sourcil.

– C'est vrai ? Bon, tu pourrais perdre quelques kilos, mais t'es quand même pas une baleine ni rien… Merde, suffit que tu laisses tomber le pain blanc et le fromage.

– Je pensais plutôt à la méthode Atkins, a répliqué le gros.

– Ouais, j'ai essayé.

– Et ?

– Régime sec pendant deux semaines. (Bubba a grimacé.) Deux semaines, tu te rends compte ?

Le gros a hoché la tête.

– C'est ce que j'ai dit à ma femme.

Max a donné un coup de pied dans le bureau, l'arrière de son crâne a rebondi sur le sol, et il s'est immobilisé.

– Il est mort ? a demandé Bubba.

– Pas encore, ai-je répondu. Mais ça ne devrait plus tarder s'il ne voit pas très vite un toubib.

Bubba a sorti une carte de visite en s'adressant au gros :

– C'est quoi, ton p'tit nom ?

– Augustan.

– Bon, écoute, Aug… Non, sérieux ?

– Ben ouais, pourquoi ?

Bubba m'a jeté un coup d'œil et il a haussé les épaules avant de reporter son attention sur le dénommé Augustan. Il lui a remis la carte.

– Appelle ce type, il bosse pour moi. Il te le remettra d'aplomb, ton pote. Les soins, ça vous coûtera rien, mais faudra raquer pour les médocs.

– Je comprends, c'est normal.

Bubba m'a fait les gros yeux avant de soupirer.

– Va chercher ta bécane, tu veux ?

J'ai obéi, et interpellé Tadeo.

Il a écarté de son visage ses mains tremblantes.

– Qui t'a engagé ?

– Quoi ? (Il a cillé à plusieurs reprises.) Un, euh, un copain de Max. Kenny.

– Kenny ? s'est écrié Bubba. Tu m'as sorti de mon pieu pour que j'aille dégommer cet enfoiré à cause d'un mec appelé Kenny ? Merde, Patrick, tu crains !

Je l'ai ignoré pour me concentrer sur Tadeo.

– Kenny, c'est le rouquin qui était dans la baraque ?

– Kenny Hendricks, ouais. Il a dit que tu connaissais sa nana, que t'avais retrouvé sa gosse quand elle avait disparu.

Helene. Quand l'odeur de la connerie flottait dans l'air, c'est qu'Helene McCready n'était pas loin.

– Kenny, a répété Bubba en ponctuant le nom d'un soupir chargé d'amertume.

– Bon, où est ma sacoche ? ai-je demandé.

– Dans l'autre tiroir, a indiqué Tadeo.

Augustan s'est tourné vers Bubba.

– Ton toubib, je peux lui passer un coup de fil ?

– On t'appelle toujours Augustan ? a répliqué Bubba. Jamais Gus ?

– Jamais, a affirmé le gros.

Pendant quelques secondes, Bubba a réfléchi à la question. Enfin, il a hoché la tête.

– Vas-y, fais le numéro.

Tandis que le gros sortait son mobile, j'ai récupéré ma sacoche dans le tiroir du bureau, ainsi que mes dossiers et la photo de Gabby. Tout en écoutant Augustan expliquer au médecin que son copain se vidait de son sang, j'ai rangé l'ordinateur et je me suis dirigé vers la porte. Bubba a glissé son arme dans sa poche avant de m'emboîter le pas.

8

Dans mon rêve, Amanda McCready avait dix ou onze ans. Elle était assise sous l'auvent d'un bungalow jaune auquel on accédait par des marches en pierre, et un bouledogue blanc ronflait à ses pieds. De grands arbres séculaires se dressaient sur la bande d'herbe entre le trottoir et la rue. Nous étions quelque part dans le Sud, peut-être à Charleston. De la mousse espagnole pendait des branches, et la maison était recouverte d'un toit en zinc.

Jack et Tricia Doyle occupaient des fauteuils en osier derrière Amanda, de chaque côté d'une table sur laquelle était placé un échiquier. Ils n'avaient pas pris une ride.

Quand j'ai remonté l'allée dans ma tenue de facteur, le chien a levé la tête à mon approche et posé sur moi ses yeux noirs emplis de tristesse. Son oreille gauche s'ornait d'une tache aussi sombre que sa truffe. Il s'est léché les babines avant de rouler sur le dos.

Les Doyle ont délaissé leur partie d'échecs pour m'observer.

– Je suis juste venu déposer le courrier, ai-je dit. Je ne suis que le facteur.

Ils me dévisageaient toujours sans souffler mot.

Après avoir remis la liasse à Amanda, j'ai attendu mon pourboire. Elle a passé en revue les enveloppes, les jetant au fur et à mesure dans les buissons alentour, où elles ont aussitôt pris un aspect jaunâtre et mouillé.

Puis, les mains vides, elle m'a regardé.

– Vous ne nous avez rien apporté d'utile.

Le lendemain matin, j'ai eu toutes les peines du monde à décoller ma tête de l'oreiller. Quand j'y suis enfin parvenu, il m'a semblé entendre craquer les os près de ma tempe gauche. Mes pommettes me faisaient mal et une douleur sourde palpitait dans mon crâne comme si, pendant mon sommeil, quelqu'un avait parsemé les plis de mon cerveau de piment et d'éclats de verre.

Et ce n'était pas fini. Tous mes membres et toutes mes articulations ont protesté quand j'ai voulu rouler sur le dos puis me redresser. Chaque respiration me coûtait. Sous la douche, l'eau m'a agressé. Le savon aussi. En essayant d'étaler du shampooing sur mes cheveux, j'ai effleuré par mégarde la région tuméfiée, déclenchant un élancement fulgurant qui m'a pratiquement mis à genoux.

En me séchant, je me suis examiné dans la glace. La partie supérieure gauche de mon visage, dont la moitié de l'œil, avait viré au violet foncé rehaussé de noir à l'endroit où apparaissaient les points de suture. Des fils gris parsemaient ma chevelure ; d'autres avaient fait leur apparition sur mon torse depuis la dernière fois où j'avais regardé. Je me suis peigné avec précaution, et je me détournais pour prendre mon rasoir quand mon genou enflé m'a rappelé à l'ordre. J'avais à peine bougé – juste transféré mon poids d'une jambe sur l'autre –, mais je n'en avais pas moins l'impression d'avoir reçu un coup de marteau dans la rotule.

C'est chouette de vieillir.

Lorsque je suis entré dans la cuisine, ma femme et ma fille ont porté leurs mains à leurs joues en poussant un cri strident, les yeux ronds comme des soucoupes. En les voyant réagir ensemble de façon aussi synchronisée, j'ai deviné que c'était prémédité, et, au moment de me servir un café, j'ai levé les pouces pour saluer leur prestation. Elles se sont tapé le poing en signe de victoire, puis Angie a rouvert le journal en lançant :

— C'est drôle, on dirait la sacoche que je t'ai offerte à Noël...

J'ai accroché l'objet en question au dossier de ma chaise avant de m'asseoir.

— C'est bien elle.

— Et son contenu ?

Angie a tourné une page du *Herald*.

— Tout y est, ai-je affirmé.

Elle m'a gratifié d'un petit haussement de sourcils appréciateur – appréciateur et peut-être un peu envieux. Elle a ensuite jeté un coup d'œil à Gabby, qui semblait temporairement fascinée par le motif de son set de table en plastique.

— Faut-il déplorer des, hum, dommages collatéraux ? a repris ma femme.

— Eh bien, il est possible que l'un de ces messieurs soit obligé de renoncer aux courses en sac pendant un bon bout de temps. (J'ai avalé une gorgée de café.) Voire aux simples promenades.

— Ah oui ? Et comment s'est-il retrouvé dans cet état ?

— Bubba a décidé d'accélérer un peu les choses.

À peine avais-je mentionné son « oncle » que Gabriella redressait la tête en arborant un sourire digne de celui de sa mère – tellement spontané et radieux qu'il m'a fait l'effet d'une étreinte réconfortante.

– Tonton Bubba ? T'as vu tonton Bubba ?

– Oui, hier soir. Il m'a dit de vous dire bonjour, à toi et à Monsieur Lubble.

– Oh, je vais le chercher tout de suite.

Elle a bondi de sa chaise pour se ruer hors de la pièce, et un instant plus tard nous l'avons entendue fouiller parmi les jouets qui jonchaient sa chambre.

Monsieur Lubble était un singe en peluche plus gros qu'elle, cadeau de Bubba pour ses deux ans. Pour autant que nous puissions en juger, il s'agissait d'une sorte de croisement entre un chimpanzé et un orang-outang, à moins qu'il ne représente une espèce de primate dont nous ignorions jusque-là l'existence. Sans que l'on sache trop pourquoi, il était vêtu d'un smoking vert citron rehaussé par une cravate jaune vif assortie à ses tennis. Ni Angie ni moi ne nous rappelions plus pour quelle raison au juste Gabby l'avait baptisé ainsi ; nous supposions qu'elle avait essayé de dire « Bubba », et qu'à deux ans « Lubble » était le son le plus approchant qu'elle ait réussi à produire.

– Viens vite, Monsieur Lubble, viens vite ! a-t-elle crié depuis sa chambre.

Angie a baissé son journal puis m'a caressé la main. Elle paraissait un peu choquée par mon apparence qui, je dois bien l'avouer, était nettement plus impressionnante qu'à mon retour des urgences.

– Est-ce qu'on a des raisons de craindre des représailles ?

Bonne question. La violence appelle la violence, c'est bien connu. Quand on fait du mal à quelqu'un, dans la plupart des cas il faut s'attendre à un retour de bâton.

– Je ne crois pas, ai-je répondu en me rendant compte que je le pensais sincèrement. S'il n'y avait eu que moi, ces gars-là n'auraient sans doute pas hésité à me chercher des noises, mais jamais ils n'oseront défier Bubba. De plus, je ne leur ai rien pris, je n'ai fait que récupérer ce qui m'appartenait.

– De leur point de vue, ça ne t'appartenait plus.

– Exact.

Nous avons échangé un regard entendu.

– J'ai toujours ce joli petit Beretta qui se glisse si facilement dans ma poche, a-t-elle dit.

– Tu ne t'en es pas servi depuis une éternité.

Elle a secoué la tête.

– Détrompe-toi. Tu sais, quand je fais mes petites virées toute seule, parce que « maman a besoin de prendre l'air »…

– Mmm ?

– Je file à Freeport, au champ de tir.

J'ai souri.

– Sérieux ?

– Oh oui ! (Elle m'a rendu mon sourire.) Pour évacuer leur stress, certaines pratiquent le yoga ; moi, je préfère vider un chargeur ou deux.

– Bah, ça ne m'étonne pas. T'as toujours été la meilleure gâchette de la famille.

– La meilleure ?

Elle a repris son journal.

De fait, une arme à la main, j'aurais été capable de rater le sable sur une plage.

– OK, ai-je admis. La seule.

Gabby est revenue dans la cuisine en traînant Monsieur Lubble par l'un de ses bras verts. Elle l'a installé sur la chaise à côté d'elle avant de grimper de nouveau sur la sienne.

– Est-ce que tonton Bubba l'a embrassé pour lui dire bonne nuit ? a-t-elle demandé.

– Bien sûr.

J'aurais sans doute eu plus de scrupules à mentir à ma fille si je n'avais pas créé de précédents avec le Père Noël, le lapin de Pâques et la petite souris.

– Et il m'a embrassée aussi ?

– Oui.

– Je me rappelle. (Apparemment, la tendance à fabuler se manifeste tôt, mais à cet âge-là on préfère parler de « créativité ».) Et il m'a raconté une histoire.

– C'est vrai ? Elle parlait de quoi ?

– Des arbres.

– Évidemment.

– Et puis, il a dit qu'il faudrait donner plus souvent des glaces à Monsieur Lubble.

– Et du chocolat ? a demandé Angie.

– Du chocolat ? (Gabby a paru peser le pour et le contre.) Je crois, oui.

– Ben voyons… (J'ai regardé Angie en riant.) C'est bien ta fille, tiens !

Une nouvelle fois, elle a baissé son journal. Elle était toute pâle, soudain, et sa mine s'était allongée.

– Maman ? (Même Gabby avait remarqué le changement.) Qu'est-ce que t'as ?

Angie lui a adressé un sourire tremblant en me tendant le quotidien.

– Rien, ma puce. Maman est fatiguée, c'est tout.

– C'est parce que tu lis trop, a décrété notre fille.

– On ne lit jamais assez, ai-je souligné.

J'ai parcouru rapidement le journal puis jeté à Angie un coup d'œil perplexe.

– En bas à droite, a-t-elle précisé.

Mon regard s'est porté vers le « Registre du crime », une rubrique racoleuse, genre « plus il y a d'hémoglobine, mieux c'est », qui occupait toujours la dernière page des Informations métropolitaines. L'article tout en bas était intitulé : « Un vol de voiture tourne au drame :

une femme abattue dans le Maine. » Je l'ai survolé avant de poser le journal sur la table. De sa paume tiède, Angie m'a caressé le bras.

Dans la nuit de lundi à mardi, une mère de famille a été victime d'un coup de feu mortel alors qu'elle sortait du BJ's Wholesale, à Auburn, où elle était employée. Peri Pyper, trente-quatre ans, domiciliée à Lewiston, a été abordée par le suspect au moment où elle montait dans sa Honda Accord. Des témoins ont affirmé avoir entendu une altercation suivie par un coup de feu. Le suspect, Taylor Biggins, vingt-deux ans, domicilié à Auburn, a pris la fuite mais il a été appréhendé par la police à moins de deux kilomètres des lieux du drame. Il s'est rendu sans opposer de résistance. Mme Pyper, transportée par hélicoptère au Centre médical du Maine, est décédée à 6 h 34, d'après la porte-parole du centre, Pamela Dunn. Elle laisse un fils et une fille.

– Ce n'est pas ta faute, a murmuré Angie.
– Je ne sais pas. Je ne sais plus rien.
– Patrick…
– Non, je ne sais plus rien.

Il fallait compter trois heures de route pour aller à Auburn, dans le Maine, et durant ce laps de temps mon avocat, Cheswick Hartman, a pris toutes les dispositions nécessaires. Résultat, à peine entré dans les locaux de Dufresne, Barrett & McGrath, j'ai aussitôt été dirigé vers le bureau de James Mayfield, l'associé junior chargé de la plupart des dossiers criminels du cabinet.

James Mayfield, un Noir à la carrure impressionnante, avait les cheveux grisonnants et une moustache à l'avenant. Sa poignée de main vigoureuse renforçait l'impression d'affabilité spontanée, sans affectation, qui émanait de toute sa personne.

– Merci d'avoir accepté de me recevoir, monsieur Mayfield.

– Appelez-moi donc Coach, monsieur Kenzie. Dans cette ville, j'entraîne toutes les équipes de base-ball, de basket, de golf et de foot. Du coup, je suis Coach.

– Logique. Va pour Coach, alors.

– Quand un confrère de l'envergure de Cheswick Hartman m'appelle pour m'annoncer qu'il est prêt à traiter un dossier avec moi, et ce bénévolement, je ne suis que trop heureux de pouvoir lui rendre service en retour.

– Je vois.

– Il m'a dit que vous n'étiez pas du genre à revenir sur votre parole.

– C'est gentil de sa part.

– Gentil ou pas, je veux que vous me donniez cette parole par écrit.

– Je comprends. J'ai un stylo.

Coach Mayfield a poussé vers moi une liasse de documents à signer, puis il a décroché son téléphone.

– Janice ? Apportez-moi le tampon, s'il vous plaît.

Janice a certifié conformes les pages – quatorze au total – à mesure que je les signais. Les termes du contrat étaient on ne peut plus clairs : j'acceptais d'être engagé par le cabinet Dufresne, Barrett & McGrath en tant qu'enquêteur pour le compte de Taylor Biggins. À ce titre, tout ce que pourrait me dire M. Biggins relèverait du secret professionnel. Si je parlais de cette conversation à quiconque, je risquais d'être poursuivi, jugé et même condamné.

Je me suis rendu au tribunal avec Coach Mayfield. Le ciel avait cette teinte particulière, d'un bleu laiteux, qui annonce parfois le vent de nord-est, et pourtant l'air restait doux. La ville sentait la fumée et le bitume mouillé.

Les cellules de détention se trouvaient dans les entrailles de l'édifice. Coach Mayfield et moi nous sommes arrêtés devant celle où les gardiens avaient installé un banc à notre intention.

— Yo, Coach ! a lancé Taylor Biggins de l'autre côté des barreaux.

J'aurais donné beaucoup moins que vingt-deux ans à ce jeune Black dégingandé, en T-shirt blanc extralarge qui flottait autour de son corps telle une cloche recouvrant un cure-dents et jean baggy qu'il n'arrêtait pas de remonter sur son caleçon vu qu'on lui avait pris sa ceinture.

— Salut, Bigs, a répondu Coach Mayfield avant d'ajouter à mon adresse : Il jouait dans mon équipe de juniors. Base-ball et football.

— C'est qui, ce mec ? l'a interrogé son client.

Mayfield l'a éclairé.

— Il a rien le droit de dire à personne, c'est ça ?

— C'est ça.

— Et on le collera au trou s'il cafte ?

— Tout juste, Bigs. Au fond d'un grand trou, et sans lampe de poche.

— Ouais, ouais… (Bigs a déambulé dans sa cellule pendant quelques instants, les pouces logés dans les passants de son jean.) Bon, qu'est-ce que vous voulez savoir ?

— Est-ce qu'on t'a payé pour tuer cette femme ? ai-je demandé.

— Hein ?

— Tu m'as parfaitement entendu.

Bigs a incliné la tête de côté.

— Ce que tu veux savoir, mec, c'est si on m'a engagé pour la descendre, c'est ça ?

– Oui.

– Parce que tu crois que si j'avais été dans mon état normal j'aurais fait un truc aussi nul ? J'étais complètement défoncé, mec. Je carburais au yaba depuis trois jours.

– Au quoi ?

– Au yaba, a répété Bigs. Speed, ice, amphètes… t'appelles ça comme tu veux.

– Oh. Alors pourquoi lui avoir tiré dessus ?

– J'avais pas prévu de tirer, figure-toi ! Tu m'écoutes, oui ou merde ? Elle refusait de me filer les clés de sa caisse, OK ? Alors quand elle m'a attrapé le bras, *bang !* Et elle m'a relâché. Moi, tout ce que je voulais, c'était sa bagnole. J'ai un pote, Edward, qui les rachète. C'est tout, ça allait pas plus loin.

Lorsqu'il m'a regardé à travers les barreaux, j'ai senti qu'il avait déjà sombré dans les profondeurs obscures du manque. La peau luisante de sueur, les yeux exorbités, il aspirait l'air par petites bouffées saccadées, désespérées.

– Raconte-moi toute l'histoire depuis le début, ai-je dit.

Il a pris un air à la fois peiné et incrédule, comme si j'avais passé les bornes.

– Écoute-moi bien, Bigs, ai-je enchaîné. En plus de Coach ici présent, un des meilleurs avocats de ce pays est en train d'éplucher ton dossier en ce moment même parce que je le lui ai spécifiquement demandé. Il est capable de faire réduire ta peine de moitié. Tu me suis ?

Bigs a fini par hocher la tête.

– Alors réponds à mes questions, tête de nœud, ou je lui dis de te laisser tomber.

Les bras plaqués sur son abdomen, il a soufflé à plusieurs reprises entre ses dents serrées. Une fois ses crampes calmées, il s'est redressé.

– Y a rien à raconter, mec. Je cherchais une caisse facile à désosser, genre Honda ou Toyota. Comme elles sont fabriquées pendant des années avec les mêmes pièces, tu peux en coller une aussi bien sur une bagnole de 98 que de 2003 ; c'est interchangeable, ces merdes... Alors je m'étais planqué près du parking, et avec mon jean et ma capuche noire, personne pouvait me voir. Quand cette meuf s'est pointée pour monter dans l'Accord, j'ai couru vers elle et je lui ai montré ma gueule de Black et aussi mon calibre, et... et je croyais que ça suffirait... Ben non, elle s'est mise à me sortir tout un baratin en se raccrochant à ses foutues clés. Elle les lâchait pas, jusqu'au moment où sa main a rebondi sur mon bras et... ben, je te l'ai déjà dit, *bang !* Et elle s'est écroulée. Moi, j'arrêtais pas de penser « Oh, putain ! », mais y me fallait ma came, alors j'ai ramassé les clés en quatrième vitesse, j'ai sauté dans l'Accord et j'ai voulu me tirer, sauf que les keufs déboulaient déjà dans le parking, avec les gyros qui flashaient et tout. J'avais fait, quoi, à peine plus d'un kilomètre quand ils me sont tombés dessus. (Il a haussé les épaules.) Voilà. Tu trouves ça moche ? Ouais, je sais. Merde, si elle m'avait juste filé les clés...

Il a ravalé les mots qui lui venaient aux lèvres, puis baissé les yeux. Quand il a redressé la tête, des larmes coulaient sur ses joues.

Je les ai ignorées.

– Donc, elle t'a sorti tout un baratin. Qu'est-ce qu'elle t'a dit ?

– Que dalle, mec.

Je me suis approché des barreaux pour mieux scruter ses traits.

– Qu'est-ce qu'elle t'a dit, Bigs ?

– Qu'elle avait besoin de cette bagnole. (Il a de nouveau baissé les yeux avant de hocher la tête à plusieurs reprises.) Juste qu'elle en avait besoin. Putain, comment on peut avoir besoin d'une bagnole à ce point ?

– Y a beaucoup de bus qui passent dans le coin à trois heures du matin ? ai-je rétorqué.

– Ben non…

– Cette femme que t'as descendue, Bigs, elle cumulait deux boulots, un à Lewiston, l'autre à Auburn. Entre ses deux services, elle n'avait qu'une demi-heure de battement. Tu saisis ?

Toujours en larmes, les épaules secouées de tremblements, il a acquiescé.

– Peri Pyper, ai-je ajouté. Elle s'appelait Peri Pyper.

Il a gardé la tête basse.

Je me suis tourné vers Coach Mayfield.

– C'est bon, j'ai fini.

Je suis allé me poster près de la porte pendant que l'avocat s'entretenait à voix basse avec son client. Au bout de quelques minutes, Coach Mayfield a récupéré son attaché-case posé sur le banc puis nous a rejoints, le gardien et moi.

Au moment où la porte s'ouvrait, Bigs a braillé :

– C'était qu'une putain de bagnole, merde !

– Pas pour elle, Bigs.

– Oh, je ne vais pas tomber dans le mélo en vous racontant que Bigs était un chouette gosse et tout, a commencé Coach Mayfield. Il a toujours été survolté, toujours centré sur lui-même, incapable de voir plus loin que le bout de son nez. Il démarrait au quart de tour, et quand il voulait quelque chose, c'était tout de suite. Mais il n'en était pas là… (Il a agité la main par la vitre de sa Chrysler 300 tandis que nous longions des rues bordées d'églises au clocher blanc, de parcs verdoyants et de Bed and Breakfast pittoresques.) Vous savez, quand on regarde de plus près la façade qu'offre cette

ville, on découvre pas mal de fissures. Le taux de chômage est à deux chiffres, et les rares entreprises qui
embauchent encore n'offrent qu'un salaire de misère.
La couverture sociale ? (Il a éclaté de rire.) Faut pas y
compter. Les avantages ? (Il a secoué la tête.) Tout ce
que nos pères considéraient comme acquis du moment
qu'on travaillait dur – le fameux filet de sécurité, une
paie décente, la montre en or en fin de carrière... Eh
bien, il n'en est plus question par ici, mon ami.

— Ni à Boston, ai-je fait remarquer.

— Bah, c'est partout pareil, j'imagine.

Nous avons roulé en silence un moment. Pendant
notre entrevue avec Bigs, le ciel avait viré au gris et la
température chuté de plusieurs degrés. On décelait dans
l'air une senteur métallique caractéristique. Aucun
doute, il allait neiger.

— Bigs a eu une chance d'entrer à l'université de
Colby, a déclaré Coach Mayfield. On lui a dit que s'il
passait un an dans un établissement public pour
remonter ses notes jusqu'à un niveau à peu près accep-
table, il serait assuré d'avoir une place dans l'équipe de
base-ball l'année suivante. Du coup, il s'est mis au
boulot. (Il m'a gratifié d'un haussement de sourcils
appuyé pour mieux m'en convaincre.) Vous pouvez me
croire ! Il allait en cours la journée et il bossait le soir.

— Alors qu'est-ce qui a dérapé ?

— La société qui l'avait engagé a licencié tout le
monde. Un mois plus tard, ses dirigeants proposaient
aux employés de reprendre leur poste. Tenez, c'est la
conserverie là-bas... (Alors que nous franchissions un
petit pont, il m'a montré un bâtiment de brique beige
érigé sur l'une des berges de l'Androscoggin.) Mais cette
proposition n'a été faite qu'aux ouvriers non qualifiés ;
les autres ont été mis à la porte sans autre forme de
procès. Elle était assortie d'une condition, évidemment :

ils toucheraient seulement la moitié de leur précédent salaire horaire. Pas de protection sociale, pas d'assurance, rien. Juste la possibilité de faire des heures supplémentaires tant qu'ils en voulaient, du moment qu'ils ne parlaient ni de majoration de salaire ni de toutes ces conneries de revendications défendues par la gauche. Bref, Bigs y est retourné. Pour payer son loyer et ses frais de scolarité, il bossait soixante-dix heures par semaine en plus d'assister à ses cours. Devinez comment il a fait pour tenir ?

– La came.

Il a confirmé d'un signe de tête avant de s'engager dans le parking de son cabinet.

– Le sale coup que cette conserverie a joué à ses employés, les entreprises le réitèrent dans toute la ville, et même dans tout l'État. Quant au commerce des amphétamines, il n'a jamais été aussi florissant.

Une fois descendus de voiture, nous sommes restés quelques instants immobiles dans l'air froid. Quand je l'ai remercié pour son aide, il s'est contenté de hausser les épaules ; Coach Mayfield était sans doute plus à l'aise avec la critique qu'avec l'expression de la gratitude.

– Bigs a fait un truc minable, c'est certain, a-t-il conclu. Mais avant de toucher aux amphètes, ce n'était pas un minable, croyez-moi.

J'ai acquiescé.

– Même si ça ne l'excuse en rien, ce n'est pas arrivé sans raison.

Je lui ai serré la main.

– Content de savoir qu'il peut compter sur vous pour assurer sa défense, Coach.

Là encore, il a balayé le compliment d'un haussement d'épaules.

– Tout ça pour une putain de bagnole, a-t-il ajouté.

– Ouais, pour une putain de bagnole…

Songeur, je suis remonté dans ma jeep et j'ai démarré.

Avisant une aire de repos juste après la frontière du Massachusetts, je me suis arrêté pour acheter un en-cas que j'ai rapporté dans ma voiture avant d'ouvrir mon ordinateur posé sur le siège passager. En effleurant le clavier pour sortir du mode veille, j'ai senti un picotement des plus agréables me parcourir la nuque. Parvenu sur la page d'accueil d'IntelSearchABS, j'ai entré mon nom d'utilisateur et mon mot de passe, puis cliqué à plusieurs reprises jusqu'au moteur de recherche. Une petite fenêtre verte est apparue, me proposant de saisir un nom ou un pseudonyme. J'ai cliqué sur « Nom ».

Angie me tuerait si elle savait. J'étais censé avoir fait une croix sur toutes ces histoires de mission en solo. J'avais récupéré mon portable, ma sacoche et la photo de Gabby. J'avais également obtenu des réponses à mes questions au sujet de Peri Pyper. C'était terminé, je n'avais plus qu'à oublier cette histoire.

Je me rappelais encore toutes ces fois où Peri et moi avions pris un verre ensemble au Chili's à Lewiston ou au T.G.I. Friday à Auburn. Ça ne remontait même pas à un an. Nous avions échangé des souvenirs d'enfance, défendu chacun nos équipes sportives préférées, confronté nos opinions politiques, parlé des films qui nous avaient plu. Il n'existait aucun lien entre sa tentative pour dénoncer des pratiques malhonnêtes et le fait qu'un jeune paumé lui ait tiré dessus dans un parking à trois heures du matin. Strictement aucun.

Pourtant, tout est lié.

Ce n'est pas le problème, me soufflait une petite voix. *T'es en pétard, c'est tout. Et quand t'es en pétard, t'en veux à la terre entière.*

Je me suis adossé à mon siège en fermant les yeux. Aussitôt, j'ai revu le visage de Beatrice McCready – celui d'une femme marquée par la souffrance, prématurément vieillie et peut-être un peu folle.

Une autre voix s'est élevée dans ma tête : *Ne fais pas ça.*

Elle ressemblait trop à celle de ma fille pour ne pas me mettre mal à l'aise.

Laisse tomber.

J'ai ouvert les yeux. Les voix avaient raison.

Je me suis souvenu d'Amanda dans mon rêve, de ces enveloppes qu'elle avait jetées dans les buissons.

Tout est lié.

Faux.

Qu'avais-je dit dans cc rêve, déjà ?

Je ne suis que le facteur.

Je me suis penché vers mon ordinateur, bien décidé à l'éteindre. Au lieu de quoi, j'ai tapé dans la barre de recherche :

Kenneth Hendricks

J'ai ensuite appuyé sur Entrée. Et attendu.

II

RYTHM AND BLUES
VERSION MORDOVIE

9

Kenneth James Hendricks avait un faible pour les pseudonymes : selon les époques, il s'était fait appeler KJ, K Boy, Richard James Stark, Edward Toshen et Kenny B. Il était né en 1969 à Warrensburg, dans le Missouri, d'un père mécanicien de l'aéronautique stationné avec le 340th Bombardment Wing à la base aérienne de Whiteman. De là, il avait été ballotté un peu partout aux États-Unis : Biloxi, Tampa, Montgomery, Great Falls... Il était encore mineur lors de ses deux premières arrestations : une à King Salmon, en Alaska, l'autre à Lompoc, en Californie. À dix-huit ans, il avait de nouveau été interpellé à Lompoc pour coups et blessures, puis mis en examen ; la victime, qui n'était autre que son père, avait finalement retiré sa plainte. La deuxième arrestation avait eu lieu deux jours plus tard – encore pour coups et blessures, même victime. Cette fois, celle-ci avait maintenu ses accusations, peut-être parce que Kenny avait essayé de lui arracher l'oreille ; il y était d'ailleurs presque parvenu quand les cris de son géniteur avaient finalement alerté un voisin. Il avait écopé de dix-huit mois ferme pour coups et blessures, plus trois ans avec sursis et mise à l'épreuve ; il séjournait encore derrière les barreaux quand son père était mort. Après sa libération, il avait été appréhendé à Sacramento pour vagabondage dans une zone connue pour être un haut lieu de la prostitution masculine. Six semaines plus tard, toujours à Sacramento, troisième arrestation pour coups et blessures ; cette fois, il avait passé à tabac un homme au Come On Inn, un motel situé au bord de l'I80. Ayant toutefois du mal à expliquer ce qu'il faisait nu comme un ver dans une chambre d'hôtel en compagnie d'un prostitué, l'homme en question, diacre d'une Église pentecôtiste et éminent collecteur de fonds pour des partis politiques, avait préféré renoncer aux poursuites. L'État de Californie n'en avait pas moins annulé la liberté conditionnelle de Kenny au motif qu'il était sous l'influence de l'alcool et de la cocaïne au moment de son arrestation.

À sa sortie de prison, en 1994, il arborait un tatouage de la Waffen SS à la base du cou, cadeau de ses nouveaux copains de la Fraternité aryenne. Il avait également ment choisi de se spécialiser dans un domaine d'activité criminelle bien particulier : au cours des quelques années suivantes, il avait été arrêté à plusieurs reprises pour usurpation d'identité. La technologie évoluait, Kenny aussi. Mais les vieilles habitudes ont la vie dure, et en 1999 il avait été arrêté pour avoir agressé et violé une mineure à Peabody, dans le Massachusetts. Elle pouvait avoir seize ou dix-sept ans, selon l'heure de la nuit à laquelle on considérait que les faits s'étaient produits. L'avocat de Kenny s'était battu sur ce point, et le procureur avait compris que s'il appelait la victime à la barre, ce qui restait d'elle serait taillé en pièces. Pour finir, Kenny avait donc dû répondre d'une accusation réduite à une simple agression sexuelle sur une adulte. Comme l'État ne plaisantait pas avec le viol, il avait été condamné à deux ans ferme – une peine plus courte que celle dont il avait écopée en 1991 pour avoir sniffé deux rails de coke et éclusé un pack de Bud. Sa dernière arrestation remontait à 2007, lorsqu'il s'était fait prendre en train de réceptionner pour cinquante mille dollars de téléviseurs qu'il avait achetés en utilisant la carte de crédit professionnelle d'Oliver Orin, propriétaire de la chaîne de bars des sports Ollie O, dont plusieurs venaient d'être rénovés de fond en comble. Son plan consistait à les revendre pour cinq cents dollars de moins que ce qu'il les avait payés. Force m'était d'admettre que Kenny avait choisi la cible idéale : si quelqu'un pouvait commander pour cinquante mille dollars d'écrans plasma sans éveiller les soupçons, c'était bien un type comme Oliver Orin. Compte tenu de ses antécédents, Kenny avait été condamné à cinq ans. Il en avait purgé un peu moins de trois. Depuis, plus aucune inculpation.

— Mais je suis sûre qu'il a bon fond, a commenté Angie.

— Sûr, c'est un brave garçon.

— Il a juste besoin de quelques câlins de temps en temps…

— N'oublie pas les haltères.

— Évidemment ! On n'est pas des sauvages, quand même.

Nous étions dans la chambre d'amis taille cagibi où nous avions installé notre bureau. Il était un peu plus de neuf heures du soir ; Gabby s'était écroulée vers huit heures, et depuis nous explorions le passé de Kenny.

— Alors c'est ça, le petit copain d'Helene…, a murmuré Angie.

— Mouais.

— Eh bien, dans ce cas, tout va pour le mieux dans le meilleur des mondes.

Elle s'est calée contre le dossier de sa chaise avant de souffler vers ses sourcils – signe qu'elle était sur le point de laisser exploser sa colère.

– Dieu sait que je ne me faisais aucune illusion sur les qualités maternelles d'Helene, mais je n'aurais jamais cru que cette pétasse défoncée au crack puisse être aussi nulle avec sa fille ! s'est-elle exclamée.

– Entre nous, je n'ai pas l'impression qu'elle carbure au crack. Je la verrais mieux en pétasse défoncée au speed.

J'ai eu droit au regard le plus noir qu'Angie m'ait jeté depuis des mois. Autrement dit, la récréation était terminée. Le sujet tabou entre nous, dont nous évitions soigneusement de parler l'un et l'autre, concernait la décision que nous avions prise la première fois qu'Amanda McCready avait disparu. Quand Angie avait dû choisir entre la légalité et le bien-être d'une enfant de quatre ans, sa position de l'époque pouvait se résumer ainsi : On emmerde la légalité.

Pour ma part, j'avais opté pour une attitude plus « morale » et aidé l'État à rendre une fillette négligée à un parent négligent. Angie et moi avions rompu à la suite de cette affaire, et nous étions restés presque un an sans nous adresser la parole. Certaines années sont plus longues que d'autres ; celle-là m'avait paru durer au moins une décennie. Depuis notre réconciliation, et jusqu'à l'avant-veille, nous avions banni les noms d'Amanda ou d'Helene McCready. Au cours de ces dernières soixante-douze heures, chaque fois que l'un de nous avait mentionné la mère ou la fille, c'était comme si quelqu'un venait de dégoupiller une grenade dans la pièce.

Douze ans plus tôt, j'avais eu tort. Chaque jour qui passait – et il s'en était écoulé près de quatre mille quatre cents depuis cette affaire – me confortait dans cette certitude.

En même temps, j'avais eu raison. Jamais je n'aurais pu laisser Amanda aux mains de ses ravisseurs, même s'ils s'étaient mis en tête d'agir pour son bien. Durant les quatre mille quatre cents jours écoulés depuis que je l'avais ramenée à sa mère, pas un instant je n'en avais douté. Du coup, où en étais-je aujourd'hui ?

Avec une femme toujours convaincue que j'avais foiré.

– Ce Kenny, a-t-elle repris en tapotant mon ordinateur, on sait où il habite ?

– On a sa dernière adresse connue, en tout cas.

Elle a glissé les doigts dans ses longs cheveux bruns.

– Je vais prendre l'air.

– D'accord, je t'accompagne.

Nous avons enfilé nos manteaux. Une fois dehors, nous avons tout doucement tiré la porte derrière nous, puis Angie a soulevé le couvercle du barbecue pour récupérer les cigarettes et le briquet qu'elle dissimulait à l'intérieur. Elle avait beau jurer ses grands dieux qu'elle en fumait deux ou trois par jour maximum, il me semblait parfois que le paquet se vidait plus vite qu'il n'aurait dû. Jusque-là, elle avait réussi à cacher ce travers à Gabby, mais ce n'était qu'une question de temps avant que notre fille le découvre et nous le savions tous les deux. Quoi qu'il en soit, autant je souhaiterais que ma femme n'ait pas de défauts, autant j'ai du mal à supporter les parangons de vertu. Ils associent un instinct de survie totalement narcissique à un sentiment de supériorité morale. Sans compter qu'ils ont l'art de plomber l'ambiance d'une soirée. Angie sait que j'aimerais qu'elle arrête, et elle aimerait bien arrêter elle aussi. En attendant, elle fume. Alors je m'en accommode et j'évite de la harceler.

– Si Beatrice n'est pas folle et si Amanda a vraiment disparu encore une fois, on a une seconde chance de…, a-t-elle commencé.

– Non, je t'arrête tout de suite.

– Tu ne sais même pas ce que j'allais dire.

– Oh si ! Tu allais suggérer que si on se débrouillait pour retrouver Amanda McCready, on aurait la possibilité de racheter les erreurs du passé.

Elle a esquissé un sourire mélancolique avant de souffler la fumée par-dessus la rambarde.

– D'accord, tu savais ce que j'allais dire.

J'ai respiré malgré moi une bouffée de la fumée qu'elle avait rejetée puis je lui ai déposé un baiser sur l'épaule.

– Je ne crois pas à la rédemption, ai-je déclaré.

– Et tu ne crois pas à la possibilité de faire son deuil.

– Non plus.

– Alors, en quoi tu crois ?

– En toi. En Gabby. À tout ce qu'on a construit.

– Entre nous, mon grand, il faudrait chercher un peu plus d'équilibre.

– Tu t'es transformée en maître à penser sans que je m'en aperçoive ?

– *Hai.* (Elle m'a gratifié d'une petite courbette.) Non, sérieux. Soit tu restes ici, entre ces quatre murs, à ressasser ce qui est arrivé à Peri Pyper et la façon dont t'as aidé ce connard de Brandon Trescott à échapper à ses responsabilités, soit tu décides de faire quelque chose de bien.

– Pour toi, ce serait le cas ?

– Tu parles ! Tu penses vraiment qu'un type comme Kenny Hendricks a sa place dans la vie d'Amanda ?

– Non, mais c'est pas une raison pour aller remuer la merde dans la vie des gens.

– Je ne sais pas ce qu'il te faut !

J'ai étouffé un rire.

Elle n'a même pas souri.

– Elle a disparu, Patrick.

– Et donc, tu voudrais que j'aille fouiner un peu du côté d'Helene et Kenny.

– Non, je veux qu'on aille tous les deux fouiner un peu du côté d'Helene et Kenny. Et je veux qu'on retrouve Amanda. Je n'ai peut-être pas beaucoup de temps libre…

– Tu n'en as pas du tout.

– C'est vrai, a-t-elle admis. N'empêche, j'ai toujours des talents informatiques de ouf.

– T'as bien dit « de ouf » ?

– Ben oui, qu'est-ce que tu veux, je suis nostalgique de la fin des années quatre-vingt-dix.

– Je me souviens des années quatre-vingt-dix ; on gagnait du fric, à l'époque.

– On était aussi plus mignons et t'avais beaucoup plus de cheveux. (Elle a appuyé ses deux mains sur mon torse et s'est haussée sur la pointe des pieds pour m'embrasser.) Sans vouloir te vexer, j'ai cru comprendre que t'étais pas vraiment débordé ces jours-ci, pas vrai ?

– T'es dure. Je t'aime, mais t'es dure.

Elle est partie de ce petit rire de gorge si particulier qui me réchauffe toujours le sang.

– T'adores ça !

Une demi-heure plus tard, Beatrice McCready était assise à la table de notre salle à manger. Nous lui avions servi un café. Elle paraissait moins défaite que lors de notre rencontre à la station de métro, moins perdue aussi, mais ce n'était peut-être qu'une façade.

– Je n'aurais pas dû vous mentir au sujet de Matt, a-t-elle dit. Je suis désolée.

– Je vous en prie, Beatrice, ai-je répliqué. Ne vous excusez pas.

– C'est juste que… ça fait partie de ces choses dont vous savez que vous ne vous remettrez jamais, et pourtant vous devez continuer à vivre, à aller de l'avant.

– Mon premier mari a été assassiné, est intervenue Angie. Ce n'est pas pour autant que je peux mesurer l'étendue de votre tristesse, Bea, mais avec les années j'ai appris une chose : si vous parvenez à oublier votre chagrin un moment, ne serait-ce qu'une seconde dans la journée, ça n'a rien d'un péché.

Beatrice a acquiescé d'un léger signe de tête.

– Je… Merci. (Elle a balayé du regard la pièce.) Vous avez une petite fille aujourd'hui, c'est ça ?

– Oui. Gabriella.

– C'est un joli nom. Elle vous ressemble ?

Comme Angie se tournait vers moi dans l'attente d'une confirmation, j'ai opiné du chef.

– Elle tient plus de moi que de lui, oui, a-t-elle repris. (Elle a indiqué une photo de Gabby posée sur le buffet.) C'est elle, là.

Alors qu'elle observait la photo, Beatrice a fini par sourire.

– Elle est coquine, je parie.

– Oh oui, a affirmé Angie. Vous savez, la fameuse crise des deux ans…

– Je vois très bien, a renchéri Beatrice en s'animant. Ça commence vers dix-huit mois et ça ne se calme que vers trois ans et demi.

Angie a approuvé avec vigueur.

– Gabby était un vrai petit monstre. Bon sang, c'était…

– Ça vous bouscule, hein ? l'a interrompue Beatrice.

Elle a paru sur le point d'ajouter quelque chose, sans doute une anecdote au sujet de son fils, au lieu de quoi elle a contemplé la table, un étrange sourire aux lèvres, en se balançant doucement sur sa chaise.

— Mais ça finit par leur passer, a-t-elle conclu.

Lorsque Angie m'a jeté un coup d'œil, je me suis contenté de la dévisager en retour, incapable de trouver les mots pour aborder l'étape suivante.

C'est ma femme qui a finalement rompu le silence.

— Bea ? Les policiers ont dit qu'ils avaient enquêté à la suite de vos déclarations et qu'ils avaient rencontré Amanda chez elle.

Elle a secoué la tête.

— Depuis leur déménagement, Amanda me téléphonait tous les jours. Elle n'oubliait jamais. Mais il y a deux semaines, juste après Thanksgiving, elle a cessé d'appeler. Je n'ai plus aucune nouvelle.

— Ah bon ? Elles ont quitté leur quartier ?

— Ça doit faire quatre mois, oui. Helene a acheté une maison à Foxboro. Avec trois chambres.

Foxboro se situait à une trentaine de kilomètres au sud de Boston. Ce n'était peut-être pas Belmont Hills ni une banlieue chic de ce genre, mais ça représentait tout de même un sacré progrès par rapport à la paroisse de St. Bart, à Dorchester.

— Helene travaille, ces temps-ci ?

Beatrice a éclaté de rire.

— Aux dernières nouvelles, elle s'occupait de la machine à loto au New Store on the Block. Ça remonte déjà à un moment, cela dit, et je suis quasiment sûre qu'elle a été virée depuis, comme de toutes ses autres places. Quand je pense qu'elle a même réussi à se faire renvoyer de la compagnie du gaz... Vous connaissez beaucoup de gens qui sont mis à la porte d'un service public ?

— Donc, si elle ne travaille pas régulièrement...

– Comment a-t-elle pu s'offrir une maison ? (Beatrice a haussé les épaules.) Bonne question.

– Toutes ces poursuites qu'elle a intentées contre la ville ne lui ont rien rapporté, n'est-ce pas ?

– Non, l'argent est allé dans un fonds destiné à Amanda. Helene n'a pas le droit d'y toucher.

– D'accord, a dit Angie. Je vais me débrouiller pour vérifier l'évaluation du bien.

D'une voix aussi douce que possible, j'ai demandé :

– Que s'est-il passé pour qu'elle obtienne une interdiction d'approcher ?

Beatrice a reporté son attention sur moi.

– Helene sait comment exploiter le système ; elle l'a toujours fait, depuis son adolescence. Il y a deux ou trois ans, Amanda est tombée malade. La grippe. Helene venait de rencontrer ce type, un barman qui lui offrait des tournées gratuites, et du coup elle ne pensait plus à s'occuper de sa fille. À l'époque, elles habitaient encore dans leur ancien appartement près de Columbia Road. Comme j'avais gardé une clé, j'y suis allée plusieurs fois pour soigner ma nièce. C'était ça ou prendre le risque qu'elle attrape une pneumonie.

Angie a machinalement tourné la tête vers la photo de Gabby avant de se concentrer de nouveau sur Bea.

– Et Helene n'a pas apprécié de vous trouver chez elle, alors elle a porté plainte.

– Tout juste, a confirmé Beatrice. (Elle a caressé la bordure de sa tasse.) Je bois plus qu'avant. Alors parfois je fais des bêtises, je téléphone à des heures indues… (Elle a levé les yeux vers moi.) Comme l'autre soir, quand je vous ai appelé. J'ai passé quelques coups de fil du même genre à Helene. C'est après le dernier qu'elle a requis une autre interdiction de contact, il y a maintenant trois semaines.

– Qu'est-ce qui vous a poussée à la – je ne veux pas dire « harceler », mais…

– Oh, vous pouvez parler de « harcèlement » ! Au fond, je crois que j'aime harceler Helene… (Elle a souri.) J'avais parlé à Amanda quelque temps plus tôt. C'est une gentille petite, vous savez ; elle a beau être coriace et beaucoup plus mûre que son âge, elle a un bon fond.

J'ai de nouveau songé à la fillette de quatre ans que j'avais ramenée chez elle. Aujourd'hui, elle était « coriace » et « beaucoup plus mûre que son âge ».

– Elle m'avait demandé d'aller chercher le courrier à leur ancienne adresse, a poursuivi Beatrice. Ça concernait juste quelques lettres que la poste oubliait de réexpédier ; c'est assez fréquent. Bref, je me suis rendue plusieurs fois là-bas, pour récupérer essentiellement de la pub. (Elle a plongé la main dans son sac.) Jusqu'au jour où je suis tombée sur ce papier.

Elle m'a tendu une feuille ivoire : un extrait de naissance délivré par l'État du Massachusetts, comté du Suffolk, au nom de Christina Andrea English, née le 04/08/93.

J'ai montré le document à Angie.

– Elles ont presque le même âge, a-t-elle déclaré.

– Christina English a un an de plus, ai-je observé.

De toute évidence, nous pensions à la même chose. Angie a posé la feuille près de son ordinateur portable, et un instant plus tard ses doigts voltigeaient sur le clavier.

– Comment Amanda a-t-elle réagi quand vous lui avez fait part de votre trouvaille ? ai-je demandé à Beatrice.

– Elle a arrêté d'appeler. Et juste après, elle a disparu.

– Alors vous avez téléphoné à Helene.

– Oh que oui ! Pour exiger des réponses.

– Je comprends, a dit Angie. J'aurais aimé vous seconder.

– Et comme elle ne répondait pas, a repris Beatrice, je lui ai laissé un certain nombre de messages furieux.

– Qu'elle a soigneusement sauvegardés pour pouvoir les soumettre à un juge, j'imagine, a conclu Angie.

– C'est exact.

– Et vous êtes sûre qu'Amanda n'est plus à Foxboro ?

– Certaine. J'ai surveillé la maison pendant trois jours.

Sa réponse m'a arraché un sourire.

– Malgré l'interdiction d'approcher ? Vous avez du cran, Bea !

Elle a haussé les épaules.

– J'ignore qui est cette fille que la police a rencontrée, mais ce n'était pas Amanda, a-t-elle affirmé.

Tout en pianotant sur le clavier, Angie a brièvement détaché ses yeux de l'écran.

– Aucune trace d'une Christina English dans les archives des écoles primaires de la région. Rien non plus du côté des services sociaux et des hôpitaux.

– Qu'est-ce que ça veut dire ? a demandé Beatrice.

– Que cette Christina English a quitté l'État, ai-je répondu. Ou…

– J'y suis, m'a interrompu Angie. Date de décès, 16/09/93.

– … qu'elle est morte.

– Dans un accident de voiture, a précisé Angie. À Wallingford, dans le Connecticut. Ses parents ont péri tous les deux à cette même date.

En cet instant, le regard de Beatrice reflétait l'incompréhension la plus totale.

– Amanda avait manifestement prévu d'endosser l'identité de cette fille, a repris Angie. À votre insu, Bea,

126

vous avez contrarié ses plans. Il n'y a pas de certificat de décès établi à ce nom dans le Massachusetts ; le Connecticut en a peut-être délivré un, je ne le saurai qu'en approfondissant mes recherches. En attendant, il ne serait pas très difficile de se faire passer pour Christina English sans que l'État soupçonne quoi que ce soit. Amanda pourrait ainsi obtenir une carte de sécurité sociale, se forger un faux curriculum et même, s'il lui en prenait l'envie un jour, s'inventer une blessure due à un accident de travail imaginaire et toucher une pension d'invalidité.

— Ou alors, ai-je renchéri, elle pourrait accumuler les débits à six chiffres sur de multiples cartes de crédit durant une période de trente jours sans jamais avoir à régler la facture dans la mesure où... eh bien, elle n'existe pas.

— Donc, soit Amanda aide Helene et Kenny à monter une escroquerie..., a commencé Angie.

— ... soit elle veut devenir quelqu'un d'autre, ai-je achevé.

— Dans ce cas, il lui serait impossible de toucher les deux millions que la ville doit lui verser l'année prochaine, a souligné Beatrice.

— Bonne remarque, ai-je dit.

— Sauf qu'elle peut très bien assumer une nouvelle identité sans pour autant renoncer à la sienne, est intervenue Angie.

— Ce n'est pas possible, puisque j'ai intercepté l'extrait de naissance..., a objecté Beatrice.

— Elle va sans doute devoir faire une croix sur Christina English, c'est vrai, ai-je confirmé.

— Mais... ?

— Mais c'est comme les avatars dans les jeux vidéo, a expliqué Angie. Avec un peu d'astuce, c'est facile de jongler avec plusieurs identités. Amanda est débrouillarde ?

– Plus que ça, a répondu Beatrice.

Dans le silence qui a suivi, je l'ai vue contempler la photo de notre fille. Nous l'avions prise à l'automne. Gabby était assise sur un tas de feuilles mortes, un sourire jusqu'aux oreilles, les bras largement écartés comme si elle posait pour immortaliser une victoire. Des millions de photos semblables devaient trôner sur les manteaux de cheminée, les buffets, les consoles et les postes de télévision à travers le monde. Beatrice semblait incapable d'en détacher les yeux.

– La vie est tellement formidable à cet âge-là…, a-t-elle murmuré. Quand on a quatre ou cinq ans, tout est une perpétuelle source d'émerveillement.

Je n'ai pas pu affronter le regard de ma femme.

– D'accord, je vais tâcher de me renseigner, ai-je marmonné.

Angie m'a remercié d'un sourire plus grand que le comté du Suffolk.

Beatrice m'a tendu ses mains et je les ai saisies. Elles avaient conservé la chaleur de sa tasse de café.

– Vous allez la retrouver, n'est-ce pas ?

– J'ai juste dit que j'allais me renseigner, Bea.

Son visage n'en rayonnait pas moins d'une ferveur évangélique.

– Vous la retrouverez, j'en suis sûre.

Cette fois, je me suis abstenu de répondre. Pas Angie.

– Oui, Bea. Quoi qu'il arrive.

Après son départ, nous sommes restés un moment dans le salon, où j'ai étudié la photo d'Amanda et Beatrice posée sur mes genoux. Elle avait été prise un an plus tôt dans une salle de réception appartenant à l'association Knights of Columbus. Les deux femmes se tenaient devant un mur lambrissé. Le visage de Beatrice, tourné vers sa nièce, rayonnait d'amour. Amanda, elle, se concentrait sur l'objectif. Son sourire était contraint, son regard dur, sa mâchoire légèrement décalée vers la droite. Elle avait teint en acajou ses cheveux autrefois blonds, qu'elle portait désormais longs et raides. Petite et menue, elle était vêtue d'un jean bleu foncé et d'un blouson bleu marine des Red Sox sur un T-shirt gris Newbury Comic. Des taches de rousseur parsemaient son nez légèrement busqué, faisant ressortir le vert de ses prunelles. Elle avait des lèvres fines, des pommettes saillantes et un menton carré. Quoique petits, ses yeux exprimaient tant de choses que je savais la photo incapable de leur rendre justice : son visage devait changer d'expression au moins trente fois en un quart d'heure – jamais vraiment joli, et pourtant toujours saisissant.

– Waouh, a dit Angie. Elle n'a plus rien d'une gamine !

– Non…

J'ai brièvement fermé les yeux.

– Franchement, Patrick, ça te surprend ? Avec une mère comme Helene, si Amanda réussit à éviter la cure de désintox avant son vingtième anniversaire, ce sera un exploit.

– Pourquoi est-ce que je me suis encore embarqué dans cette galère, bon sang ?

– Parce que t'es quelqu'un de bien.

– Pas à ce point.

Elle m'a embrassé l'oreille.

– Le jour où ta fille te demandera quelles valeurs tu défends, tu n'as pas envie de pouvoir lui répondre ?

– Si, évidemment. Mais cette récession, cette foutue crise ou je ne sais quoi… c'est la réalité, bébé. Et on n'en sort pas.

– On finira par en sortir tôt ou tard, m'a-t-elle assuré. C'est certain. En attendant, quand t'as des convictions, c'est... à vie. (Elle a changé de position sur le canapé, ramené ses genoux contre sa poitrine et attrapé ses chevilles.) Et si je faisais équipe avec toi pendant deux ou trois jours ? Ça pourrait être marrant, non ?

– Ah oui ? Et comment tu comptes...

– PR me doit un service depuis que j'ai accepté de garder le monstre l'été dernier. Je lui confierai Gabby pendant que je batifole avec toi.

Le « monstre » était le fils de l'amie d'Angie, Peggy Rose, dite PR. À ma connaissance, Gavin Rose, cinq ans, ne dormait jamais et ne se lassait pas de démolir des trucs. Il adorait aussi hurler sans raison, ce que ses parents trouvaient attendrissant. L'année précédente, PR avait accouché du deuxième ; sa belle-mère étant décédée à la même époque, nous avions hérité du « monstre » pendant cinq des jours les plus longs que l'homme puisse endurer.

– C'est vrai qu'elle a une dette envers nous, ai-je commenté.

– Exact. (Elle a consulté sa montre.) Bon, il est trop tard pour l'appeler maintenant, j'essaierai de la joindre demain matin. Tu n'auras qu'à repasser à la maison dans l'après-midi pour voir si tu peux compter sur un coup de main.

– C'est gentil de vouloir m'aider, mais ça ne nous rapportera rien, pas un sou. Or on est dans une sacrée panade, Ange. Et si je cherchais du boulot à la journée ? Après tout, il y a sûrement moyen de dégotter, je ne sais pas, quelque chose... Pourquoi pas sur les quais, tiens ? Je pourrais décharger les voitures qui arrivent sur les bateaux à Southie. Ou...

Je me suis interrompu, incapable de supporter plus longtemps la note de désespoir que je percevais dans ma voix. Adossé au canapé, j'ai regardé la neige fondue éclabousser la fenêtre, tourbillonner sous les réverbères et tournoyer le long des lignes téléphoniques. Enfin, j'ai plongé mon regard dans celui de ma femme.

– On pourrait bien se retrouver à sec.

– Ça ne te prendra que quelques jours, une semaine maximum. Entre-temps, si Duhamel & Standiford t'appelle pour te proposer une autre affaire, d'accord, tu laisses tomber. Mais pour le moment, essaie de savoir ce qu'est devenue Amanda.

– Complètement fauchés, ai-je insisté.

– Tant pis, on bouffera des patates !

10

Trois semaines plus tôt, Amanda McCready fréquentait encore le lycée pour filles Caroline Howard Gilman. L'établissement se nichait dans une petite rue près de Memorial Drive à Cambridgeport, à seulement quelques coups de rames du MIT en passant par la Charles River. À l'origine, il était destiné aux demoiselles de la bonne société. L'énoncé de sa mission, daté de 1843, exposait clairement le programme : « Repère nécessaire en des temps déroutants, le lycée Caroline Howard Gilman saura faire de votre fille une jeune dame accomplie. Quand son futur époux demandera sa main, il ne manquera pas de serrer la vôtre pour vous remercier de lui offrir une compagne dont la moralité et l'éducation sont en tout point irréprochables. »

Le Gilman avait toutefois connu quelques changements depuis 1843 : s'il s'adressait toujours aux riches, ses élèves s'illustraient moins par l'excellence que par l'absence de leurs manières. Aujourd'hui, quand on avait suffisamment d'argent et de relations pour envoyer une adolescente dans des écoles sélectives telles que Winsor ou St. Paul, mais que l'adolescente en question avait un parcours mouvementé – mauvaises notes à répétition, ou pis, problèmes de comportement –, on la mettait en pension au Gilman.

– Nous n'aimons pas trop qu'on nous qualifie d'institution « thérapeutique », même dans une intention louable, m'a expliqué la directrice, Mai Nghiem, en me conduisant dans son bureau. Nous préférons nous considérer comme le dernier bastion de l'éducation, disons, traditionnelle. Bon nombre de nos jeunes élèves intégreront les meilleures universités, celles de l'Ivy League ou des Seven Sisters ; c'est juste qu'elles auront emprunté une voie moins conventionnelle que leurs camarades. Et parce que nous obtenons des résultats concrets, nous bénéficions de fonds substantiels, ce qui nous permet d'accueillir des jeunes filles brillantes issues de milieux défavorisés.

– Dont Amanda McCready, c'est ça ?

Mai Nghiem a hoché la tête avant de m'introduire dans son bureau. Petite, âgée d'environ trente-cinq ans, elle avait de longs cheveux d'un noir aux reflets bleutés et se mouvait avec une grâce laissant supposer que le sol sous ses pieds était plus souple que sous les miens. Elle portait un chemisier ivoire à encolure bateau sur une jupe noire, et elle m'a indiqué un siège en allant s'asseoir derrière sa table de travail. Quand Beatrice l'avait appelée chez elle la veille au soir pour solliciter ce rendez-vous, elle s'était d'abord montrée réticente, mais par expérience je savais Beatrice capable de venir assez rapidement à bout de toutes les résistances.

– Beatrice est la mère qu'Amanda aurait dû avoir, m'a affirmé Mai Nghiem. Cette femme est une sainte.

– Vous prêchez un convaincu.

– J'espère ne pas paraître impolie, monsieur Kenzie, mais je vais être obligée de faire d'autres choses en même temps que je vous parle.

Elle s'est tournée vers son ordinateur en esquissant une petite grimace avant de presser deux ou trois touches sur le clavier.

– Aucun problème.

– Helene McCready nous a téléphoné pour nous prévenir que sa fille serait absente pendant une quinzaine de jours parce qu'elle devait aller voir son père.

– Amanda connaît son père ? Première nouvelle...

Les yeux noirs de la directrice ont délaissé un instant le moniteur pour se porter vers moi tandis qu'un sourire contraint se dessinait sur ses lèvres.

– Oh, elle ne le connaît pas, a-t-elle répliqué. Helene nous a menés en bateau, c'est évident, mais à moins qu'un parent n'ait fait subir des violences à un enfant – et que nous en ayons la preuve –, nous n'avons pas d'autre solution que de le croire sur parole.

– Vous pensez qu'Amanda aurait pu fuguer ?

Elle s'est accordé quelques instants de réflexion avant de répondre.

– Non, ça ne lui ressemble pas. Cette gamine-là est de celles qui raflent prix sur prix et décrochent une bourse pour entrer dans une université prestigieuse. Et qui s'épanouissent par la même occasion.

– Elle s'est épanouie, ici ?

– Sur un plan purement scolaire, oui.

– Et pour le reste ?

Elle a reporté son attention sur l'écran en pianotant d'une seule main sur le clavier.

– Que voulez-vous savoir au juste, monsieur Kenzie ?

– Tout.

– Je ne vous suis pas.

– À vous entendre, elle a les pieds sur terre.

– Exact.

– Vous diriez qu'elle est raisonnable ?

– Plus que la moyenne.

– Et côté hobbies ?

– Pardon ?

– Elle a des passe-temps, des activités qu'elle pratique quand elle en a marre d'être raisonnable ?

Mai Nghiem a pressé la touche Entrée avant de se caler dans son fauteuil sans souffler mot. Enfin, elle a tapoté un stylo sur son bureau et levé les yeux vers le plafond.

– Elle aime bien les chiens.

– Ah.

– Tous les chiens, de n'importe quelle race, les petits comme les gros. Elle faisait du bénévolat au refuge d'East Cambridge. Chez nous, l'investissement personnel dans un travail d'intérêt général est une condition nécessaire à l'obtention du bac.

– Elle ne souffrait pas trop de la pression sociale ? Je veux dire, cette gosse n'est pas née du bon côté de la barrière. Ici, les filles conduisent la Lex de papa, j'imagine. Amanda n'a même pas la carte de bus du sien.

Elle a acquiescé d'un signe.

– Je crois me souvenir que quand elle est arrivée, certaines de ses camarades se sont montrées un peu cruelles. Elles se moquaient de son absence de bijoux, de ses tenues…

– Pourquoi ? Qu'est-ce qu'elles ont de particulier, ses tenues ?

– Oh, elles sont tout à fait correctes, ne vous méprenez pas… Mais elles viennent de chez Gap ou d'Aéropostale, pas de chez Nordstrom ou Barneys. Ses lunettes de soleil sont des Polaroïd achetées chez CVS, alors que les autres portent des Maui Jim ou des D&G. Pareil pour son sac, un Old Navy…

– … quand ses copines ont des Gucci.

Un sourire aux lèvres, elle a secoué la tête.

– Plutôt Fendi ou Marc Jacobs, voire Juicy Couture. Gucci, c'est pour les filles un peu plus âgées.

– Aïe, quelle erreur impardonnable !

Nouveau sourire.

– Vous voyez, c'est toute la différence : pour nous, c'est ridicule, ça prête à rire. Mais pour les filles de quinze ou seize ans…

– … c'est une question de vie ou de mort.

– Presque.

L'image de Gabby m'a traversé l'esprit. Était-ce vraiment dans ce monde-là que je la préparais à vivre ?

– Quoi qu'il en soit, les railleries ont cessé, a repris la directrice.

– Comme ça, tout simplement ?

– Oui. Vous comprenez, Amanda fait partie de ces rares jeunes qui n'accordent pas la moindre importance à ce qu'on peut penser d'eux ; qu'on la félicite ou qu'on la critique, elle reste de marbre. Les autres ont peut-être fini par se lasser de lui envoyer des piques qui n'avaient aucune prise sur elle… (La cloche a sonné, et Mai Nghiem a tourné la tête vers la fenêtre au moment où une dizaine d'adolescentes passaient devant.) En fait, je me suis mal exprimée, tout à l'heure.

– Comment ça ?

– Je vous ai dit qu'Amanda n'était pas du genre à fuguer, et je suis presque sûre qu'elle ne prendrait jamais physiquement la fuite. Mais elle… eh bien, en un sens, elle fugue tout le temps. C'est ce qui lui a permis d'intégrer ce lycée, d'obtenir les meilleures notes. Jour après jour, elle met un peu plus de distance entre sa mère et elle. Tenez, vous saviez qu'Amanda avait orchestré toutes les étapes de son admission dans cet établissement ?

J'ai fait non de la tête.

– Elle s'est occupée toute seule d'envoyer son dossier de candidature et de remplir les demandes d'aide financière ; elle est même allée jusqu'à solliciter d'obscures subventions fédérales que presque personne ne connaît. Elle avait commencé à se renseigner dès la cinquième. Sa mère ne s'est jamais doutée de rien.

– C'est ce qu'on pourrait écrire sur la tombe d'Helene...

La mention du prénom lui a arraché un léger froncement de sourcils.

– La première fois que je les ai rencontrées, toutes les deux, Helene était manifestement contrariée. Sa fille était là, prête à intégrer un lycée privé relativement bien coté sans que ça lui coûte rien, et elle s'est bornée à regarder ce bureau en disant : « L'école publique, c'était assez bon pour moi. »

– Helene en pasionaria de l'enseignement public ? On aura tout vu !

Mai Nghiem a souri.

– Si on se débrouille bien, entre les prêts étudiants et les bourses, on peut couvrir presque toutes les dépenses. Et, croyez-moi, Amanda avait su cibler ses demandes. Frais d'inscription, manuels, tout était pris en charge. Sauf les dépenses courantes. Et elles s'accumulent... Jusque-là, tous les trimestres, Amanda payait les siennes en liquide. Je me rappelle qu'une année, elle en a réglé une partie – quarante dollars exactement – avec les pourboires qu'elle avait gagnés dans un snack. Au cours de ma carrière, j'ai rarement vu des élèves recevoir si peu de leur famille et en même temps travailler si dur que rien ne semblait capable de les arrêter.

– Mais il s'est passé quelque chose qui l'a détournée de ses objectifs. Récemment, du moins.

– C'est en effet ce qui me trouble, monsieur Kenzie. Amanda était sûre d'entrer à Harvard, à Yale ou encore à Brown, tous frais payés ; elle n'avait que l'embarras du choix. Mais aujourd'hui, si elle ne revient pas très vite pour rattraper le retard dû à trois semaines d'examens manqués et de devoirs non rendus, sans parler de remonter sa moyenne générale jusqu'à un niveau exemplaire... où pourra-t-elle aller ? (Elle a de nouveau secoué la tête.) Non, elle n'a pas fugué.

– Ce qui n'est pas forcément une bonne nouvelle.

– Parce que vous êtes obligé de supposer qu'elle a été enlevée encore une fois, c'est ça ?

– Hélas oui.

Son ordinateur a émis un bip signalant l'arrivée d'un message. Elle a jeté un coup d'œil à l'écran, et ce qu'elle y a vu lui a arraché un soupir presque imperceptible. Elle a reporté son attention sur moi.

– Je suis de Dorchester, vous savez, monsieur Kenzie. J'habitais près de Dorchester Avenue, entre Savin Hill et Fields Corner.

– Tout près de l'endroit où j'ai moi-même grandi.

– Je suis au courant. (Elle a pressé quelques touches sur son clavier, qu'elle a ensuite délaissé.) J'étais en première à Mount Holyoke quand vous enquêtiez sur la disparition d'Amanda. À l'époque, cette affaire m'obsédait, je me précipitais chaque soir au dortoir pour voir les informations de dix-huit heures. Durant cet hiver interminable, et jusqu'au début du printemps, tout le monde pensait qu'elle était morte.

– Je m'en souviens, oui, ai-je confirmé en regrettant secrètement d'avoir si bonne mémoire.

– Là-dessus – bon sang ! –, vous l'avez retrouvée. Des mois plus tard. Et vous l'avez rendue à sa mère.

– Et qu'est-ce que vous en avez pensé ?

– De quoi ? De votre décision de la ramener chez elle ?

– Oui.

– Vous avez fait ce qu'il fallait.

– Oh.

Débordant de gratitude, j'ai failli lui sourire.

– Mais c'était tout de même une erreur, a-t-elle ajouté en me regardant droit dans les yeux.

Immobile devant le casier ouvert d'Amanda, j'ai contemplé les manuels empilés par taille, du plus grand au plus petit, et soigneusement sur l'étagère. Un maillot des Red Sox était accroché derrière la porte, bleu marine avec un passepoil rouge et le numéro 19 inscrit dans le dos, également en rouge. Mais sinon, rien. Aucune photo, pas d'autocollants, pas de collection de gloss ou de bracelets…

– Donc, elle aime les chiens et les Red Sox, ai-je observé.

– Pourquoi les Red Sox ? a demandé Mai Nghiem.

– Elle porte un blouson de l'équipe sur une photo qu'on m'a donnée.

– Oh, je l'ai souvent vue porter ce maillot. Parfois aussi un T-shirt. Et j'ai également vu ce blouson que vous mentionnez. Sauf que moi, je suis une vraie fan, je pourrais vous parler jusqu'à plus soif de tous les clubs affiliés aux Sox et de la logique – ou en l'occurrence, de l'absence totale de logique – à l'œuvre derrière le dernier transfert de Theo, etc.

J'ai souri.

– Moi aussi.

– Mais elle, non. J'ai essayé plusieurs fois d'aborder le sujet avec elle, jusqu'au jour où je me suis rendu compte qu'elle était incapable de nommer les lanceurs, de dire depuis combien de saisons Wakefield joue avec les Sox, ou même de citer la position de l'équipe dans le classement du championnat telle ou telle semaine.

– Ce serait juste une fan en dilettante ?

– Même pas. Une fan par coquetterie. Les couleurs de l'équipe lui plaisent, c'est tout.

– La mécréante !

– C'est l'élève idéale, a déclaré Stephanie Tyler. Je dis bien, i-dé-ale. (Mlle Tyler, qui enseignait l'histoire européenne, devait avoir dans les vingt-sept ou vingt-huit ans. Ses cheveux blond cendré, coupés en un carré strict, étaient parfaitement lissés. Elle donnait l'impression d'être habituée à ce qu'on soit aux petits soins pour elle.) Elle ne bavarde pas, elle fait toujours son travail avant de venir en cours... Pas une seule fois elle n'a été surprise en train de tweeter, d'envoyer des textos en classe, de jouer à des jeux sur son BlackBerry ou je ne sais quoi encore.

– Elle a un BlackBerry ?

Elle a réfléchi un moment.

– Maintenant que j'y repense, non, Amanda n'a qu'un vieux mobile ordinaire. Mais vous seriez étonné par le nombre de filles ici qui possèdent un BlackBerry – même en seconde. Certaines ont deux téléphones, un classique et un BlackBerry. Les premières et les terminales conduisent des BMW série 5 ou même des Jaguar, vous imaginez ? (Sous l'effet de l'indignation, elle s'est penchée vers moi comme si nous étions des conspirateurs.) Le lycée est un autre monde, vous ne croyez pas ?

Je me suis efforcé de conserver une expression neutre. Au fond, je n'étais pas sûr que le lycée soit si différent de ce qu'il était autrefois ; seuls les accessoires avaient changé.

– Pour en revenir à Amanda...

– I-dé-ale, a répété Mlle Tyler. Elle n'est jamais absente, elle prend la parole quand on l'interroge, le plus souvent pour donner la bonne réponse, elle rentre directement chez elle après le cours et elle révise pour le lendemain. Que demander de plus ?

– Elle a des amies au lycée ?

– Une seule. Sophie.

– Sophie… ?

– Corliss. Son père est la figure locale du fitness. Brian Corliss. De temps en temps, on le voit aux informations de Channel 5.

– Je ne regarde que le *Daily Show*.

– Vous ne suivez pas l'actualité ?

– Si. Je lis les journaux.

– Ah, d'accord. (Son regard est devenu subitement vitreux.) Quoi qu'il en soit, beaucoup de gens ont entendu parler de lui.

– OK, si vous le dites. Et donc, sa fille… ?

– Sophie. Amanda et elle sont inséparables.

– Elles se ressemblent ?

Stephanie Tyler a incliné la tête.

– Pas du tout, et pourtant j'ai parfois du mal à les différencier. C'est bizarre, non ? Amanda a le teint clair et elle est plutôt petite, Sophie est beaucoup plus grande et elle a la peau mate, mais il m'arrive encore d'être obligée de réfléchir pour savoir qui est qui.

– Donc, elles sont très proches.

– Depuis le premier jour du premier trimestre de la première année.

– Qu'est-ce qu'elles ont en commun ?

– Eh bien, elles sont toutes les deux iconoclastes même si, chez Sophie, il me semble que c'est plus une question de mode que de personnalité. En fait, c'est… Amanda n'a pas à se forcer pour jouer les outsiders, vous comprenez, c'est dans sa nature, et du coup les autres élèves la respectent. Du côté de Sophie en revanche, c'est le résultat d'un choix, alors elle passe pour…

141

– Une poseuse ?

– Plus ou moins, oui.

– Contrairement à Amanda, qui a su se faire respecter par ses camarades.

Mlle Tyler a confirmé d'un signe de tête.

– Est-ce qu'elles l'apprécient ?

– Personne n'a rien contre elle, en tout cas.

– Mais… ?

– Mais personne ne la connaît vraiment non plus – à part Sophie, je veux dire. Du moins, pour autant que je le sache. Cette gamine, c'est l'île mystérieuse à elle toute seule.

– Une excellente élève, a déclaré Tom Dannal, prof de macroéconomie au physique d'entraîneur de foot. Comme il y en a quoi ? peut-être une sur un million… C'est l'image même de tout ce qu'on affirme attendre de nos gosses, vous voyez ce que je veux dire ? Elle est polie, attentive, intelligente, elle ne fait jamais l'idiote, ne pose jamais le moindre problème…

– Parfaite, quoi, ai-je résumé. C'est ce que j'entends depuis mon arrivée.

– Tout juste. Et qu'est-ce qu'on en a à foutre d'une telle perfection ?

– Tommy, l'a réprimandé Mai Nghiem.

– Non, franchement… (Il a levé une main.) OK, Amanda est gentille, agréable, soignée. Mais vous avez déjà entendu l'expression : « Là-bas, il n'y a pas de là-bas » ? C'est tout elle. Je l'avais en microéconomie l'année dernière, je l'ai en macroéconomie cette année, et c'est toujours ma meilleure élève. Pourtant, je ne pourrais rien vous dire sur elle en dehors de son travail scolaire. Je n'ai pas la moindre anecdote à vous raconter. Quand vous lui posez une question d'ordre personnel, elle s'arrange toujours pour vous la retourner.

Si vous lui demandez comment ça va, elle répond :
« Bien, et vous ? » Et c'est vrai, elle a toujours l'air en
forme, satisfaite. En même temps, si vous la regardez
de plus près, vous avez l'impression qu'elle s'efforce
de reproduire le comportement humain – qu'elle a
étudié ses semblables, appris à marcher et à parler
comme eux, mais qu'elle les observe de l'extérieur.

– Vous êtes en train de me dire que c'est une
extraterrestre ?

– Non, plutôt l'une des personnes les plus solitaires
que j'aie jamais rencontrées.

– Elle a pourtant une amie proche, non ?

– Sophie ? (Petit rire cassant.) « Amie » n'est pas le
mot que j'emploierais…

J'ai cherché le regard de Mai Nghiem, qui s'est
contentée de hausser les épaules.

– Pourtant, l'une de vos collègues m'a affirmé
qu'Amanda et Sophie étaient inséparables, ai-je repris.

– Je ne dis pas le contraire, juste que je ne parlerais
pas d'« amitié » pour décrire leur relation. Pour moi,
elle tient plutôt de ce qu'on voit dans *J.F. partagerait
appartement*.

– De quel côté ?

– Celui de Sophie, a aussitôt déclaré Mai Nghiem,
avant de hocher la tête. Oui, maintenant que Tom l'a
mentionné, ça me paraît évident. Je ne pense pas
qu'Amanda s'en rende compte, mais Sophie l'idolâtre.

– Et moins Amanda s'en rend compte, plus Sophie
la place haut sur son piédestal, a renchéri Tom Dannal.

– Alors je crois que j'ai une autre question à un
million de dollars…, ai-je commencé.

Dannal a pris un air entendu.

– Où est Sophie, c'est ça ?

Je me suis tourné vers la directrice.

– Elle a abandonné le lycée, m'a-t-elle révélé.

J'ai senti mes yeux s'arrondir de surprise.

– Quand ?

– Un peu après la rentrée.

– Et vous ne croyez pas qu'il pourrait y avoir un lien ?

– Entre la défection de Sophie Corliss en début d'année scolaire et l'absence d'Amanda McCready depuis Thanksgiving ?

J'ai balayé du regard la salle de classe vide en essayant de ne pas laisser transparaître ma frustration.

– Vous voyez encore quelqu'un à qui je pourrais parler ?

Dans le foyer, j'ai rencontré sept des camarades de classe d'Amanda et de Sophie. La directrice et moi avions pris place au milieu de la pièce, en face des filles assises en demi-cercle.

– Amanda…, a commencé Reilly Moore. Ben, c'est Amanda, quoi. Vous voyez ?

– Non, justement, je ne vois pas, ai-je répliqué.

Gloussements.

– Ben, elle est trop, quoi.

Roulements d'yeux. Nouveaux gloussements.

– Ah, d'accord ! « Elle est trop, quoi. » Ça y est, j'ai compris.

Regards vides. Pas de gloussements.

– Ben ouais, elle écoute quand on lui parle, c'est sûr, a expliqué Brooklyn Donne. Mais si on attend qu'elle balance des trucs sur elle – comme, je sais pas, moi, pour qui elle craque ou quelles applis elle a sur son iPad –, ben, on peut attendre longtemps…

Sa voisine, Coral ou Crystal, a fait les gros yeux.

– Genre, ça arrivera jamais.

– Jamais, quoi, a renchéri une autre.

Une précision saluée par un hochement de tête collectif.

– Et sa copine Sophie ? ai-je demandé.

– Yeurk !

– Trop ringarde !

– Cette nana, c'est Jeveuxgravedevenirquelqu'un-point-com.

– Nan, point-*org*…

– Ouais, sûr.

– J'ai entendu dire qu'elle voulait te rentrer comme amie sur Facebook.

– Yeurk.

– Ouais, sûr.

Après la naissance de ma fille, j'avais caressé l'idée d'acheter un fusil pour décourager tout éventuel prétendant qui se pointerait chez nous d'ici à une quinzaine d'années. Mais ce jour-là, alors que j'écoutais ces gamines en imaginant Gabby s'exprimer un jour comme elles, débiter les mêmes banalités avec le même vocabulaire limité, je me suis demandé si je ne ferais pas mieux de l'acheter tout de suite pour me griller la cervelle.

Nous avions derrière nous à peu près cinq mille ans de civilisation, vingt siècles au moins s'étaient écoulés depuis la création de la bibliothèque d'Alexandrie et une bonne centaine d'années depuis l'invention de l'avion, nous disposions aujourd'hui d'ordinateurs de poche permettant d'accéder à toutes les richesses intellectuelles du globe –, mais, à en juger par la conversation des filles réunies dans cette pièce, la seule avancée notable que nous avions faite depuis l'invention du feu, c'était la transformation de « quoi » et « trop » en mots fourre-tout servant aussi bien de verbe que de nom ou d'article, voire de phrase entière au besoin.

– Si je comprends bien, aucune de vous n'était proche d'elles ?

Sept regards vides.

– D'accord, je considère que c'est non.

Silence interminable seulement troublé par les bruits accompagnant leurs changements de position.

– Hé, vous vous rappelez ce mec ? a soudain lancé Brooklyn. Celui qui ressemblait un peu à Joe Jonas, vous voyez ?

– Ah ouais, il est trop beau.

– Qui, le mec ?

– Nan, Joe Jonas, crétine.

– Moi je le trouvais zarbi.

– Ah ouais ?

– Ouais.

Je me suis concentré sur celle qui avait abordé le sujet.

– Ce mec… c'était le petit copain d'Amanda ?

Brooklyn a haussé les épaules.

– Je sais pas.

– Qu'est-ce que tu sais, alors ?

La question a paru la contrarier. Mais bon, même la lumière du soleil devait la contrarier.

– Ben, je sais pas, c'est juste que je l'ai vue avec un mec un jour, à South Shore.

– South Shore Plaza, c'est ça ? Le centre commercial ?

– Ben ouais. (Elle m'a gratifié d'un regard appuyé comme pour mieux me faire sentir toute l'absurdité de ma question.) Évidemment.

– Donc, t'étais au centre commercial et…

– Ouais, y avait moi, et aussi Tisha et Reilly. (Elle a indiqué deux autres filles.) Ils sortaient de chez Diesel quand on est tombées sur eux. Mais ils avaient rien acheté.

– Ah.

Elle s'est absorbée dans la contemplation de ses ongles, puis elle a croisé les jambes en poussant un profond soupir.

– Rien d'autre ? ai-je lancé à la cantonade.

Aucune réaction. Même pas de regards vides. Elles avaient toutes décidé d'examiner leurs ongles, leurs chaussures ou leur reflet dans les vitres.

– Bon, eh bien, merci, mesdemoiselles. Vous m'avez beaucoup aidé.

– Si vous le dites, ont répondu deux d'entre elles.

Devant l'établissement, Mai Nghiem et moi avons échangé nos cartes de visite.

– Merci pour votre collaboration, ai-je dit en serrant sa main menue et douce. Ces entretiens me seront d'une grande utilité.

– Je l'espère. Bonne chance.

J'ai commencé à descendre les quelques marches devant l'établissement.

– Monsieur Kenzie ?

Je me suis retourné. Le soleil avait fait son apparition, éblouissant et implacable, transformant la neige de la veille en ruisseaux qui gargouillaient le long des caniveaux.

La directrice a placé une main au-dessus de ses yeux.

– Vous savez, pour tous ces examens qu'elle a manqués, tous ces devoirs qu'elle n'a pas rendus… Dites-lui bien qu'elle peut encore revenir, on s'arrangera pour rattraper le temps perdu sans que son dossier en souffre. Elle l'aura, cette bourse, je vous le promets.

– Il faut juste que je la retrouve au plus vite.

Elle a hoché la tête.

– D'accord, je vais faire mon possible.

– Je n'en doute pas, m'a-t-elle assuré.

Nous avons échangé un petit signe de tête pour montrer que nous mesurions la gravité de la situation, mais il m'a semblé percevoir quelque chose d'autre dans ce moment partagé, une touche un peu plus chaleureuse, un peu plus mélancolique aussi, sur laquelle il valait sans doute mieux ne pas s'appesantir.

Enfin, Mai Nghiem est rentrée, et la lourde porte verte s'est refermée derrière elle. De mon côté, j'ai remonté la rue jusqu'à ma jeep. Au moment où je pressais la télécommande pour déverrouiller les portières, une adolescente est apparue, dissimulée jusque-là par l'arrière du véhicule.

C'était l'une des sept que je venais d'interroger. Elle avait des yeux bruns soulignés de noir, de longs cheveux brun terne et une peau aussi blanche que du polystyrène. Sur les sept filles présentes dans la pièce un peu plus tôt, c'était la seule qui n'avait pas dit un mot.

— Vous allez faire quoi si vous la retrouvez ? m'a-t-elle lancé.

— Je la ramènerai à sa famille.

— Quelle famille ?

— On ne peut pas la laisser à la rue, toute seule.

— Peut-être qu'elle est pas toute seule. Et peut-être que là où elle est, c'est pas si mal.

— Mais ça peut être dangereux.

— Vous avez vu où elle habite ?

Elle a allumé une cigarette.

— Non, ai-je répondu.

— Ben, à l'occasion, allez jeter un œil. Et commencez par le micro-ondes.

— Pardon ?

Elle a répété le mot tout en soufflant une série de ronds de fumée.

— Le micro-ondes, j'ai dit.

J'ai scruté ses yeux brun foncé bordés par un fard à paupières encore plus sombre.

– Je n'ai pas eu l'impression qu'Amanda était du genre à emmener des copines chez elle…

– J'ai jamais dit que j'y étais allée avec elle.

Il m'a fallu quelques secondes pour comprendre.

– Tu y es allée avec Sophie, c'est ça ?

Elle n'a pas répondu, cette fois, se bornant à mâchouiller sa lèvre supérieure.

– Bon. Et Sophie est encore là-bas ?

– Possible.

– Et Amanda, où est-elle ?

– Ça, j'en sais rien. Juré.

– Pourquoi es-tu venue me parler si tu ne veux pas que je la retrouve ?

Elle a croisé les bras, amenant sa paume gauche sous son coude droit tandis qu'elle tirait une nouvelle bouffée de sa cigarette. Un semis de cicatrices roses lui barrait l'intérieur des avant-bras, évoquant des traverses de chemin de fer.

– J'ai entendu un truc sur Amanda et Sophie, a-t-elle enfin repris. On raconte qu'à Thanksgiving, elles sont entrées dans une pièce avec trois autres personnes. Elles étaient cinq, quoi… Vous me suivez ?

– Jusque-là, ça va.

– Y en a deux qui sont mortes sur place, mais quatre qui sont ressorties.

J'ai éclaté de rire.

– Qu'est-ce que tu fumes, à part des cigarettes ?

– Oubliez pas ce que je viens de vous dire.

– Tu ne pourrais pas être un peu plus énigmatique ?

Elle a haussé les épaules avant de se mordiller un ongle.

– Bon, je dois y aller.

Au moment où elle passait à côté de moi, j'ai répété ma question :

— Pourquoi es-tu venue me parler ?

— Parce que Zippo était un copain. L'année dernière, c'était même plus qu'un copain — le premier, en fait.

— Qui est Zippo ?

Sa façade de détachement apathique a brusquement volé en éclats, et j'ai eu l'impression de voir une gosse de neuf ans. Une gosse de neuf ans abandonnée par ses parents au centre commercial.

— C'est une blague ? a-t-elle demandé.

— Non, pas du tout.

— Ben merde… (Sa voix s'est brisée.) Vous… vous savez que dalle, alors.

— Pourquoi ? Qui est Zippo ? ai-je insisté.

— Ça sonne. (Elle a expédié son mégot dans la rue.) Faut que j'aille en cours. Faites attention sur la route.

Elle s'est éloignée tandis que la neige fondue continuait de couler le long des caniveaux et que le ciel virait au gris ardoise. Lorsqu'elle a disparu derrière la porte que la directrice avait franchie quelques instants plus tôt, je me suis rendu compte que je ne lui avais même pas demandé son nom. Puis la porte s'est refermée une nouvelle fois et je suis monté dans ma jeep pour prendre la direction de la rivière.

11

Ce matin-là, pendant que j'essayais de tirer les vers du nez à un groupe de gamines exaspérantes, Angie s'est arrangée avec son amie PR, qui a accepté de garder Gabby quelques après-midi. C'est ainsi que, pour la première fois depuis presque cinq ans, ma femme a pu me donner un coup de main sur une enquête, et nous avons quitté la ville en direction du nord pour rencontrer le père de Sophie Corliss.

Brian Corliss vivait à Reading, dans une rue bordée d'érables, de larges trottoirs blancs et de pelouses qui donnaient l'impression de se raser deux fois par jour. Le quartier se voulait manifestement résidentiel, destiné aux classes moyennes, voire aux classes moyennes supérieures, sans pour autant être élitiste. Les garages étaient conçus pour deux voitures, pas pour quatre, et parmi les voitures en question on voyait surtout des Audi et des Toyota 4Runner Limited, pas des Lexus ni des BMW 740. Toutes les maisons paraissaient bien entretenues, toutes s'ornaient de lumignons et de décorations de Noël – la plus spectaculaire à cet égard étant celle des Corliss, une villa coloniale blanche aux volets, encadrements de fenêtres et porte d'entrée peints en noir. La lumière ruisselait le long de guirlandes électroluminescentes fixées aux gouttières, aux montants de la véranda et sur la clôture. Une couronne aussi grosse que le soleil était accrochée au-dessus de la porte du garage. Près des massifs, à côté d'une fausse mangeoire, les statuettes des Rois mages, de Marie, de Joseph et de diverses créatures à quatre pattes entouraient un berceau vide. À leur droite était réunie une troupe éclectique composée de bonshommes de neige, d'elfes, d'un renne, du Père Noël et de madame, ainsi que d'un Grinch au sourire grimaçant. Sur le toit, un traîneau voisinait avec la cheminée, et d'autres guirlandes lumineuses formaient les mots : « JOYEUX NOËL ». La boîte aux lettres reposait sur un pied en forme de sucre d'orge.

Quand nous nous sommes garés devant la maison, Brian était dans le garage, occupé à décharger des sacs de courses du coffre d'un SUV Infiniti. Il nous a salués d'un geste et d'un sourire aussi immense que les prairies au cœur du pays. C'était un homme svelte, en veste marron au col de cuir noir sur une chemise en denim déboutonnée qui révélait un T-shirt blanc glissé dans un pantalon de toile au pli impeccable. Il devait avoir dans les quarante-cinq ans et paraissait en excellente condition physique, ce qui n'avait rien d'étonnant dans la mesure où, au cours des dix années écoulées, il avait gagné sa vie d'abord comme prof de gym puis comme gourou du fitness. Aujourd'hui, il sillonnait la Nouvelle-Angleterre pour aller expliquer aux petites entreprises comment augmenter leur productivité en offrant une remise en forme à leurs employés. Il avait même écrit un livre, *Perdre le superflu, pas l'essentiel*, best-seller dans la région pendant quelques semaines, et un rapide coup d'œil à ses sites Web (il en avait trois) ainsi qu'à son autobiographie laissait supposer qu'il n'avait pas encore atteint l'apogée de sa carrière. Il nous a serré la main sans chercher à nous la broyer, contrairement à bon nombre d'accros de la musculation, nous a remerciés d'être venus et s'est excusé de ne pas avoir pu nous rejoindre à mi-chemin.

— La circulation est tellement infernale ! a-t-il ajouté. Après quatorze heures, ce n'est même pas la peine d'y penser. Cela dit, quand j'en ai parlé à Donna, elle m'a fait remarquer : « Mais ces détectives seront coincés dans les embouteillages au retour, non ? »

— Donna, c'est votre femme ?

Il a hoché la tête.

— Elle n'avait pas tort. Du coup, j'ai des scrupules.

— Vous ne devriez pas, c'est nous qui vous dérangeons, ai-je souligné.

Il a balayé d'un geste ma remarque.

— Non, pas du tout. Si vous pouvez m'aider à retrouver ma fille, vous ne me dérangez absolument pas.

Il s'est penché pour récupérer un sac posé sur le sol du garage. Il y en avait six au total. J'en ai pris deux, Angie aussi.

— Non, je vous en prie, a-t-il protesté. Je vais me débrouiller.

— Ne soyez pas ridicule, a protesté Angie. C'est le moins qu'on puisse faire.

— D'accord. C'est vraiment gentil de votre part. Merci.

Lorsqu'il a refermé le hayon de l'Infiniti, j'ai été légèrement étonné de découvrir sur la lunette arrière un de ces autocollants idiots, « Permis de chasse aux terroristes », qui avaient fleuri après le 11 Septembre. J'aurais probablement dû me sentir rassuré de savoir que si Ben Laden venait frapper à la porte pour lui emprunter du sucre, Brian Corliss était prêt à le dégommer dans l'intérêt de l'Amérique, mais j'éprouvais surtout de l'irritation à l'idée que les milliers de victimes de l'attentat puissent être exploitées au profit d'un putain d'autocollant. Je n'ai cependant pas eu l'occasion de la ramener ; déjà, Brian Corliss nous invitait à le suivre dans l'allée jusqu'à la porte noire de sa demeure deux fois centenaire.

Angie et moi sommes restés près du comptoir en granit tandis qu'il rangeait ses provisions dans le frigo et les placards. Le rez-de-chaussée avait manifestement été réaménagé de fond en comble, et les travaux étaient si récents qu'on percevait encore l'odeur de la sciure. Deux cents ans plus tôt, l'architecte n'avait pas dû estimer nécessaire d'abaisser le niveau du salon, d'intégrer un plafond en cuivre dans la salle à manger ou d'installer un réfrigérateur Sub-Zero dans la cuisine. Tous les encadrements de fenêtre étaient neufs, d'une même couleur coquille d'œuf. Et pourtant, bizarrement, l'effet produit n'était pas harmonieux. Le salon privilégiait le blanc : canapé blanc sur tapis neigeux, manteau de cheminée blanc cassé, bûches gris-blanc dans le panier métallique couleur ivoire, immense sapin de Noël blanc dressé dans un coin. La cuisine au contraire était sombre : placards en merisier, plans de travail en granit gris foncé, plaque de protection murale en granit noir ; même le Sub-Zero et la hotte au-dessus de la gazinière étaient noirs. Quant à la salle à manger, elle illustrait le style scandinave moderne : table rectangulaire en bois blond, entourée de chaises étroites à dossier haut. Au final, on avait l'impression d'un intérieur meublé à partir de trop nombreux catalogues.

Des photos encadrées de Brian Corliss, d'une femme blonde et d'un enfant également blond trônaient sur la cheminée, les étagères d'une crédence et le haut du frigo. Des collages les montrant tous les trois ornaient aussi les murs. On pouvait ainsi suivre l'évolution du petit garçon de la naissance jusqu'à environ quatre ans. J'ai supposé que la blonde était Donna. Une jolie femme, à l'image des serveuses dans les bars sportifs et des visiteuses médicales : une masse de cheveux couleur de rhum, des dents aussi éblouissantes que le soleil des Bermudes… J'étais prêt à parier qu'elle avait enregistré dans son répertoire téléphonique le numéro de son chirurgien esthétique. Ses seins généreusement exhibés sur la plupart des clichés avaient la forme de deux globes parfaits, son front était aussi lisse que celui d'un cadavre tout juste embaumé, et elle avait le sourire crispé d'un patient sous électrochocs. Sur deux ou trois photos – pas plus – apparaissait une adolescente brune au regard inquiet dont le menton rond semblait trahir le manque d'assurance : Sophie.

— Quand l'avez-vous vue pour la dernière fois ? ai-je demandé.

— Ça remonte à plusieurs mois.

Quand, d'un même mouvement, Angie et moi avons tourné la tête vers lui, il a écarté les mains.

— Je sais, je sais. Mais compte tenu des circonstances… (Il a grimacé, puis souri.) Disons juste que ce n'est pas facile d'élever des enfants. Vous en avez ?

— Une fille, oui.

— Elle a quel âge ?

— Quatre ans.

— Petits enfants, petits problèmes. Grands enfants, gros problèmes. (Il s'est concentré sur Angie, de l'autre côté du comptoir.) Et vous, mademoiselle ?

— On est mariés, a-t-elle répondu en inclinant la tête vers moi. La gosse de quatre ans, c'est la mienne aussi.

La réponse a paru lui plaire. Il l'a approuvée d'un nouveau sourire, et, tout en fredonnant, il a commencé à ranger dans le frigo une douzaine d'œufs et une brique de lait écrémé.

– C'était une gamine tellement heureuse de vivre !
(Il a fini de vider le sac, qu'il a replié soigneusement
avant de le placer sous le comptoir.) Un vrai bonheur…
Franchement, je n'aurais jamais cru qu'elle deviendrait
un jour aussi pénible.

– D'après vous, qu'est-ce qui l'a rendue comme ça ?
a demandé Angie.

Durant quelques secondes, Brian Corliss a contemplé
fixement l'aubergine qu'il venait de retirer du sac
suivant.

– Sa mère. Elle… (Il a soudain levé les yeux comme
s'il était surpris de nous découvrir là.) Elle est partie.

– Ah bon ? Et quel âge avait Sophie quand elle l'a
laissée ?

– En fait, elle est partie en emmenant Sophie.

– Donc, elle vous a quitté, elle n'a pas abandonné sa
fille… (Angie m'a jeté un coup d'œil.) J'ai un peu de
mal à vous suivre, Brian.

Celui-ci a placé l'aubergine dans le bac à légumes.

– Sophie avait dix ans lorsque j'en ai obtenu la garde.
Elle… ce n'est pas facile à expliquer… Sa mère a déve-
loppé une dépendance pharmacologique – d'abord à la
Vicodine, ensuite à l'OxyContine. Son comportement
n'était plus celui d'une adulte responsable. Elle a fini
par déserter le foyer conjugal pour aller vivre avec quelqu'un d'autre. Autant vous dire qu'elle a créé un environnement des plus malsains pour notre fille…

Il nous a regardés tour à tour, attendant manifestement
un signe d'encouragement.

Je l'ai gratifié d'un hochement de tête que j'espérais compréhensif assorti d'un regard empreint de
compassion.

– Alors j'ai réclamé la garde, a-t-il poursuivi. Et au
bout du compte, j'ai eu gain de cause.

– Pendant combien d'années Sophie a-t-elle vécu avec sa mère avant de revenir chez vous ? a interrogé Angie.

– Trois ans.

– Trois…

– Et durant tout ce temps, sa mère abusait des antalgiques ? ai-je demandé.

– Elle a fini par arrêter – du moins, c'est ce qu'elle prétendait.

– Alors, en quoi l'environnement de Sophie était-il malsain ?

Brian Corliss nous a décoché un sourire chaleureux.

– Je ne me sens pas prêt à en discuter pour le moment.

– Comme vous voudrez, ai-je dit.

– Donc, vous avez ramené Sophie ici quand elle avait dix ans ? a repris Angie.

– C'est ça. Au début, c'était un peu embarrassant, parce que je n'avais pas été très présent dans sa vie pendant six ans, mais petit à petit les choses se sont arrangées. On a trouvé notre rythme. Nos repères.

– Six ans ? s'est étonnée Angie. Je croyais que vous aviez parlé de trois…

– Non, non. Sa mère et moi, nous nous sommes séparés alors que Sophie venait d'avoir sept ans, et j'ai dû me battre pendant trois ans pour obtenir sa garde, mais les six années en question, c'étaient les six premières de son existence. J'étais en mission à l'étranger et je ne rentrais pas souvent.

– Si je comprends bien, vous ne l'avez pas vue grandir, a conclu Angie.

Il m'a semblé percevoir dans sa voix un tremblement qui n'augurait rien de bon.

– Pardon ?

Le visage si ouvert de notre interlocuteur s'était brusquement assombri.

— Vous avez été envoyé à l'étranger, Brian ? ai-je enchaîné. Comme les soldats ?

— Affirmatif.

— Pour faire quoi ?

— Protéger ce pays.

— Oh, je n'en doute pas, ai-je dit. Merci. Sincèrement. Merci. Je me demandais juste où vous aviez servi.

Il a pris le temps de refermer le frigo, puis de plier et de ranger soigneusement les derniers sacs. Enfin, il nous a adressé une nouvelle fois son grand sourire chaleureux.

— Pourquoi ? Pour pouvoir réévaluer l'importance de ma contribution, c'est ça ?

— Pas du tout. Simple curiosité.

Après quelques secondes d'un silence tendu, il a levé une main en un geste conciliant tandis que son sourire s'élargissait encore.

— Bien sûr, bien sûr. Veuillez m'excuser. J'étais ingénieur civil chez Bechtel à Dubaï.

— Ah bon ? Pourtant, vous venez de dire que vous étiez dans l'armée, a objecté Angie d'un ton léger.

— Non, a-t-il déclaré, les yeux dans le vague. J'ai juste approuvé la comparaison faite par votre partenaire : quand on vous envoie dans les émirats travailler pour un gouvernement ami du nôtre, c'est comme si vous étiez un soldat. Vous devenez une cible de choix pour tout djihadiste déterminé à passer à l'acte, parce que vous symbolisez dans son esprit tordu la corruption occidentale. Pour rien au monde je n'aurais imposé à ma fille de telles conditions de vie.

— Alors pourquoi avoir accepté ce poste ?

— Entre nous, Angela, je me suis posé la question un bon millier de fois, et je ne suis pas particulièrement fier de la réponse. (Il a haussé les épaules en prenant l'air penaud d'un gamin attendrissant.) Le salaire proposé était trop intéressant pour que je laisse passer une telle opportunité. Voilà, c'est dit. Je l'avoue. Les allégements fiscaux n'étaient pas négligeables non plus. Je savais que si je me donnais à fond pendant ces six ans, je reviendrais avec un pactole suffisant pour subvenir aux besoins de ma famille et monter mon entreprise de coaching sportif.

– Et c'est ce qui est arrivé, ai-je observé. Vous avez réussi. Et bien réussi, de toute évidence.

J'avais conscience de jouer le rôle du gentil, ce jour-là. Limite lèche-cul, même. Mais après tout, la fin justifie les moyens.

Du comptoir de la cuisine, il a contemplé son salon tel un Alexandre des temps modernes qui n'aurait plus de royaumes à conquérir.

– C'est vrai, ce n'était pas très malin d'imaginer que je pourrais maintenir la cohésion de ma famille alors que je vivais à des milliers de kilomètres. Ça, je le reconnais. D'accord. Pour autant, je ne m'attendais pas à retrouver une femme devenue dépendante des médicaments et prônant des valeurs qui me paraissaient… (il a grimacé, puis haussé les épaules)… eh bien, assez répugnantes. Nous nous disputions souvent. Je n'arrivais pas à faire comprendre à Cheryl combien son comportement était destructeur pour Sophie. Et plus j'essayais de lui ouvrir les yeux, plus elle se réfugiait dans le déni. Un jour, en rentrant du boulot, j'ai découvert la maison vide. (Nouvelle grimace, nouveau haussement d'épaules.) J'ai passé les trois années suivantes à me battre pour mes droits en tant que père, et pour finir j'ai gagné. Oui, j'ai gagné.

– Vous avez obtenu la garde exclusive de Sophie ?

159

Il nous a invités à le suivre dans le salon en contrebas. Brian et moi nous sommes assis sur le canapé tandis qu'Angie s'installait sur la causeuse en face de nous. Un seau en cuivre blanc, rempli de bouteilles d'eau minérale, était posé sur la table basse qui nous séparait. Brian nous a invités à nous servir, et nous en avons chacun pris une. Les étiquettes vantaient les mérites du livre de Brian sur la perte de poids.

— Après la mort de Cheryl, oui, a-t-il répondu.

— Oh, a fait Angie, les yeux légèrement écarquillés. Votre femme est décédée…

— En effet. D'un cancer de l'estomac. Je mourrai moi-même avec la certitude que ce sont les médicaments qui l'ont tuée. On ne peut pas maltraiter son corps à ce point en espérant qu'il va continuellement se régénérer.

J'ai soudain remarqué qu'autour de ses yeux, en particulier à l'endroit où auraient dû apparaître les pattes d'oie, la peau était plus blanche et lisse que sur le reste de son visage ; elle dessinait deux cercles pâles de la taille d'un petit coquillage. Tout comme sa nouvelle épouse, Brian Corliss avait manifestement eu recours à la chirurgie esthétique ; son corps non plus ne se régénérait pas à l'envi.

— C'est donc après son décès qu'on vous a confié Sophie, a récapitulé Angie.

Il a acquiescé.

— Heureusement qu'elles habitaient dans le New Hampshire ! Si ça s'était passé dans le Vermont, ou même ici, j'aurais sans doute été obligé de me battre pendant encore des années.

Angie s'est tournée vers moi. Je lui ai opposé mon regard le plus neutre, celui réservé aux situations que je sens m'échapper.

– Brian ? a-t-elle repris. Je ne voudrais pas tirer de conclusions trop hâtives, mais… vous faites allusion à un mariage homosexuel ?

– Il n'était pas question de mariage. (Il a posé le bout de son index sur la table basse et l'a pressé si fort que la chair a viré au rose vif.) Non, pas dans le New Hampshire. En revanche, c'est bien une relation de cette nature qu'elles entretenaient, et ce, sous le nez de ma fille ! Si elles avaient été autorisées à se marier, qui sait combien de temps aurait pu durer la procédure ?

– Pourquoi ? ai-je demandé.

– Pardon ?

– Est-ce que la compagne de votre ex-femme…, a commencé Angie.

– Elaine. Elaine Murrow.

– Elaine, donc. Merci. Est-ce qu'Elaine a légalement adopté Sophie ?

– Non.

– Elle n'a jamais entamé de démarches dans ce sens ?

– Non. Mais si Cheryl et elle étaient tombées sur un juge soutenant la cause des homosexuels – et ce n'est pas ce qui manque par ici –, qu'est-ce qui les aurait empêchées de se servir de mon combat pour créer un précédent susceptible de remettre en question les droits des parents biologiques ?

Angie m'a de nouveau coulé un regard circonspect.

– C'est peut-être aller un peu loin, là, Brian.

– Vous croyez ? (Après avoir dévissé le bouchon de sa bouteille, il a bu longuement.) Eh bien, pas moi. Et je sais de quoi je parle, c'est du vécu.

– OK, ai-je dit. Donc, Sophie est venue chez vous, il vous a fallu un peu de temps à tous les deux pour arrondir les angles, et ensuite la cohabitation s'est bien passée ?

– Oui. (Il a placé la bouteille d'eau sur la table basse, et durant quelques instants sa physionomie s'est éclairée, comme réchauffée par la contemplation de lointains souvenirs.) Oui. Pendant trois ans, à peu près, il n'y a pas eu de problèmes particuliers. Oh, évidemment, elle a eu du mal à accepter le décès de sa mère et le fait de quitter le New Hampshire, mais sinon tout allait pour le mieux entre nous. Elle ne me manquait jamais de respect, elle faisait son lit tous les matins, elle semblait s'entendre avec Donna, elle avait de bonnes notes à l'école…

Touché par ses intonations chaleureuses, j'ai souri.

— Vous discutiez de quoi, tous les deux ? ai-je demandé.

— Comment ça ?

— Ma fille et moi, on s'intéresse aux appareils photo, vous voyez ? J'ai ce SLR noir, elle a un petit appareil numérique rose, alors on…

— Oh… (Il a changé de position sur le canapé.) Nous, on essayait plutôt de *faire* des choses ensemble. J'ai réussi à la convaincre de se mettre au jogging et de suivre un cours de Pilates-yoga avec Donna, ce qui les a beaucoup rapprochées. Elle venait aussi au centre de fitness que je dirige à Woburn, celui qui a été le point de départ de mes activités… C'est là qu'on enregistre l'émission du dimanche matin et qu'on s'occupe de la vente par correspondance. Elle nous aidait beaucoup, c'était super. Vraiment super.

— Et ensuite, qu'est-ce qui s'est passé ?

— La guerre. Du jour au lendemain, sans raison. Je n'avais qu'à dire « noir » pour qu'elle dise « blanc ». Je servais du poulet pour le dîner, elle nous annonçait qu'elle était devenue végétarienne. Elle bâclait ses corvées à la maison, et encore, quand elle ne refusait pas purement et simplement de donner un coup de main… Après la naissance de BJ, elle est devenue ingérable.

— BJ ?

Il a indiqué le petit garçon sur les photos.

– Brian Junior.

– Ah. BJ.

Les mains crispées sur ses genoux, il m'a regardé droit dans les yeux.

– Je ne suis pas un tyran. Je n'impose que quelques règles chez moi, mais il n'est pas question de les enfreindre. Vous comprenez ?

– Bien sûr. Les gosses ont besoin d'être tenus.

– Alors... (Il s'est mis à énumérer sur ses doigts.) Pas de gros mots, pas de cigarettes, pas de garçons à la maison quand je ne suis pas là, pas de drogues ni d'alcool, et je veux savoir ce que tu fabriques sur Internet.

– Ça me paraît tout à fait raisonnable, ai-je commenté.

– Plus, pas de rouge à lèvres noir, pas de bas résille, pas de copains affublés de tatouages ou de piercings dans le nez, pas d'aliments gras ou sucrés, de plats industriels et de sodas.

– Oh.

– Oui, je sais, a-t-il déclaré, comme si je venais de le féliciter. La *junk food* aggravait son acné, mais j'avais beau le lui répéter, elle ne voulait rien entendre. Quant au sucre, il contribuait à son hyperactivité et à son manque de concentration en cours. Alors ses notes ont chuté et elle a pris du poids. C'était un exemple déplorable pour BJ.

– Il a quel âge, déjà ? est intervenue Angie. Trois ans ?

Yeux écarquillés et rapide hochement de tête.

– Et il est très impressionnable, a précisé Brian Corliss. Vous ne pensez pas qu'ils commencent tôt, tous ces problèmes d'obésité à l'échelle nationale ? Sans parler de la crise de l'éducation qui sévit dans ce pays... Tout est lié, Angela. Entre son égocentrisme et ses grandes scènes mélodramatiques à répétition, Sophie avait une très mauvaise influence sur notre fils.

— Elle était en pleine puberté, non ? a fait remarquer Angie. Et elle était au lycée. Ça aurait suffi à chambouler n'importe quelle gamine.

— Ce que je n'ai pas manqué de prendre en compte, a-t-il souligné. Mais de nombreuses études ont récemment montré que c'est notre tendance à trop couver les enfants dans ce pays qui contribue à prolonger leur adolescence et à stopper leur développement.

— Je n'arrive pas à croire qu'ils aient arrêté cette série[1], ai-je dit. Elle était géniale.

— Pardon ?

— Oh, désolé, je pensais à autre chose.

Angie m'aurait sans doute abattu sur-le-champ si elle avait pu débarrasser la pièce de tous les témoins.

— Continuez, Brian, l'ai-je encouragé.

— C'est vrai, Sophie était en pleine puberté. J'en suis bien conscient, je vous assure. N'empêche, il y a des règles à respecter, pas vrai ? Or elle les rejetait en bloc. Alors j'ai fini par lui fixer un ultimatum : tu perds cinq kilos dans les quarante jours ou tu quittes la maison.

Un grondement a retenti en dessous de nous, vraisemblablement celui d'une machine, puis nous avons commencé à sentir la chaleur diffusée par le sol.

— Excusez-moi, mais j'ai dû mal comprendre, a déclaré Angie. Vous avez exigé de votre fille qu'elle se mette au régime pour pouvoir rester chez vous ?

— Ce n'est pas aussi simple.

— Oh, il y aurait donc une subtilité qui m'échappe dans ce raisonnement ? (Angie a hoché la tête.) Allez-y, expliquez-moi, Brian.

---

1. Allusion à *Arrested Development*, série télévisée.

– Il ne s'agissait pas de la priver de certaines choses si...

– De son foyer, ai-je précisé.

– Exact, a-t-il admis. Je n'avais pas l'intention de la mettre dehors si elle refusait de maigrir, j'ai juste agité cette menace pour l'amener à réagir, à essayer de regagner un peu d'estime de soi et de mieux répondre à nos attentes. Je voulais faire d'elle une Américaine forte et fière, motivée par des valeurs saines et un authentique amour-propre.

– Vous croyez vraiment que c'est en vivant dans la rue qu'on soigne son amour-propre ? a répliqué Angie.

– Franchement, je ne pensais jamais qu'on en arriverait là. Je me suis trompé, de toute évidence.

Angie a jeté un coup d'œil en direction de la cuisine, puis du vestibule. Elle a cillé, ajusté la bride de son sac sur son épaule et esquissé un sourire contraint à mon adresse en se levant.

– Je n'en peux plus, là. Je vais t'attendre dehors, OK ?

– OK, ai-je répondu.

Ignorant la mine ébahie de Brian Corliss, elle lui a tendu la main.

– Ravie de vous avoir rencontré, Brian. Si vous voyez de la fumée derrière votre fenêtre, n'appelez pas les pompiers ; c'est moi qui en grille une dans votre allée.

Sur ces mots, elle a tourné les talons. Brian Corliss et moi n'avons pas bougé tandis que la chaleur se répandait dans la maison.

Enfin, il a rompu le silence :

– Elle fume ?

– Mouais. Elle a aussi un faible pour les cheeseburgers et le Coca.

– C'est une blague ?

– Non, pourquoi ?

– Et elle arrive à garder ce corps-là ? Elle a quoi, trente-cinq ans ?

– Quarante-deux.

Je ne nierai pas que son expression sidérée m'a réjoui au plus haut point.

– Elle a eu recours à la chirurgie esthétique ?

– Oh non. Chez elle, c'est juste une histoire de gènes et d'énergie à revendre. Elle fait pas mal de vélo, c'est vrai, mais elle n'a rien d'une acharnée.

– Contrairement à moi, c'est ça ?

– Pas du tout. Vous avez choisi de faire du sport votre métier et un mode de vie. Tant mieux pour vous, je vous souhaite de vivre jusqu'à cent cinquante ans. Je me disais juste que certaines personnes ont parfois tendance à confondre choix de vie et choix moral, c'est tout.

Nous sommes restés silencieux quelques instants, nous bornant à avaler l'un et l'autre une gorgée d'eau.

– J'étais persuadé qu'elle finirait par revenir.

Brian Corliss s'était exprimé d'une voix douce.

– Sophie ?

Il a baissé les yeux vers ses mains.

– Après avoir supporté ses excès pendant plusieurs années, alors que dans l'intervalle j'avais eu un autre enfant, j'ai pensé qu'un retour à quelques principes de discipline façon vieille école ne pourrait pas lui faire de mal. Dans le temps, les gosses ne souffraient pas de troubles du comportement alimentaire ou d'hyperactivité, ils ne répondaient pas, n'écoutaient pas de musique à la gloire du sexe…

Ces propos m'ont arraché un petit froncement de sourcils.

– Vous pensez vraiment que c'était si différent ? ai-je répliqué. Réécoutez donc *Wake Up*, *Little Susie* ou *Hound Dog*, et dites-moi de quoi parlent toutes ces chansons… Vous mentionnez les troubles du comportement alimentaire, l'hyperactivité ? Rappelez-vous ce qui se passait au lycée à notre époque, bon sang ! Allons, Brian, ce n'est pas parce que personne ne s'occupait de ces problèmes qu'ils n'existaient pas.

– Peut-être… Et la culture, alors ? Il n'y avait pas tous ces magazines et toutes ces émissions de téléréalité qui prônent la bêtise et la veulerie. Il n'y avait pas non plus le porno accessible à tous sur le Net ni la possibilité de diffuser largement, dans l'instant, les idées les plus insipides. On n'essayait pas de vous faire avaler que non seulement vous pouviez devenir une star du jour au lendemain, mais que c'était mérité. Vous n'avez aucun talent, vous ne vous distinguez dans aucun domaine particulier ? Et après ? Aujourd'hui, tout vous est dû. (Il m'a regardé, l'air soudain abattu.) Vous avez une fille, n'est-ce pas ? Alors laissez-moi vous dire une chose : on ne peut pas lutter contre ça.

– C'est-à-dire ?

– Tout ça, a-t-il répondu en indiquant les fenêtres. Le monde extérieur.

J'ai suivi la direction de son regard, brûlant de rétorquer que ce n'était pas le « monde extérieur » qui avait chassé Sophie de chez elle, mais bien « celui de l'intérieur ». Au lieu de quoi, j'ai gardé le silence.

– Non, ce n'est pas possible.

Après avoir poussé un autre soupir à fendre l'âme, il s'est écarté du dossier pour attraper son portefeuille dans la poche arrière de son pantalon. Il en a passé en revue le contenu, puis il a retiré une carte de visite qu'il m'a tendue.

ANDRE STILES
Éducateur
Secrétariat des Affaires familiales

– Il a suivi Sophie jusqu'à ses seize ans, je crois. Je ne suis pas sûr qu'elle le voie encore, mais ça vaut peut-être la peine de prendre contact avec lui.

– Où est-elle, à votre avis ? ai-je demandé.

– Je l'ignore.

– Vous n'en avez vraiment pas une petite idée ?

Il s'est absorbé dans ses réflexions tout en rangeant le portefeuille dans la poche arrière de son pantalon.

– La seule chose qui me vient à l'esprit, c'est là où elle est toujours fourrée – avec sa copine, celle que vous cherchez.

– Amanda ?

– Oui. Au début, je me disais que cette gamine avait une influence apaisante sur Sophie, et puis j'ai découvert son histoire. C'est sordide.

– Plutôt, oui.

– Je n'aime pas le sordide, a-t-il affirmé. Il n'a pas sa place dans un environnement respectable.

Machinalement, j'ai survolé du regard le salon entièrement blanc.

– Vous connaissez un certain Zippo ?

Il a cillé à plusieurs reprises.

– Sophie le fréquente toujours ?

– Je n'en sais rien. Pour le moment, je me contente de rassembler des informations susceptibles de donner un sens à tout ça.

– Bien sûr. Ça fait partie de votre boulot, n'est-ce pas ?

– C'est mon boulot.

– Zippo s'appelle en réalité James Lighter. (Il a tendu la main vers moi, paume vers le haut.) D'où le surnom[1]. Je ne peux rien vous dire de plus sur lui, sinon que la

---

1. *Lighter* signifie « briquet ».

seule fois où je l'ai rencontré, il sentait l'herbe à plein nez et il avait une dégaine de voyou – bref, exactement le genre de garçon que j'espérais tenir à l'écart de Sophie : des tatouages partout, un pantalon trop large qui lui tombait des fesses et laissait voir son caleçon, des anneaux dans les sourcils, une espèce de minuscule barbiche sur le menton… (Son visage s'est crispé, évoquant un poing fermé.) Une vraie caricature.

– Vous pourriez m'indiquer des endroits où votre fille et Amanda – et peut-être même Zippo – aiment aller ? ai-je demandé. Des endroits dont je n'aurais pas entendu parler ?

Il a réfléchi si longtemps que nous avons eu tout loisir de terminer nos bouteilles d'eau.

Enfin, il a répondu :

– Non.

J'ai ouvert mon calepin à la page où j'avais pris des notes un peu plus tôt dans la journée.

– Une de leurs camarades de classe m'a raconté que Sophie et Amanda seraient entrées dans une pièce avec trois autres personnes. Deux y auraient trouvé la mort mais…

– Oh Seigneur !

– … quatre en seraient ressorties. Ça vous dit quelque chose ?

– Hein ? Non, c'est n'importe quoi. (Brian Corliss s'est levé, jouant d'une main avec les clés dans sa poche tandis qu'il oscillait légèrement.) Est-ce que ma fille est morte ?

J'ai soutenu son regard désespéré pendant quelques secondes.

– Je n'en sais rien.

Il a détourné les yeux un instant avant de les reposer sur moi.

– C'est bien le problème avec les gosses, pas vrai ? On ne sait jamais rien. Jamais, ni les uns ni les autres.

12

Quand elle était sortie fumer une cigarette, Angie en avait profité pour appeler les renseignements afin de demander le numéro d'Elaine Murrow à Exeter, dans le New Hampshire. Elle lui avait téléphoné dans la foulée, et Elaine avait accepté de nous rencontrer.

Nous avons effectué la première partie des trente minutes de trajet jusqu'à l'« État du granit » dans le plus profond silence. Angie regardait par la vitre les arbres dénudés le long de l'autoroute. Au-delà, une pellicule de givre semblable à du sucre glace recouvrait le sol par endroits, formant des plaques qui fondaient rapidement.

– Je n'avais qu'une envie, a-t-elle fini par dire. Sauter par-dessus cette foutue table et lui arracher les yeux.

– Tu m'étonnes qu'on ne t'ait jamais invitée au bal des débutantes...

– Je ne plaisante pas, Patrick. (Elle a tourné la tête vers moi.) Il était assis là, à se gargariser du mot « valeurs » alors qu'il a envoyé sa fille dormir sur un banc dans une gare routière quelconque... Et cette façon de m'appeler « Angela » à tout bout de champ, comme s'il me connaissait ! Je ne supporte pas que les gens

170

fassent ça. Et tu l'as entendu parler de l'« environnement des plus malsains » soi-disant créé par la mère ? Tout ça parce qu'elle aimait le muesli et *The L World* ?

— Ça y est, t'as fini ?

— Hein ?

— Je te demandais juste si t'avais terminé. Je te rappelle quand même qu'on était là-bas pour obtenir des informations sur une gamine disparue qui pourrait nous conduire jusqu'à une autre gamine disparue. Alors j'ai fait mon boulot.

— Oh, c'est vrai ? Je croyais que tu lui cirais ses pompes à grands coups de langue...

— T'aurais préféré quoi, bon Dieu ? Que je joue les donneurs de leçons et que je l'engueule ?

— Je ne l'ai pas engueulé.

— Tu n'as pas eu une attitude professionnelle. Il a bien senti que tu le jugeais.

— Tiens donc ! Ce n'est pas ce qu'on t'a reproché chez Duhamel & Standiford, justement ?

Merde. Touché.

— Je n'ai jamais été aussi critique que toi.

— Jamais ?

— Jamais. Je confirme.

— Donc, d'après toi, j'aurais dû écouter tranquillement ce père indigne nous assener ses grands discours moralisateurs ?

— Oui.

— Désolée, c'est au-dessus de mes forces.

— J'avais remarqué.

— Franchement, c'est ça, notre boulot ? T'es en train de me dire qu'il faut faire des courbettes à des individus qui te donnent envie de te récurer au tampon Jex ?

— Des fois, oui. (Je l'ai regardée.) D'accord. Très souvent.

Plus nous approchions de la frontière du New Hampshire, moins il y avait de circulation. J'ai accéléré jusqu'à ce que les arbres le long de l'autoroute se fondent en une masse brune indistincte.

— Tu veux vraiment finir l'année sur une dernière amende pour excès de vitesse ? m'a lancé Angie.

J'ai tendance à rouler vite lorsque ma fille n'est pas dans la voiture. Angie l'avait accepté depuis longtemps, au même titre que j'acceptais sa manie de fumer. C'est du moins ce que j'avais cru.

— Je peux savoir quelle mouche t'a piquée ce matin, bébé ?

S'est ensuivi un silence tellement pesant que j'ai envisagé de baisser les vitres pour pouvoir respirer, mais soudain Angie a appuyé sa nuque contre l'appuie-tête, posé les pieds sur la boîte à gants et laissé échapper un long « Arrrggghhh… » Juste après, elle a déclaré :

— C'est bon, je m'excuse. T'as raison, je n'ai pas eu une attitude professionnelle.

— T'es prête à me le mettre par écrit ?

— Sérieux.

— Oh, je suis on ne peut plus sérieux…

Elle a levé les yeux au ciel.

— D'accord, d'accord, ai-je dit. J'accepte tes excuses. Et j'apprécie le geste.

— N'empêche, j'ai tout fait foirer.

— Non, mais c'était limite. Quoi qu'il en soit, j'ai arrondi les angles. Donc, tout va bien.

— J'ai quand même merdé.

— Bah, tu manques de pratique. T'es un peu rouillée, forcément.

— Un peu ? (Elle a passé les mains dans ses cheveux.) Complètement grippée, oui !

— C'est pas si grave, puisque t'as toujours tes, hum, tes talents informatiques de ouf…

Un sourire a enfin éclairé ses traits.

– Tu crois ?

– J'en suis sûr. À propos, tu pourrais sortir ton Black-berry et google-iser James Lighter ?

– Qui ?

– Zippo. J'aimerais savoir si son nom est mentionné quelque part.

– OK. (Elle a pressé quelques touches sur le clavier du combiné.) Oh, il est mentionné… dans la rubrique nécrologique.

– Tu déconnes ?

– Pas du tout. Son cadavre a été formellement identifié à Allston il y a environ trois semaines.

Elle m'a lu les informations affichées sur son écran. Le corps de James Lighter, dix-huit ans, avait été découvert dans un terrain vague derrière un magasin de spiritueux à Allston le week-end après Thanksgiving. Il avait été abattu de deux balles dans la poitrine. La police n'avait ni suspects ni témoins.

La suite de l'article révélait une histoire personnelle pathétique pour le moins prévisible : il avait six ans lorsque sa mère célibataire avait oublié de venir le rechercher après l'avoir confié pour quelques heures à une amie. À ce jour, personne ne savait cc qu'était dcvenue Heather Lighter. Son fils, James, avait connu plusieurs familles d'accueil. Sa dernière mère adoptive, Carol « Weezy » Louise, affirmait avoir toujours su qu'il finirait mal depuis qu'il lui avait volé sa voiture quand il avait quatorze ans.

– Donc, le premier qui ose toucher à la bagnole de Weezy mérite deux balles dans la poitrine, ai-je conclu.

– Quel gâchis ! Une vie à peine entamée…

Angie s'est interrompue pour chercher ses mots.

– … et déjà zappée, ai-je conclu.

– Je ne vais pas vous raconter que Sophie était la perfection incarnée jusqu'à ce que son père débarque et gâche tout…

Elaine Murrow s'était installée sur le canapé métallique rouge sans coussins disposé au milieu de la grange rénovée qu'elle avait convertie en atelier pour ses sculptures. Nous avions pris place sur des tabourets en face d'elle – des créations également en métal rouge et dépourvues de coussins, sur lesquelles on était aussi bien assis que sur le goulot d'une bouteille. Il avait beau faire chaud dans la pièce, l'atmosphère n'était pas douillette pour autant, sans doute à cause des sculptures ; elles étaient toutes en métal ou en chrome, et je ne voyais pas trop ce qu'elles étaient censées représenter. Si j'avais dû me prononcer, j'aurais hasardé que la plupart figuraient d'immenses dés pelucheux. Sans peluche. Et il y avait aussi une table basse (du moins je crois que c'était une table basse) en forme de tronçonneuse. Bref, tout ça pour dire que je ne comprends pas plus l'art moderne qu'il ne me comprend, alors nous en restons là, préférant coexister dans une indifférence mutuelle.

– Sophie a eu une jeunesse de fille unique, a repris Elaine. Du coup, elle était un peu capricieuse et égocentrique. Sans compter que sa mère lui avait aussi transmis le sens du mélodrame. En attendant, avant que Cheryl le quitte, Brian se fichait complètement de la petite, vous pouvez me croire. Et même après, ce qu'il voulait surtout, c'était récupérer sa femme pour ne pas avoir à se demander ce que ce rejet révélait sur lui.

– À quel moment au juste s'est-il mis en tête de réclamer la garde ? ai-je demandé.

Ma question l'a fait rire.

– Quand il a découvert pour *qui* Cheryl l'avait quitté. Il ne s'est douté de rien pendant bien six mois ; il la croyait installée chez une amie, pas *avec* une amie. Je veux dire, regardez-moi : j'ai l'air d'avoir été hétéro un jour ?

Elle avait des cheveux d'un blanc style Tipp-Ex, hérissés à grand renfort de gel, et elle portait une chemise à carreaux sans manches sur un jean bleu foncé, le tout assorti de Doc Martens marron. Dans le cas d'Elaine Murrow, inutile d'appliquer la loi du « Ne pas demander, ne pas dire[1] » ; les questions étaient superflues.

— Pas à mes yeux, en tout cas, ai-je répondu.

— Merci. Mais cet abruti de Brian n'a rien vu, au début.

— Et après, comment a-t-il réagi ? est intervenue Angie.

— Il était fou de rage. Il s'est pointé ici en hurlant : « Tu ne peux pas être lesbienne, Cheryl, je ne le tolérerai pas ! »

— Bien sûr. Comme si ça dépendait de lui…

— C'est ça. Quand il a fini par comprendre que non seulement Cheryl ne reviendrait pas, mais qu'elle était profondément amoureuse de moi et que ce n'était pas une simple passade due à une crise d'identité, eh bien… (Elaine a gonflé les joues puis relâché brusquement son souffle.) Toute la rage qu'il avait accumulée, tout ce mal-être et cette haine de soi qui devaient le ronger depuis, je ne sais pas, peut-être sa naissance, ont débouché sur… sur une sorte de croisade morale pour sauver sa fille, qu'il ne connaissait même pas, des griffes de deux dépravées. À partir de là, chaque fois qu'il venait chercher Sophie, il mettait un T-shirt avec

---

1. « Don't ask, don't tell », loi de 1993 exigeant des militaires homosexuels américains qu'ils taisent leur orientation sexuelle sous peine de renvoi.

un slogan charmant, du style « Dieu a créé Adam et Ève, pas Adam et Steve », ou « Théorie de la régression » au-dessus du dessin d'un homme couché sur une femme, suivi par un homme couché sur un homme, suivi par un homme couché sur... Vous avez une petite idée ?

– Une bestiole ? ai-je suggéré.

Elle a hoché la tête.

– Un mouton. (Elle s'est essuyé le coin de l'œil.) Il se baladait comme ça devant sa fille, et ensuite il nous infligeait des sermons sur le péché !

Un gros chien – mélange de colley et de Dieu sait quoi – a pénétré dans la grange en passant par une ouverture spécialement aménagée. Il a louvoyé entre les sculptures pour venir poser sa tête sur les genoux d'Elaine, qui lui a gratté le cou puis l'oreille.

– Pour finir, Brian s'est déchaîné, a-t-elle poursuivi. C'était un combat de tous les jours. Le matin, dès qu'on ouvrait les yeux, l'angoisse nous submergeait. Est-ce qu'on allait le voir l'une ou l'autre débouler sur notre lieu de travail pour nous accuser de maltraitance, tout en brandissant une pancarte où il aurait inscrit des versets bibliques ? Est-ce qu'il allait déposer plainte à la suite de prétendues conversations qu'il aurait eues avec Sophie sur notre propension à boire, à fumer de l'herbe ou à avoir des rapports devant elle ? Laissez-moi vous dire une chose : si un parent n'éprouve pas de véritable amour pour son enfant, la bataille pour sa garde peut facilement se transformer en... jeu de massacre. Brian était prêt à tout pour la reprendre, quitte à inventer des mensonges ridicules qu'il lui faisait répéter. Sophie n'avait que sept ans quand cette histoire a commencé. Sept ans... Les frais de justice nous ont littéralement mises sur la paille – tout ça parce qu'il voulait à toute force nous traîner au tribunal. Je...

Elle s'est interrompue en se rendant compte qu'elle grattait un peu trop fort l'oreille du chien. Sa main tremblait lorsqu'elle l'a ramenée vers ses genoux.

– Prenez votre temps, est intervenue Angie. Rien ne presse.

Elaine l'a remerciée d'un signe de tête avant de fermer les yeux pendant quelques secondes.

– Quand Cheryl a commencé à se plaindre de reflux gastriques, on a pensé que c'était normal compte tenu du stress dans lequel on vivait en permanence. Et le jour où le médecin lui a diagnostiqué un cancer de l'estomac… Bon sang, je me revois encore dans ce cabinet, en train de penser à ce connard de Brian et de me dire : « Alors c'est vrai que les méchants gagnent à la fin. C'est vrai… »

– Pas toujours, ai-je objecté, sans toutefois en être convaincu.

– Le soir où Cheryl est morte, Sophie et moi étions auprès d'elle. Je me rappelle, on est sorties de l'hôpital vers trois heures du matin, il faisait un froid de canard, et devinez qui nous attendait sur le parking ?

– Brian ?

– Oui. Je n'oublierai jamais son expression ; avec ses lèvres pincées et son front plissé, il avait l'air abattu, mais ses yeux…

– Ils brillaient, c'est ça ?

– Comme s'il venait de remporter le jackpot ! Deux jours seulement après l'enterrement, il est arrivé ici avec deux policiers, et il a emmené Sophie.

– Vous êtes restée en contact avec elle ?

– Pas au début. J'avais perdu coup sur coup ma compagne et l'enfant que je considérais pratiquement comme ma fille. Brian avait interdit à Sophie de me téléphoner, vous comprenez ? Je suis allée deux fois à Boston pour essayer de la voir à la récréation, à la suite de quoi il a demandé à mon encontre une interdiction d'approcher. Que vouliez-vous que je fasse ? Je n'avais aucun droit sur elle.

– J'ai changé d'avis, a soudain déclaré Angie en reportant son attention sur moi. Finalement, je regrette de ne pas l'avoir engueulé, ce salaud ! Et de ne pas lui avoir expédié mon poing dans la figure.

Lorsque Elaine a esquissé un sourire vacillant, son visage s'est craquelé telle une fine porcelaine.

– Vous pouvez toujours y retourner...

Angie lui a tapoté la main pour la réconforter, et Elaine lui a pressé les doigts en inclinant la tête à plusieurs reprises tandis que des larmes tombaient sur son jean.

– Sophie devait avoir quatorze ans quand elle a repris contact avec moi, a-t-elle poursuivi. À ce stade, elle était tellement perdue, tellement submergée par la colère et le chagrin que je ne l'ai pas reconnue. Elle vivait avec un homme qui n'avait de père que le nom, une belle-mère cantonnée au rôle de potiche et un demi-frère pourri gâté qui la détestait. Alors, parce que c'est dans la logique de la nature humaine, je suis devenue une de ses cibles favorites : pourquoi l'avais-je laissée partir ? Pourquoi n'avais-je pas essayé d'en faire plus pour sauver sa mère ? Pourquoi n'avions-nous pas déménagé dans un État où Cheryl et moi aurions pu nous marier, ce qui m'aurait permis de l'adopter ? Et surtout, pourquoi avait-il fallu qu'on soit gouines ? (Elle a pris une inspiration tremblante et relâché un souffle tout aussi tremblant.) C'était violent, croyez-moi. Toutes les vieilles blessures se sont rouvertes. Au bout d'un moment, j'ai fini par ne plus répondre ; je n'avais plus la force d'endurer sa fureur ou d'essayer de justifier des crimes que je n'avais pas commis.

– C'est compréhensible, ai-je observé. Vous n'avez aucun reproche à vous faire.

– Facile à dire, a-t-elle rétorqué.

– Depuis combien de temps n'avez-vous plus de nouvelles ? a repris Angie.

Elaine lui a pressé la main une dernière fois avant de la relâcher.

– Elle m'a passé deux ou trois coups de fil l'année dernière. Mais elle n'était pas dans son état normal.

– Comment ça ?

Elle a planté son regard dans le mien.

– Elle planait. J'ai moi-même décroché depuis dix ans ; rien qu'à la voix, je suis capable de dire si quelqu'un est défoncé.

– Vous savez ce qu'elle avait pris ?

Elle a haussé les épaules.

– Je pencherais pour une drogue dure. Elle avait un débit haché, saccadé, comme les accros à la coke. Je ne peux pas affirmer pour autant que c'était de la coke, mais il s'agissait probablement d'un excitant.

– Elle vous avait parlé d'un certain Zippo ?

– Oui, c'était son petit copain. Un sacré numéro, apparemment. Elle était très fière des relations qu'il entretenait avec les Russes.

– Des membres de la mafia ? a demandé Angie.

– C'est ce que j'en ai conclu.

– Super, ai-je marmonné. Et Amanda McCready ? Ce nom vous est familier ?

Elaine a émis un petit sifflement.

– Amanda la déesse ? L'idole suprême ? Tout ce que Sophie aurait voulu être ? Je ne l'ai jamais rencontrée mais j'ai cru comprendre qu'elle était… exceptionnelle pour une fille de seize ans.

– C'est aussi l'impression qu'on a, ai-je confirmé. D'après vous, Sophie était du genre à chercher un modèle ?

– Comme la plupart des gens, non ? a répliqué Elaine. Ils passent leur vie à attendre que quelqu'un leur dicte leur conduite. Ils ont besoin d'un leader – un homme politique, conjoint ou guide spirituel.

– Et Sophie a rencontré le sien, c'est ça ? a lancé Angie.

– Oui. (Elaine s'est levée.) Pour moi, c'est évident. Elle ne m'a pas appelée depuis… le mois de juillet, il me semble. Voilà, c'est tout ce que je peux vous dire. J'espère que ça vous aide.

Nous lui avons assuré que c'était le cas.

– Merci d'être venus.

– Merci d'avoir accepté de nous recevoir.

Nous lui avons serré la main, puis nous les avons suivis, le chien et elle, hors de la grange et le long de l'allée de terre battue jusqu'à notre voiture. Le crépuscule assombrissait peu à peu les cimes dénudées, et dans l'air flottait l'odeur des pins mêlée à celle des feuilles mouillées en décomposition.

– Quand vous retrouverez Sophie, qu'est-ce que vous ferez ? m'a encore demandé Elaine.

– J'ai été engagé pour retrouver Amanda, ai-je précisé.

– Donc, vous ne vous sentez pas tenu de ramener Sophie chez elle.

J'ai secoué la tête.

– Elle aura bientôt dix-sept ans, je ne pourrais pas l'y obliger même si je le voulais.

– Et vous ne le voulez pas.

Ma femme et moi avons répondu en chœur :

– Non.

– Quand vous la verrez – *si* vous la voyez –, vous pourriez me rendre un service ?

– Avec plaisir.

– Dites-lui qu'elle est la bienvenue ici. À n'importe quelle heure du jour ou de la nuit. Shootée ou pas, furieuse ou pas, peu importe ; aujourd'hui, je ne crains plus d'être blessée. Tout ce qui compte pour moi, c'est qu'elle soit en sécurité.

Sur ces mots, Angie et elle sont tombées dans les bras l'une de l'autre avec cette spontanéité toute féminine qui échappera toujours même aux hommes les plus portés aux accolades viriles. S'il m'arrive parfois de taquiner ma femme à ce sujet, de parler de grandes effusions à la Oprah Winfrey ou autres émissions mettant l'accent sur le mélo, je reconnais toutefois qu'il n'y avait pas trace d'un sentimentalisme facile dans cette étreinte ; elle témoignait juste d'un désir de partage, je suppose, ou de reconnaissance mutuelle.

– Sophie a de la chance de vous avoir, a affirmé Angie.

Elle caressait la nuque d'Elaine qui sanglotait silencieusement sur son épaule, tout en la serrant contre elle pour la réconforter, comme elle le faisait si souvent avec notre fille.

– Beaucoup de chance.

13

Nous avons rejoint Andre Stiles devant le Secrétariat des Affaires familiales dans Farnsworth Street, et nous avons tous les trois longé Seaport Boulevard d'un bon pas jusqu'à un bar de Sleeper Street.

J'ai attendu que nous ayons choisi une table puis commandé nos boissons pour déclarer :

– Merci encore d'avoir accepté ce rendez-vous aussi vite, monsieur Stiles.

– Je vous en prie, laissez tomber le « monsieur ». Appelez-moi Dre, comme Dr Dre.

– D'accord. Va pour Dre.

Il devait avoir dans les trente-sept ou trente-huit ans ; ses cheveux bruns coupés court commençaient tout juste à grisonner au niveau des tempes et quelques fils blancs parsemaient la bordure de son bouc. Je le trouvais plutôt bien habillé pour un travailleur social – pull ras du cou noir, jean bleu foncé beaucoup plus chic que ce qu'on peut trouver chez Gap, pardessus en cachemire également noir doublé de rouge.

– Sophie, donc.

– Sophie, oui.

– Vous avez rencontré son père ? s'est-il enquis.

– Oui, a répondu Angie.

– Et alors ? Votre opinion ?

Quand la serveuse nous a apporté les boissons, Stiles a d'abord retiré la rondelle de citron dans sa vodka-tonic avant de remuer le mélange et de poser la touillette à côté du citron. Chacun de ses gestes était exécuté avec une maîtrise empreinte de délicatesse qui m'a rappelé celle d'un pianiste.

– Eh bien, c'est… un cas, ai-je répondu.

– Si vous entendez par là que c'est un abruti de première, je suis d'accord.

Angie a éclaté de rire puis trempé les lèvres dans son vin.

– Inutile de prendre des gants avec nous, Dre, ai-je ironisé.

– Je vous en prie, ne nous épargnez pas, a renchéri Angie.

Il a goûté son cocktail et sucé un peu de glace pilée.

– Vous savez, je vois défiler des tas de gosses, et le plus souvent le problème ne vient pas d'eux mais d'un des deux connards qu'ils ont tiré à la loterie parentale. Voire des deux… Désolé de ne pas vous tenir un discours plus politiquement correct, je ne fais que ça toute la journée au boulot.

– Laissez tomber le politiquement correct, l'ai-je encouragé. Tout ce que vous pourrez nous apprendre sera bienvenu.

– Depuis combien de temps êtes-vous détectives privés, tous les deux ?

– J'ai pris un congé sabbatique de cinq ans, a précisé Angie.

– Il s'est terminé quand ?

– Ce matin, a-t-elle avoué.

– Ça vous manquait ?

– Jusque-là, je le croyais. Mais maintenant, je n'en suis plus si sûre.

– Et vous ? m'a-t-il demandé. Vous faites ce métier depuis combien de temps ?

– Trop longtemps. (En même temps que je l'énonçais, j'ai été frappé par la vérité contenue dans cette réponse.) J'ai commencé à vingt-trois ans.

– Vous avez déjà pensé à une reconversion ?

– J'y pense de plus en plus souvent. Et vous ?

Il a secoué la tête.

– Moi, j'en suis à ma seconde carrière.

– C'était quoi, la première ?

Stiles a vidé sa vodka et accroché le regard de la serveuse. Je n'en étais qu'à la moitié de mon scotch et Angie n'avait bu qu'un tiers de son vin, aussi a-t-il indiqué son verre en levant un seul doigt.

– J'étais médecin, figurez-vous.

Ce qui expliquait la délicatesse de ses gestes.

– On s'imagine qu'il s'agit avant tout de sauver des vies mais on ne tarde pas à découvrir qu'il faut faire du chiffre, comme dans n'importe quelle autre entreprise, déterminer combien de services on peut proposer au tarif optimum tout en minimisant les coûts du matériel et de la main-d'œuvre... Vis-à-vis des patients, un seul mot d'ordre : vous les soignez, vous passez au suivant et vous tâchez de leur en vendre plus dès que l'occasion se présente.

– Le politiquement correct, ce n'était déjà pas trop votre truc à l'époque, hein ? a lancé Angie.

Il a étouffé un petit rire au moment où la serveuse lui apportait son cocktail.

– J'ai été viré de quatre hôpitaux de la région pour insubordination ; c'est une espèce de record, je suppose. Brusquement, il n'y avait plus de place pour moi nulle part. C'est vrai, j'aurais pu aller m'installer ailleurs, à

New Bedford par exemple, ou dans un autre coin, mais j'aime cette ville. Et un matin, en me réveillant, je me suis rendu compte que je ne supportais plus ma vie, que je détestais ce que j'en faisais. J'avais perdu la foi, en somme… (Il a haussé les épaules.) Deux jours plus tard, j'ai vu une petite annonce pour un poste aux Affaires familiales, et j'ai répondu. Voilà.

– Votre ancien métier vous manque ?

– La plupart du temps, non. Au fond, c'était comme n'importe quelle relation bancale : il y avait des côtés positifs, évidemment, sinon je ne me serais jamais lancé là-dedans, mais ça me détruisait à petit feu. Aujourd'hui, j'ai des horaires réguliers, j'exerce un métier dont je suis fier et la nuit je dors comme un bébé.

– Vous pouvez nous parler de votre travail avec Sophie Corliss ?

– Non, c'est confidentiel. Elle est venue me demander de l'aide, alors j'ai essayé de lui en apporter. C'est une gamine plutôt paumée.

– Vous savez pourquoi elle a abandonné le lycée ?

En guise de réponse, il a esquissé une grimace contrite.

– C'est confidentiel aussi, j'en ai bien peur.

– J'ai du mal à la cerner, ai-je avoué.

– Sans doute parce qu'elle ne renvoie pas une image très nette. Sophie fait partie de ces jeunes qui entrent dans l'adolescence sans talent particulier, sans ambition et sans aucune conscience de leur identité. Elle est suffisamment intelligente pour savoir qu'elle a des failles, mais pas assez pour les cerner. De toute façon, même si elle en était capable, qu'est-ce que ça changerait ? On ne peut pas décider de se passionner pour quelque chose, on ne peut pas s'inventer une vocation. Pour moi, Sophie flotte dans l'existence, elle se laisse porter par le courant en attendant que quelqu'un lui indique la direction à suivre.

— Elle a mentionné une de ses amies prénommée Amanda ? a demandé Angie.

— Ah, Amanda…

— Vous l'avez rencontrée ?

— Quand on en rencontre une, on rencontre l'autre, forcément.

— C'est ce que j'ai cru comprendre, ai-je dit.

— Vous connaissez Amanda ?

— Je l'ai connue il y a longtemps, quand elle était…

— Oh ! (Il a reculé légèrement sa chaise.) C'est vous qui l'avez retrouvée dans les années quatre-vingt-dix, c'est ça ? Bien sûr ! Je comprends mieux maintenant pourquoi votre nom me disait quelque chose…

— Tout s'explique, n'est-ce pas ?

— Et aujourd'hui, vous êtes de nouveau à sa recherche ? C'est un peu ironique, non ? (Il a remué la tête comme pour mieux s'en convaincre.) Eh bien, j'ignore comment elle était à l'époque, mais aujourd'hui Amanda est une gamine posée. Presque trop, même ; je ne crois pas avoir jamais rencontré quelqu'un, même plus âgé, d'aussi pondéré. Je veux dire, c'est déjà rare de se sentir bien dans sa peau quand on a soixante ans, alors à seize… Mais Amanda sait parfaitement où elle en est et qui elle est.

— Vous pouvez préciser ?

— Pardon ?

— D'après vous, elle sait parfaitement qui elle est. D'où ma question : qui est-elle ?

— La personne qu'elle a besoin d'être en fonction des circonstances. Amanda possède une capacité d'adaptation hors du commun.

— Et Sophie ?

– Sophie est plus... malléable. Elle se ralliera à n'importe quelle philosophie de groupe si ça peut lui permettre de se fondre dans la masse. Amanda, elle, adapte sa personnalité à ce que le groupe croit vouloir. Et elle retrouve ses marques dès qu'elle sort de la pièce.

– Vous l'admirez.

– Le mot est un peu fort, mais j'avoue qu'elle m'impressionne. Rien ne l'affecte, rien ne peut la faire revenir sur ses décisions. Et elle n'a que seize ans.

– C'est impressionnant, en effet, ai-je convenu. Pourtant, j'aurais aimé qu'au moins une des personnes avec qui je me suis entretenu mentionne quelque chose de plus chaleureux à son sujet – un détail loufoque, peut-être, ou attachant...

– Ce n'est pas le style d'Amanda.

– Non, apparemment pas.

– Vous avez entendu parler d'un certain Zippo ?

– Oui, c'est le petit copain de Sophie, a-t-il répondu. De son vrai nom David Lighter, je crois. Ou Daniel. Je ne pourrais pas vous en dire plus.

– Quand avez-vous vu Sophie pour la dernière fois ?

– Ça doit faire deux semaines, peut-être trois.

– Et Amanda ?

– Pareil.

– Et Zippo ?

Il a vidé son verre.

– Oh, bon sang !

– Quoi ?

– Ça fait trois semaines aussi. Ils ont tous...

Son regard a cherché le nôtre.

– ... disparu, a conclu Angie.

Gabby escaladait la cage à écureuil au milieu de l'aire de jeux Ryan. Il neigeait depuis le coucher du soleil. Même s'il y avait une bonne trentaine de centimètres de sable sous l'installation, je gardais une main à proximité.

– Alors, détective..., a commencé Angie.

– Oui, détective junior ?

– Comment ça, « junior » ?

– Tu resteras junior pendant une semaine, d'accord ? Après, peut-être que je t'accorderai une promotion.

– À quelle condition ?

– Un travail solide doublé d'une certaine créativité après l'extinction des feux.

– C'est du harcèlement, espèce d'obsédé !

– Tu ne t'en es pas plainte la semaine dernière, quand ce même harcèlement t'en a fait oublier ton nom...

– Maman ? Comment t'as pu oublier ton nom ? Tu t'es cogné la tête ?

– Ah, bravo ! m'a tancé Angie. Non, ma puce, maman ne s'est pas cogné la tête. Mais tu vas tomber si tu ne fais pas attention. Regarde, le barreau est gelé.

Ma fille a levé les yeux au ciel.

– Écoute le chef, lui ai-je conseillé.

– Bon, qu'est-ce qu'on doit retenir de tout ce qu'on a entendu aujourd'hui ? m'a demandé Angie quand Gabby est retournée à ses occupations.

– Eh bien, d'abord, on a de bonnes raisons de supposer que Sophie a pris la place d'Amanda quand la police a débarqué chez Helene. Ensuite, on a appris qu'Amanda était posée et sûre d'elle, contrairement à Sophie. On nous a raconté aussi que cinq personnes étaient entrées dans une pièce, que deux étaient mortes mais que quatre en étaient ressorties – et va donner un sens à ce charabia... On sait qu'il existait en ce monde un jeune surnommé Zippo, aujourd'hui décédé. Et on peut se demander si Amanda n'a pas été enlevée, vu que de l'avis général elle avait trop à perdre pour fuguer.

(J'ai plongé mon regard dans le sien.) Je ne vois rien d'autre. T'as froid ?

Elle claquait des dents.

— Si ça ne tenait qu'à moi, on n'aurait jamais mis le nez dehors, a-t-elle répliqué. Tu peux m'expliquer comment on a pu engendrer une petite Esquimaude ?

— C'est l'influence des gènes irlandais.

— Papa ? Tu m'attrapes ?

Deux secondes plus tard, Gabby s'élançait de son perchoir pour se jeter dans mes bras. Elle portait des protège-oreilles ainsi qu'une doudoune rose à capuche sur environ quatre couches de vêtements, dont des collants épais, de sorte que j'ai eu l'impression de serrer contre moi un petit pois dans sa cosse.

— T'as les joues glacées, ai-je observé.

— C'est même pas vrai.

— Ah, si tu le dis. (Je l'ai juchée sur mes épaules avant de l'attraper par les chevilles.) Maman a froid.

— Maman, elle a toujours froid.

— Parce que maman est italienne ! s'est exclamée Angie au moment où nous sortions de l'aire de jeux.

— *Ciao*, a gazouillé Gabby. *Ciao, ciao, ciao…*

— PR ne peut pas la garder demain — elle a rendez-vous chez le dentiste —, mais elle la prendra les deux jours d'après.

— D'accord.

— Alors, qu'est-ce que tu comptes faire demain ? m'a demandé ma femme. Attention, ça glisse.

J'ai enjambé la plaque de verglas qui nous séparait du trottoir.

— Il vaut mieux que tu ne le saches pas.

14

La nouvelle résidence d'Helene McCready représentait un sacré progrès par rapport à l'appartement minable de Dorchester où, jusqu'à une date récente, elle jugeait bon d'élever sa fille. Helene vivait désormais avec Kenny Hendricks au 133 Sherwood Forest Drive, dans le lotissement de Nottingham Hill, un ensemble pavillonnaire ceint de murs et de grilles situé à environ trois kilomètres de la Route 1, à Foxboro. Tout ce que je savais de Foxboro, c'est que les Patriots y jouaient huit fois par an et que ce n'était pas trop loin du centre commercial de Wrentham. Point final.

Il s'est avéré que Foxboro accueillait une bonne demi-douzaine de lotissements semblables, dûment sécurisés, au nom bucolique. C'est ainsi que sur le trajet jusqu'à Nottingham Hill, je suis passé devant Bedford Falls, Juniper Springs, Wuthering Heights, Fragrant Meadows… Tous, comme je le disais, étaient protégés par des grilles. J'avais cependant du mal à m'expliquer leur présence, puisque Foxboro pouvait se targuer d'un taux de criminalité extrêmement bas. À part une place de parking un jour de match, je ne voyais pas trop ce qu'il y avait à voler dans le coin, sauf peut-être en cas de pénurie de barbecues ou de tondeuses à gazon.

La grille à l'entrée de Nottingham Hill ne m'a pas paru servir à grand-chose dans la mesure où il n'y avait pas de gardien. Un panneau sur la guérite vide disait juste : « DANS LA JOURNÉE, COMPOSEZ *958 POUR JOINDRE LA SÉCURITÉ. » Une dizaine de mètres plus loin, l'artère principale, Robin Hood Boulevard, se scindait en deux. Quatre pancartes disposées le long de la voie de gauche indiquaient Loxley Lane, Tuck Terrace, Scarlett Street et Sherwood Forest Drive. La route était droite, et ce que j'apercevais au bout ressemblait en tout point à ce que j'avais imaginé : un alignement de constructions similaires visiblement destinées aux classes moyennes.

De l'autre côté en revanche, si les flèches promettaient de me conduire vers Archer Avenue, Little John Avenue, Yorkshire Road et la salle polyvalente Maid Marian, je n'ai vu au bord de la chaussée qu'une succession de tas de sable et une tractopelle jaune solitaire abandonnée au sommet de l'un d'eux. De toute évidence, le développement de Nottingham Hill avait été interrompu net.

J'ai suivi la voie de gauche jusqu'au 133 Sherwood Forest Drive, que j'ai découvert à l'extrémité d'un cul-de-sac. Dans cette partie du lotissement, les jardins se réduisaient à des étendues de ce même sable brun qui formait des tas à l'endroit où la salle polyvalente Maid Marian était censée se dresser. J'ai également remarqué que les numéros 131 et 129 étaient vides, et que les permis de construire étaient toujours affichés sur les fenêtres mouchetées de sciure. Les pelouses devant les maisons étaient cependant bien vertes, même devant les logements vacants, comme si le promoteur croyait encore à la nécessité d'entretenir le site. J'ai fait demi-tour suffisamment lentement pour avoir le temps de noter que les rideaux étaient tirés chez Helene et Kenny – du moins aux fenêtres orientées au nord, au sud et à l'ouest. Celles orientées à l'est donnaient sur les monticules de sable derrière, aussi ne pouvais-je pas les voir. Mais j'étais prêt à parier qu'elles étaient occultées aussi. En longeant la rue dans l'autre sens, j'ai repéré deux pancartes À VENDRE, dont l'une assortie d'un panneau plus petit qui disait : « URGENT. FAIRE UNE OFFRE. »

J'ai bifurqué vers Tuck Terrace avant de me garer au fond d'un autre cul-de-sac, devant une maison de plain-pied encore en construction. Ses voisines étaient achevées mais inoccupées, les pelouses et les arbustes manifestement plantés depuis peu apportaient une touche vert vif en décembre, et les allées devant les garages attendaient toujours les paveurs. J'ai traversé le chantier au 133 Tuck Terrace puis foulé une acre de sable brun où des piquets en bois et du fil bleu délimitaient l'emplacement des futurs jardins. Quelques minutes plus tard, j'atteignais l'arrière de la maison d'Helene et Kenny – une villa prétentieuse d'inspiration italianisante à l'architecture tellement prévisible que j'imaginais déjà les plans de travail en granit dans la cuisine et le jacuzzi dans la salle de bains principale.

Jusque-là, ma technique de repérage laissait plutôt à désirer. J'étais passé devant chez eux si lentement au volant de ma jeep qu'un basset hound amputé d'une patte et souffrant d'une dysplasie de la hanche aurait pu me faire des léchouilles en même temps. Je m'étais garé à proximité – à une centaine de mètres, certes, mais quand même. Je m'étais approché en terrain découvert. Je n'avais pas attendu la nuit pour venir. Bref, je n'aurais pas pu être moins discret, sauf peut-être si je m'étais posté à l'entrée déguisé en homme-sandwich, avec les mots « Une petite clé pour entrer ? À votre bon cœur, m'sieurs dames » peints sur ma pancarte.

Par conséquent, il aurait été plus raisonnable de continuer tout droit en espérant que quiconque me verrait de l'intérieur me prendrait pour un géomètre ou un menuisier, puis de rentrer directement chez moi. Au lieu de quoi, j'ai estimé que le sort m'était favorable ; il était deux heures de l'après-midi et je n'avais pas vu âme qui vive depuis mon arrivée dans le lotissement. Ce n'est pas très malin de s'en remettre à la chance, d'accord, mais au fond n'est-ce pas ce qu'on fait chaque fois qu'on traverse une rue animée ?

En l'occurrence, la chance continuait à me sourire. Les baies vitrées coulissantes à l'arrière n'auraient pas arrêté Gabby. Elles ne m'ont pas arrêté non plus, même si j'étais un peu rouillé dans le domaine de l'effraction ; j'ai réussi à forcer la serrure en me servant d'une carte de crédit et de l'ouvre-bouteille sur mon porte-clés. Une fois dans la cuisine, j'ai attendu près de la porte au cas où une alarme se déclencherait. Comme rien de tel ne se produisait, j'ai gravi l'escalier moquetté jusqu'au premier. Je ne suis entré dans les pièces que le temps de m'assurer qu'il n'y avait personne, et je suis redescendu.

J'ai dénombré neuf ordinateurs dans le salon. Le plus proche de moi s'ornait d'un autocollant rose sur lequel figuraient les lettres BCBS, HPIL. Celui d'après comportait un autocollant jaune sur lequel était écrit : BOA, CIT. J'ai pressé une touche au hasard sur le clavier du premier, amenant l'écran à s'éclairer. Durant quelques secondes, l'économiseur d'écran a affiché une vue du Pacifique, puis sur un fond vert citron sont apparus quatre des personnages d'*Arnold et Willy*. Une bulle dans laquelle clignotait un curseur s'est matérialisée près de la tête de Willy. Arnold a dit : « Kesse-tu me chantes, Willy ? » Kimberly, qui allumait une cigarette, a répliqué en levant les yeux au ciel : « Mot de passe, tête de nœud. » Puis le chronomètre placé dans la bulle au-dessus de la tête de M. Drummond s'est déclenché, égrenant le compte à rebours à partir de dix tandis que Kimberly faisait un strip-tease, qu'Arnold enfilait l'uniforme d'un agent de sécurité et que Willy sautait sur un canapé et s'endormait comme une masse. Enfin, le chronomètre au-dessus de la tête de M. Drummond a explosé et l'écran est redevenu noir.

J'ai appelé Angie.

– Tous les personnages d'*Arnold et Willy*, c'est ça ?

– Maintenant que tu le dis, il manquait Mme Garett, ai-je observé.

– Elle avait déjà dû commencer à tourner dans *Drôle de vie*. Bon, reprends tout depuis le début. T'as trouvé quoi ?

– Des ordinateurs protégés par des mots de passe. Neuf au total.

– Neuf mots de passe ?

– Non, neuf ordis.

– C'est beaucoup pour un salon où il n'y a pas de meubles. T'as déjà fouillé la chambre d'Amanda ?

– Non.

– Cherche sa bécane. En général, les jeunes sont moins regardants sur les protections.

– OK.

– Si tu peux entrer dans le système, essaie de me dégotter une adresse IP. Au cas où je n'arriverais pas à le pirater, je connais quelqu'un qui en sera capable.

– Ah bon ? Décidément, je me demande avec qui tu fricotes en ligne…

Après avoir coupé la communication, je suis remonté voir les chambres. Celle d'Helene et Kenny était telle que je m'y attendais : pour tout mobilier une commode sans doute achetée chez un discounter, couverte de vêtements fripés, matelas à même le sol, pas de table de nuit, plusieurs canettes de bière vides d'un côté du lit, à peu près autant de verres contenant une sorte de résidu poisseux de l'autre côté. Cendriers éparpillés partout, moquette déjà tachée.

J'ai traversé la salle de bains principale, esquissé un sourire en découvrant le jacuzzi et pénétré dans la chambre suivante – une pièce impeccable, parfaitement en ordre. L'ensemble commode, table de chevet et lit en imitation noyer était bas de gamme mais correct. Les tiroirs étaient vides, le lit fait. La penderie contenait juste une vingtaine de cintres disposés à intervalles réguliers.

La chambre d'Amanda. Elle n'avait rien laissé à part les cintres, la literie, et, sur le mur, un maillot des Red Sox encadré, signé par Josh Beckett, ainsi qu'un calendrier spécial chiots – sans doute le premier signe de sensibilité que je décelais chez elle. Tout le reste dégageait la même impression de rigueur et d'organisation qui semblait la caractériser.

La chambre d'en face racontait une tout autre histoire. On l'aurait crue dévastée par une tornade. Le lit se dissimulait sous un édredon, une couverture, un jean, un pull, un sweat-shirt, un blouson en jean et un pantacourt entassés pêle-mêle. Sur la commode, dont les tiroirs étaient ouverts, trônait un grand miroir ; Sophie avait glissé des photos entre la glace et le cadre, à droite et à gauche. Plusieurs étaient celles d'un adolescent – Zippo, ai-je supposé. Il portait presque toujours une casquette des Sox, visière sur le côté, et arborait un minuscule bouc ainsi qu'un fin collier de barbe qui soulignait sa mâchoire telle une mentonnière. J'ai distingué des tatouages sur son cou et des anneaux en argent dans ses sourcils. Sur la plupart des clichés, il tenait Sophie par les épaules. Sur tous, il brandissait une bouteille de bière ou une tasse en plastique rouge. Quant à Sophie, elle souriait invariablement, mais son sourire avait quelque chose de forcé, comme si elle essayait de se conformer à l'image que les autres attendaient d'elle – dans son esprit du moins. Peut-être ses yeux étaient-ils sensibles à la lumière ; elle paraissait toujours sur le point de les fermer. Ses dents minuscules pointaient timidement entre ses lèvres. On avait du mal à l'imaginer vraiment heureuse. Au-dessus et en dessous des photos, elle avait inséré des cartes postales annonçant des soirées dans différentes boîtes de nuit ; les dates étaient passées depuis longtemps – la plupart remontaient au printemps et à l'été précédents –, et tous les établissements étaient interdits aux moins de vingt et un ans.

Sophie s'efforçait de faire plus que son âge, c'était évident. Impossible pourtant de ne pas remarquer les rondeurs juvéniles sur son visage, au niveau du menton et des pommettes. Les physionomistes qui la laissaient entrer devaient pertinemment savoir qu'elle n'avait pas vingt et un ans. Si, sur la majorité des clichés, elle se trouvait en compagnie de Zippo, deux la montraient avec des filles que je n'ai pas reconnues et dont Amanda ne faisait pas partie ; il manquait toutefois la partie gauche des deux tirages, déchirée à l'endroit où l'épaule de Sophie devait toucher celle de quelqu'un d'autre.

En explorant le reste de la pièce, j'ai fini par découvrir des flacons de comprimés que je n'ai pas identifiés, et dont les étiquettes avaient un petit parfum de médecine holistique. Je les ai pris en photo avec mon Droid avant de poursuivre mes investigations. Sophie possédait un grand nombre de bracelets à message, ai-je noté – suffisamment en tout cas pour indiquer une passion pour les bracelets ou un intérêt pour une bonne cause. Je les ai examinés de plus près. Beaucoup étaient entassés sur l'étagère du haut dans la penderie, mais quelques-uns, disséminés dans la chambre, ajoutaient à la pagaille ambiante.

Après avoir débarrassé le lit du fatras qui l'encombrait, je suis tombé sur un ordinateur portable en mode veille. Je l'ai ouvert, pour me retrouver face à un économiseur d'écran qui représentait Sophie et Zippo en train de faire tous les deux le signe de reconnaissance universel des « gangsta », se classant ainsi d'emblée dans la catégorie des Blancs qui n'appartiennent pas à un gang. J'ai cliqué sur la pomme en haut à gauche, puis franchi les quelques étapes jusqu'aux préférences système sans voir apparaître une seule fois une demande de mot de passe. Le temps de dénicher les informations que m'avait réclamées Angie, et je les ai copiées sur mon smartphone pour les lui envoyer.

Revenu sur le bureau, j'ai cliqué sur la messagerie.

Sophie n'effaçait pas grand-chose. Sa boîte de réception contenait deux mille huit cent soixante et onze messages, dont certains remontaient à plus d'un an. Même chose pour sa boîte d'envoi, qui en contenait mille six cent soixante-treize. J'ai appelé Angie pour la mettre au courant.

– Avec l'adresse IP, tu peux pirater son ordi ?

– Un vrai jeu d'enfant, mon cher, m'a-t-elle répondu. Dis, depuis combien de temps t'es dans cette baraque ?

– Je ne sais pas, peut-être vingt minutes.

– Ça commence à faire long quand on est chez des gens qui n'ont pas d'horaires fixes.

– Compris, m'man.

Elle a raccroché.

J'ai tout remis en place avant de redescendre. Dans la salle à manger, je me suis intéressé au carton rempli de courrier qui était posé sur la table de bridge au milieu de la pièce. Je n'ai rien remarqué de spécial au début

– il s'agissait surtout de factures de gaz et d'électricité, ainsi que de relevés bancaires –, jusqu'au moment où mon regard a été attiré par les noms et adresses des destinataires. Aucun n'habitait là. Il y avait des lettres pour Daryl Bousquet, à Westwood, Georgette Bing, à Franklin, Mica Griekspoor, à Sharon, Virgil Cridlin à Dedham. J'ai passé en revue le reste et dénombré neuf autres destinataires, tous domiciliés dans des villes voisines : Walpole, Norwood, Mansfield, Plainville... Songeur, j'ai tourné la tête vers la rangée d'ordinateurs dans le salon. Une maison presque vide, quelques meubles achetés au rabais, aucun signe laissant supposer que les habitants avaient l'intention de s'installer ici pour les dix ans à venir, neuf ordinateurs, du courrier volé... Si j'avais disposé d'encore une heure, j'aurais certainement fini par mettre la main sur des actes de naissance pour des bébés morts depuis des décennies ; j'étais prêt à parier jusqu'à mon dernier centime là-dessus.

J'ai de nouveau contemplé le courrier. Mais pourquoi autant d'incohérence ? Pourquoi protéger les ordinateurs par des mots de passe et ne pas brancher l'alarme de la villa ? Pourquoi choisir l'endroit idéal pour se livrer à ce genre de trafic – une maison au fond d'une impasse en plein cœur d'un lotissement inachevé – et laisser des piles de lettres volées dans un carton bien en vue ?

Je suis allé jeter un œil dans la cuisine sans rien trouver d'autre que des étagères vides et un frigo où il n'y avait que des restes de plats livrés à domicile, des bières et un pack de douze Coca. Au moment où je refermais un placard, je me suis rappelé la remarque de la camarade de classe d'Amanda au sujet du four à micro-ondes.

Je l'ai ouvert pour l'examiner. C'était un modèle standard, banal. Parois blanches, lumière jaune, plateau circulaire. J'allais refermer la porte quand j'ai soudain perçu une odeur âcre. Intrigué, je me suis de nouveau concentré sur l'intérieur de l'appareil. Il était blanc, certes, mais entièrement recouvert d'une fine pellicule claire – y compris l'ampoule, ai-je constaté en inclinant la tête. Ayant déniché un couteau à beurre, j'ai gratté tout doucement la surface d'une des parois, d'où est tombée une poudre aussi légère que du talc.

J'ai refermé le four, rangé le couteau, et je suis retourné dans le salon. Au même moment, j'ai entendu tourner la poignée de la porte.

Cela faisait onze ans que je ne l'avais pas revue en chair et en os, ce qui me convenait parfaitement. Mais aujourd'hui elle était là, et elle venait de faire quatre pas dans la pièce quand son regard a accroché le mien. Elle avait grossi, surtout au niveau des hanches. Son visage et son cou s'étaient empâtés, sa peau paraissait marbrée. Ses yeux couleur bleuet, qui avaient toujours été son principal atout, restaient saisissants. Ils se sont écarquillés sous ses cheveux roux dégradés dont on distinguait les racines striées de gris, tandis que ses lèvres se plissaient en une moue de surprise avant d'articuler un « P » hésitant.

Il m'aurait été difficile de prétendre que j'étais venu réparer le vide-ordures. Je me suis fendu d'un sourire qui devait paraître penaud, puis j'ai écarté les bras et haussé les épaules.

– Patrick ?
– Alors, Helene, quoi de neuf ?

15

Kenny est entré à sa suite. Il a hésité à peu près une demi-seconde avant de porter une main dans son dos. J'ai aussitôt fait de même.

— Hé ! a-t-il dit.

— Salut.

Une jeune fille s'est matérialisée derrière lui. Elle a ouvert la bouche en grand, mais sans émettre le moindre son, et s'est brusquement tordu les mains au niveau de sa hanche comme si elle venait de s'électrocuter en marchant sur le troisième rail. Je l'ai bien regardée quand elle a viré vers la gauche pour s'écarter de notre ligne de tir. Sophie Corliss. Elle avait perdu les kilos que son père lui reprochait. Et beaucoup d'autres en prime. Maigre à faire peur, en nage, elle a cessé de se trémousser juste le temps d'enfouir les doigts dans sa chevelure et de la tirer en tous sens.

De mon bras libre, j'ai esquissé un geste qui se voulait apaisant.

— On n'est pas obligés d'en arriver là.

— Où ça ? a lancé Kenny.

— De sortir nos flingues, je veux dire.

— Ah ouais ? Et qu'est-ce que tu proposes, alors ?

200

– Eh bien, je pourrais ôter ma main du mien.

– Et moi, pour la peine, je pourrais te descendre.

– C'est un fait, ai-je admis.

– Et si c'est moi qui ôte ma main... (Il a froncé les sourcils.) Même résultat, victime différente.

– Pourquoi on ôterait pas nos mains en même temps ? ai-je suggéré.

– T'en profiterais pour tricher.

Au moment où je hochais la tête, il a dégainé son arme et l'a braquée sur moi.

– Ça, c'est retors.

– Montre-moi ta main, m'a-t-il ordonné.

J'ai ramené mon bras devant moi puis levé mon téléphone portable.

– Joli joujou, a commenté Kenny, mais je crois que le mien a plus de balles.

– C'est indéniable, mais est-ce qu'il t'a servi à passer un coup de fil ?

Il a fait deux pas vers moi. Mon écran affichait : « MAISON. Connexion : 39 sec. »

– Oh.

– Hé oui.

– Merde, a murmuré Helene.

– Tu lâches ton flingue, Kenny, ou ma femme appelle les flics pour leur donner l'adresse de cette baraque.

– On...

– Attention, le compteur tourne, ai-je enchaîné. Bon, il me paraît assez évident que tu trempes dans l'usurpation d'identité et diverses autres escroqueries. Sans compter que tu dois fabriquer du speed dans le coin et que tu réchauffes au micro-ondes les filtres à café usagés pour récupérer un petit extra. Alors si tu tiens vraiment à ce que la police se mette en route dans, disons trente secondes, continue à me menacer, Kenny.

La voix d'Angie s'est élevée du combiné :

– Salut, Kenny. Salut, Helene.

– Angie ? a demandé cette dernière.

– Elle-même, a répondu l'intéressée. Comment va ?

– Bah, la routine.

Kenny a froncé les sourcils. Il avait l'air éreinté, tout d'un coup. Il a poussé le cran de sûreté avant de me tendre son arme.

– T'es vraiment frustrant, comme mec.

J'ai glissé le pistolet, un S&W Sigma 9 mm, dans la poche de ma veste.

– Merci.

À l'intention d'Angie, j'ai ajouté dans le combiné :

– Je te rappelle plus tard, bébé.

– Pense à rapporter de l'eau minérale, d'accord ? Oh, et aussi du lait pour demain matin.

– Pas de problème, ai-je répondu. Rien d'autre ?

En face de moi, Kenny a levé les yeux vers le plafond.

– Si, mais je ne me souviens plus de quoi.

– T'auras qu'à me rappeler quand ça te reviendra.

– Entendu. Je t'aime.

– Moi aussi je t'aime.

J'ai coupé la communication.

– Sophie ?

La jeune fille a tourné la tête vers moi, manifestement étonnée que je connaisse son prénom.

– T'en as une sur toi ?

– Hein ?

– Une arme, Sophie. Tu portes une arme ?

– Non. Je déteste les armes.

– Moi aussi.

– Sauf que vous en avez une dans votre poche.

– Ironique, n'est-ce pas ? Bon, t'es dans quel état, là ?

– Ça va.

– T'as une sale tête.

– Vous êtes qui, bon sang ?

– Il s'appelle Patrick Kenzie. (Helene a allumé une cigarette.) Tu sais, c'est lui qui a retrouvé Amanda, à l'époque…

Sophie a croisé nerveusement les bras sur sa poitrine tandis que des gouttes de sueur perlaient sur son front.

– Helene ? ai-je lancé.

– Quoi ?

– Je me sentirais beaucoup mieux si vous alliez poser votre sac sur le canapé.

Elle s'est exécutée, puis elle est retournée auprès de Kenny.

– Maintenant, on va aller s'installer dans la salle à manger, ai-je déclaré.

Nous nous sommes assis à la table de bridge et Kenny a allumé une cigarette pendant que j'examinais Sophie de plus près. Elle passait sans cesse sa langue sur sa lèvre supérieure et ses yeux allaient de droite à gauche et de gauche à droite comme s'ils étaient montés sur des roulements à billes. Il ne devait guère faire plus de cinq degrés dehors mais elle transpirait toujours.

– Je croyais que t'allais nous lâcher la grappe, a marmonné Kenny.

– Ben tu te gourais.

– Elle te filera pas un centime.

– Qui ?

– Bea.

– Amanda non plus, a renchéri Helene. Elle pourra pas toucher à son fric avant au moins un an.

– Dans ce cas, c'est réglé, ai-je répliqué. Je rends mon tablier. Mais puisque vous avez abordé le sujet, où est Amanda ?

– Partie voir son père en Californie, a répondu Helene.

– Parce qu'elle a un père en Californie ?

– Ben, elle est pas sortie d'une boîte de céréales !
Évidemment qu'elle a un père et une mère.

– Il s'appelle comment ?

– Comme si vous aviez oublié…

– Cette affaire remonte à douze ans, Helene. Oui, j'ai
oublié.

– Bruce Combs.

– Surnommé B. Diddy[1] par tous ses copains ?

– Quoi ?

– Non, rien. Où habite-t-il, ce cher Bruce ?

– À Salinas.

– Amanda a pris l'avion pour y aller ?

– Oui.

– Et elle est arrivée à quel aéroport ?

– Celui de Salinas.

– Il n'y a pas d'aéroport civil à Salinas. Elle a dû
atterrir à Santa Cruz ou à Monterey.

– C'est ça.

– Alors ? Lequel ?

– Celui de Santa Cruz.

– Il n'y a pas d'aéroport civil non plus à Santa Cruz.
Il serait peut-être temps d'arrêter de me raconter des
conneries, Helene.

Kenny a soufflé un gros nuage de fumée puis consulté
ostensiblement sa montre.

– T'es attendu quelque part ? ai-je demandé.

Il a fait non de la tête.

Derrière lui, Sophie s'agitait nerveusement, le regard
fixé sur un point au-dessus de ma tête. J'ai fini par me
retourner, pour me retrouver face à l'horloge murale.
Helene y a jeté un coup d'œil elle aussi.

---

1. Allusion au chanteur Puff Daddy, de son vrai nom Sean J.
Combs et surnommé aussi P. Diddy.

– T'es attendu nulle part, donc, ai-je repris à l'adresse de Kenny.

– Non.

– T'es censé être ici.

– Tu piges vite.

– On doit te rendre visite.

Hochement de tête à peine perceptible, suivi presque aussitôt par un petit coup frappé à la baie vitrée derrière nous.

J'ai pivoté sur ma chaise au moment où Kenny disait :

– Y sont ponctuels, ces cons, faut bien le reconnaître.

Les deux inconnus de l'autre côté de la vitre n'étaient pas particulièrement grands, mais dans le genre râblé on ne faisait guère mieux. Ils étaient vêtus de longs manteaux de cuir noir ; celui de gauche avait ceinturé le sien à la taille, l'autre l'avait laissé ouvert. Dessous, ils portaient un col roulé – blanc pour l'un, bleu clair pour l'autre. Celui de gauche arborait une barbe brune, son comparse une barbe blonde. Tous deux avaient une chevelure épaisse, des sourcils broussailleux et une moustache impressionnante, où il aurait été facile d'égarer un porte-monnaie. Celui de gauche a de nouveau frappé à la vitre avant de nous adresser un petit signe de la main en se fendant d'un large sourire plein de dents. Il a ensuite tenté d'ouvrir la baie. N'y parvenant pas, il a incliné la tête de côté et reporté son attention sur nous tandis que son sourire se figeait.

Helene s'est alors levée d'un bond pour aller déverrouiller la serrure. Le brun a fait coulisser la vitre, il s'est engouffré à l'intérieur, et, lui prenant le visage entre ses mains, il a lancé : « Comment ça va aujourd'hui, miss Helene ? » Sur ce, il lui a planté un baiser sonore au milieu du front. Il lui a ensuite repoussé la tête avec force, et elle a reculé en chancelant. Après avoir claqué dans ses mains énormes, il s'est dirigé vers la salle à manger en nous décochant un autre sourire chaleureux. Son compagnon a refermé la baie derrière lui puis nous a rejoints tranquillement en allumant une cigarette. Tous deux avaient les cheveux longs séparés par une raie au milieu, style Stallone version 1981, et avant même que le brun n'ait pris la parole j'avais deviné qu'ils étaient originaires d'Europe de l'Est ; je n'avais pas l'oreille assez développée pour déterminer s'ils étaient tchèques, russes, géorgiens, ukrainiens ou, pourquoi pas, slovènes, mais ils avaient un accent aussi révélateur que leur allure.

— Comment toi tu vas, mon ami ? m'a demandé le brun.

— Pas trop mal.

— Pas trop mal ! (Apparemment, la réponse l'a comblé.) Alors tant mieux.

— Et toi ?

Ma question a déclenché chez lui un joyeux tressautement de sourcils.

— Oh, super ! Moi, je suis au top.

Il s'est assis sur la chaise libérée par Helene, puis m'a tapé sur l'épaule.

— Toi tu fais affaire avec cet homme ?

Du pouce, il a indiqué Kenny.

— Ça m'arrive, ai-je répondu.

— Pourquoi toi tu gardes pas tes distances ? Lui, c'est une source d'emmerdes. Un type pas bien du tout.

— C'est faux ! a protesté Kenny.

Sans me quitter du regard, le brun a hoché la tête avec vigueur.

— Moi je t'assure, mon ami. Regarde ce que lui il a fait à cette pauvre fille… (Il a indiqué Sophie, réfugiée près du frigo, tremblante et suant par tous les pores.) Une petite jeunette comme ça, et lui il la rend complètement accro à la drogue ! C'est qu'un minable.

– Je te crois volontiers.

Ses yeux se sont légèrement écarquillés.

– Toi tu peux, mon ami, tu peux. Lui il est complètement barré. Il écoute rien, il respecte pas les accords…

– T'as qu'à expliquer à Kirill qu'on cherche, a répliqué Kenny. On cherche, bon Dieu ! On fait que ça.

L'air tout réjoui, le brun m'a tapoté le torse du dos de sa main.

– « T'as qu'à expliquer à Kirill… » T'as déjà entendu un truc aussi con, toi ? « T'as qu'à expliquer à Kirill »… Comme si on expliquait quelque chose à Kirill ! Non, Kirill, on lui demande des trucs, on le supplie, on se traîne à genoux devant lui… (Il s'est détourné de moi pour darder un regard noir sur Kenny.) Lui expliquer quoi, pauvre merde ? Que toi tu cherches ? Toi t'es en train de chercher, là ? T'es dehors en train de battre les buissons pour retrouver son bien ? (Il a retiré une cigarette du paquet que Kenny avait laissé sur la table, puis il l'a allumée avec le briquet posé à côté – briquet qu'il a ensuite expédié sur ses genoux.) Ce matin, Kirill il m'a dit comme ça : « Règle le problème, Yefim. Plus question d'attendre. Plus question d'avaler ces conneries de junkie. »

– On est tout près du but ! s'est défendu Kenny. On sait presque où elle est.

Yefim a renversé la table. J'avais à peine vu son bras bouger, mais soudain la table n'était plus devant nous, et surtout, elle n'était plus entre Kenny et lui.

– Écoute-moi bien, mec, toi t'as foutrement pas intérêt à foirer sur ce coup-là. Oh, toi tu nous rapportes du fric, ouais, ouais, ouais. Tu livres toujours, ouais, ouais, ouais. Sauf que cette putain de livraison-là, toi tu l'as pas faite à Kirill. Surtout, tu l'as pas faite à la femme de Kirill, et elle attendait que ça. Alors elle est… (Il a claqué des doigts à plusieurs reprises puis m'a jeté un coup d'œil par-dessus son épaule.) C'est quoi le mot, mon ami, quand quelqu'un trouve pas le bonheur dans cette vie et que personne peut rien y changer ?

– Je pencherais pour « inconsolable ».

Le sourire qui s'est épanoui sur son visage ressemblait à celui des stars de cinéma posant sur le tapis rouge ; il était tout aussi éblouissant, tout aussi irrésistible.

– Inconsolable ! (Il a levé vers moi un pouce triomphant.) C'est exactement ça, mon bon ami, merci. (Il s'est tourné vers Kenny avant de se raviser et de se concentrer de nouveau sur moi.) Non, sérieux, merci, a-t-il ajouté d'un ton aimable.

– De rien.

– T'as du cœur, toi. (Il m'a tapoté le genou.) Tu vois, Kenny, Violeta est inconsolable. Inconsolable, mec. Et Kirill, il l'aime tellement que maintenant lui aussi il est inconsolable. Toi t'es censé arranger ça, mais tu le fais pas.

– J'essaie.

Yefim s'est penché en avant pour répliquer d'une voix douce, presque caressante :

– Tu le fais pas.

– Je t'assure, t'as qu'à demander.

– À qui ?

– Tout le monde. Je passe mon temps à chercher.

– Non, toi tu le fais pas, a encore répété Yefim dans un souffle.

– Donnez-moi deux jours. Rien que deux jours.

Le Russe a secoué son énorme tête de bison.

– Deux jours. T'as entendu, Pavel ?

– Moi j'ai entendu, a répondu le blond, debout derrière Kenny.

Celui-ci a tressailli quand Yefim a rapproché sa chaise.

– C'est toi qui as appris à Amanda ce qu'elle sait. Alors, comment elle a pu te rouler comme ça ?

– Je lui ai appris beaucoup de trucs, a admis Kenny. Mais pas tout ce qu'elle sait.

– Elle est plus futée que toi, alors.

– Oh, c'est sûr, elle est brillante, est intervenue Helene du seuil. Elle a que des bonnes notes au lycée. L'année dernière, elle a même eu…

– Ta gueule, a ordonné Kenny.

– Hé, pourquoi toi tu lui parles mal ? a lancé Yefim. C'est ta femme, non ? Il faut lui témoigner plus de respect. (Il s'est adressé à Helene.) Vas-y, raconte-moi, qu'est-ce qu'elle a eu l'année dernière ? Un prix ?

– Ouais, a répondu Helene d'une voix traînante. Elle a eu des galons dorés en trigonométrie, en anglais et en informatique.

Yefim a assené une grande claque sur le genou de Kenny.

– Amanda elle a eu des galons. Et toi, t'as eu quoi ?

Il s'est levé sans attendre la réponse. Après avoir lâché sa cigarette sur le tapis, il l'a écrasée sous la pointe de sa botte, puis il a redressé la table. Pavel et lui se sont ensuite regardés pendant une bonne minute sans ciller, se bornant à respirer calmement.

– T'as deux jours, Kenny, a déclaré enfin Yefim. Après, mec, t'existeras plus que dans les rêves de ta mère. Toi tu saisis ?

– Sûr. J'ai saisi. Sûr.

Yefim a hoché la tête avant de se tourner vers moi. Quand il m'a tendu la main, je l'ai serrée. Ses yeux, qui sondaient les miens, étaient d'un bleu saphir étincelant, aussi vif que la flamme d'une bougie au milieu d'une flaque de cire fondue.

– Comment toi tu t'appelles, mon ami ?

– Patrick.

– Patrick. (Il a porté une main à sa poitrine.) Moi, c'est Yefim Molkevski. Et lui, c'est Pavel Reshnev. Toi tu sais qui est Kirill ?

J'aurais préféré l'ignorer.

– Tu veux parler de Kirill Borzakov, j'imagine.

– C'est ça. Excellent, mon ami. Et qui est Kirill Borzakov ?

– Un homme d'affaires tchétchène.

Il m'a gratifié d'un regard approbateur.

– Un homme d'affaires, oui. Très bien. Sauf que lui il vient pas de Tchétchénie. Dans ce pays, si t'es un homme d'affaires slave, tout le monde te prend pour un Tchétchène ou un… (il a craché sur le tapis)… un Géorgien. Mais Kirill, il est comme Pavel et moi, il vient de Mordovie. Bon, on embarque la fille.

– Quoi ?

Déjà, Pavel traversait le salon pour aller chercher Sophie plaquée contre le mur. Elle n'a pas crié mais s'est mise à sangloter en giflant frénétiquement l'air près de ses oreilles comme si elle voulait chasser des guêpes. Durant tout ce temps, le blond avait gardé sa main libre dans la poche de son manteau.

Yefim a claqué des doigts avant de me tendre sa paume.

– Allez, donne.

– Pardon ?

L'éclat de ses yeux s'est brusquement terni.

– Patrick, mon ami. Toi t'as bien joué le coup jusque-là. Change pas maintenant. (Il a remué les doigts.) Allez, file-moi le flingue qui est dans ta poche gauche.

– Lâchez-moi, a gémi Sophie.

Il n'y avait cependant aucune vie dans sa voix, juste de la résignation et des larmes.

La main toujours dissimulée dans sa poche, Pavel a pivoté vers moi, attendant manifestement des instructions. Que Yefim éternue, et son comparse me grillerait la cervelle avant même que quelqu'un ait eu le temps de dire « À tes souhaits ».

Sans me quitter des yeux, Yefim a de nouveau remué les doigts.

Saisissant la crosse entre le pouce et l'index, j'ai retiré le pistolet de ma poche pour le lui tendre. Après l'avoir glissé dans la sienne, il m'a salué d'une petite révérence.

— Merci, mon ami. (Il s'est adressé à Kenny.) Elle, elle vient avec nous. Peut-être qu'on lui en fera faire un autre, pourquoi pas ? Ou peut-être qu'on essaiera sur elle le nouveau flingue de Pavel. Histoire de vider un chargeur ou deux…

Le cri strident monté de la gorge de Sophie a rendu un son étranglé. Imperturbable, Pavel s'est contenté de serrer plus fort l'adolescente contre lui.

— Dans tous les cas, a repris Yefim à l'intention de Kenny et Helene, la gamine est à nous maintenant. Elle sera plus jamais à vous. Toi, Kenny, tu trouves l'autre fille. Tu récupères le bien de Kirill. T'as jusqu'à vendredi. Tâche de pas te planter, pauvre naze.

Il a ensuite claqué des doigts, et aussitôt Pavel a entraîné Sophie vers les baies vitrées.

— Porte-toi bien, mon ami, m'a encore dit Yefim en me donnant un bon coup de poing dans l'épaule.

Au moment de quitter la salle à manger, il a attrapé le visage d'Helene entre ses mains pour lui coller un autre baiser brutal sur le front avant de la repousser sans ménagement. Cette fois, elle est tombée sur les fesses.

Sans se retourner, il a levé un doigt.

— Fais-moi passer pour un con, Kenny, et moi je te garantis que le plus con de nous deux ce sera pas moi.

Un instant plus tard, les deux barbus avaient disparu. Il s'est encore écoulé quelques secondes avant que nous entendions vrombir un moteur, et je suis arrivé près de la fenêtre de la cuisine juste à temps pour voir un Dodge Ram s'éloigner en cahotant sur les monticules de sable derrière la maison.

– Vous avez un autre flingue ? ai-je demandé.

– Hein ?

J'ai regardé Kenny.

– Un autre flingue.

– Ben non, pourquoi ?

Il mentait, bien sûr, mais je n'avais pas le temps de discuter.

– T'en tiens une sacrée couche, Kenny.

Il a haussé les épaules, allumé une cigarette et crié « Hé ! » quand je me suis emparé des clés de voiture posées sur le comptoir de granit avant de m'élancer vers la porte.

Un Hummer jaune stationnait dans l'allée circulaire – le symbole même de ce que Detroit avait pu produire de plus foireux, un véritable char d'assaut totalement inutile qui affichait une telle consommation que même le sultan de Brunei aurait sans doute eu des scrupules à le conduire. Et dire que nous avions reçu un choc quand General Motors avait réclamé un plan de sauvetage…

J'ai gardé le Dodge Ram dans mon champ de vision encore une trentaine de secondes tout en m'installant au volant du Hummer. Il traversait un champ, émergeant d'un sillon pour replonger aussitôt dans un autre ; même de loin, je distinguais la chevelure blonde de Pavel qui conduisait. Parvenus à l'extrémité du champ, les Russes se sont dirigés vers l'est en direction de l'entrée du lotissement et je les ai perdus de vue, mais j'étais presque sûr qu'ils emprunteraient la Route 1. De fait, quand j'ai déboulé de Sherwood Forest Drive pour m'engager dans Robin Hood Boulevard, j'ai aperçu des traces de pneus qui allaient vers la droite. J'ai accéléré en évitant toutefois d'écraser la pédale, car je ne voulais pas prendre le risque de me retrouver devant eux.

J'ai bien failli les doubler quand même. La petite route de campagne sur laquelle je fonçais s'élevait brusquement, et, parvenu au sommet de la côte, je les ai découverts en bas, arrêtés à un feu rouge devant une épicerie/bureau de poste. J'ai levé le pied en même temps que je baissais la tête comme si je consultais un plan sur mes genoux, conscient néanmoins qu'il est aussi facile de passer inaperçu dans un Hummer jaune que de débarquer à poil dans une église. Lorsque j'ai relevé les yeux, le feu était vert. Les Russes ont redémarré rapidement, sans pour autant faire crisser les pneus.

Environ un kilomètre et demi plus loin, ils ont rejoint la Route 1 en direction du nord. J'ai attendu une trentaine de secondes avant de m'y engager à mon tour. La circulation n'était pas dense mais il y avait tout de même pas mal de voitures, aussi n'ai-je pas eu de mal à en mettre plusieurs entre le Dodge Ram et moi. Par prudence, je me suis également placé à deux files d'écart ; on ne prend jamais trop de précautions quand on essaie de ne pas se faire repérer dans un Hummer jaune.

Il n'y a qu'un candidat au suicide pour défier des tueurs russes. Or j'aimais la vie. Beaucoup, même. Je me bornerais donc à les suivre de loin pour voir où ils emmenaient Sophie. Dès que j'aurais l'adresse, j'appellerais le 911 pour régler le problème.

C'est ce que j'ai expliqué à ma femme.

– Lâche-les, m'a-t-elle ordonné. Tout de suite.

– Je ne leur colle pas au train, Ange. J'ai laissé cinq bagnoles entre nous et je me suis déporté sur leur gauche. Tu sais bien que les filatures, ça me connaît.

– Je sais, oui. Mais rien ne dit qu'ils ne sont pas meilleurs que toi. Et je te rappelle que tu roules dans un putain de Hummer jaune ! Alors relève leur numéro, appelle le service des cartes grises et tire-toi.

– Parce que tu crois qu'ils conduisent un véhicule dûment enregistré au service des cartes grises ? Hé, atterris !

– Toi, atterris ! Ces gars-là sont plus que dangereux. Même Bubba estime les Russes trop barges pour traiter avec eux.

– C'est ce que je pense aussi. Alors je vais juste les observer pour pouvoir ensuite prévenir les flics. Ils ont enlevé une gamine, Ange…

À cet instant, j'ai entendu ma fille lancer « Coucou, papa ! » en arrière-fond.

– Tu veux lui parler ? a demandé Angie.

– C'est bas.

– Je n'ai jamais dit que je me battais à la loyale…

Le stade Gillette se profilait sur ma droite. Les jours où il n'y avait pas de match, l'immense édifice paraissait abandonné, désolé. Sur le parking du centre commercial voisin stationnaient quelques voitures. Devant moi, Pavel a mis son clignotant avant de se déporter vers la file la plus à droite.

– Je rentre bientôt. Je t'aime, ai-je ajouté avant de raccrocher.

J'ai changé de file une première fois, puis une seconde. Il n'y avait plus qu'un PT Cruiser rouge entre mon Hummer et leur Dodge, aussi ai-je pris soin de rester à une centaine de mètres derrière eux.

Au croisement suivant, ils ont tourné à droite dans North Street, puis encore à droite pour entrer dans un parking rempli de semi-remorques qui s'étaient mis à quai devant un long bâtiment blanc – sans doute un entrepôt. J'ai vu le Dodge suivre une piste de terre battue qui longeait une rangée de camions avant de bifurquer vers la gauche pour contourner l'entrepôt.

Je me suis avancé dans le parking. Sur ma droite, un mur de remblai se dressait devant l'autopont sous lequel passaient des trains de marchandises et de voyageurs à destination de la ville au nord, ou de Providence au sud. Sur ma gauche s'alignaient les semi-remorques garés sur leurs aires de déchargement respectives. J'ai aperçu quelques malabars qui écartaient les épaisses bandes de plastique protégeant les accès à l'entrepôt pour aller charger des caisses à l'intérieur d'un camion immatriculé dans le Connecticut.

Parvenu à l'extrémité du bâtiment, j'ai laissé les voies ferrées sur ma droite pour prendre à gauche. Le Dodge Ram était arrêté au milieu de la piste, une quinzaine de mètres plus loin, feux de stationnement allumés, moteur au ralenti, portière grande ouverte côté passager.

Yefim a bondi du véhicule en vissant un silencieux à l'extrémité d'un semi-automatique. Le temps que mon cerveau enregistre toutes ces informations, le Russe avait fait cinq pas vers moi, le bras tendu. La première balle a étoilé mon pare-brise, les quatre suivantes se sont logées dans les pneus avant du Hummer. Ils commençaient tout juste à se dégonfler quand la sixième a percé un autre trou étoilé dans le pare-brise. De fines veinules sont apparues autour, qui se sont élargies jusqu'au moment où le pare-brise tout entier s'est mis à crépiter comme du pop-corn dans le micro-ondes avant de se désagréger. Il m'a semblé que deux projectiles ricochaient encore sur le capot, mais je n'aurais pu me prononcer avec certitude sur le nombre ou l'endroit exact des impacts vu que j'étais recroquevillé sur mon siège pour me protéger des éclats de verre.

– Hé, mec ! a crié Yefim. Hé, mec !

J'ai ôté quelques bouts de verre tombés sur mes cheveux et mes joues.

Yefim s'est penché vers moi, les coudes sur le capot, le pistolet muni du silencieux toujours logé dans sa main droite.

– Permis de conduire et papiers du véhicule...

– Très drôle, ai-je marmonné sans quitter l'arme des yeux.

– Non, non, pas question de rire. C'est une demande très sérieuse. Permis de conduire et papiers du véhicule. (Il a tapoté le silencieux contre l'encadrement du pare-brise.) Pas plus tard que maintenant.

Je me suis assis pour chercher les papiers du Hummer, que j'ai fini par découvrir dans la pochette du pare-soleil. Je les ai donnés à Yefim, ainsi que mon permis de conduire. Il a pris son temps pour examiner les documents, puis il m'a rendu les premiers.

– C'est la bagnole de Kenny le naze. Kenny le naze il conduit un gros tas de merde jaune pédé. J'étais sûr que c'était pas à toi. Toi t'as trop de classe, mon ami.

J'ai épousseté mon pardessus.

– Merci.

Il s'est éventé avec mon permis avant de le glisser dans sa poche.

– Moi je le garde. Je le garde, Patrick Kenzie de Taft Street, pour que toi t'oublies pas. Comme ça, tu sais que je sais qui tu es et où t'habites avec ta petite famille. Toi t'as une petite famille, oui ?

J'ai hoché la tête.

– Alors va vite retrouver les tiens, m'a-t-il dit. Et embrasse-les bien.

Après avoir cogné une dernière fois son arme contre la carrosserie, il est retourné vers le pick-up. Il est remonté à l'intérieur, et à peine avait-il claqué la portière que Pavel démarrait.

16

J'ai au moins découvert une qualité au Hummer : ce tas de ferraille est capable de rouler avec les pneus avant à plat. Alors que quelques manutentionnaires et chauffeurs de camion plus courageux que les autres pointaient le bout de leur nez hors des quais de déchargement, j'ai reculé d'une vingtaine de mètres, agrippé le volant à deux mains, positionné le levier sur Drive et pris la direction des voies ferrées. J'ai entendu ces fichus pneus faire *flac-flac-flac* tandis que les hommes m'apostrophaient, mais personne n'a tenté de me suivre ; il est vrai que la vue d'un SUV arborant huit impacts de balles tout frais ne donne pas vraiment envie de faire la connaissance de son propriétaire.

Ou de son conducteur, en l'occurrence. Kenny en était le propriétaire, et autant dire qu'il serait dans une sacrée panade quand la police se renseignerait auprès du service des cartes grises. Mais ça, ce n'était pas mon problème. J'ai parcouru environ deux cents mètres le long des rails jusqu'à un dépôt qui jouxtait le parking du stade Gillette. Les seules voitures en stationnement de ce côté-là se trouvaient près des bureaux administratifs du One Patriot Place. Les zones réservées au public étaient désertes, sauf aux alentours du centre commercial voisin. C'est là que j'avais l'intention d'aller. Tout en conduisant, je faisais le ménage. Je me suis servi d'un mouchoir pour essuyer le siège, le volant et le tableau de bord. Oh, je n'ai sans doute pas réussi à effacer toutes mes empreintes, mais ce n'était pas nécessaire : personne ne se fatiguerait à inspecter l'intérieur du Hummer façon *Les Experts* lorsqu'il serait établi qu'il appartenait à un ex-taulard habitant à trois kilomètres du stade.

Après m'être garé à l'extrémité du parking desservant le centre commercial, je me suis dirigé vers l'escalator qui menait au cinéma. Il s'agissait d'un complexe dernier cri, aussi aurais-je pu m'installer à une table au balcon et payer vingt dollars pour regarder un film qui de toute façon allait sortir en DVD à un ou deux dollars d'ici à trois mois, sauf que je n'avais vraiment pas la tête à ça. Je me suis précipité dans les toilettes, où j'ai pris d'assaut la cabine pour handicapés avec un lavabo à l'intérieur. Une fois la porte fermée, j'ai ôté ma veste puis ma chemise pour les débarrasser des éclats de verre, que j'ai repoussés dans un coin à l'aide de quelques serviettes en papier. J'ai ensuite remis ma chemise en m'efforçant d'ignorer les tremblements dans mes mains, ce qui tenait de la mission impossible : mes doigts tressautaient tellement que je n'arrivais pas à insérer les boutons dans les boutonnières. Enfin, les paumes plaquées sur le lavabo, je me suis penché en m'obligeant à inspirer profondément. Chaque fois que je fermais les yeux, je revoyais Yefim s'avancer tranquillement vers moi, tendre tranquillement le bras et tirer tranquillement dans mon pare-brise ; je ne doutais pas qu'il m'aurait tout aussi tranquillement éliminé si les circonstances l'avaient exigé. J'ai ouvert les yeux, regardé mon reflet dans la glace, passé de l'eau fraîche sur mon visage et contemplé de nouveau mon visage jusqu'à ce qu'il me paraisse un peu plus serein. Après avoir mouillé ma nuque, j'ai réessayé de boutonner ma chemise. Mes mains tremblaient encore, mais moins fort, et cette fois j'y suis parvenu. Cinq minutes plus tard, je sortais des toilettes, l'air légèrement moins défait qu'au moment où j'y étais entré.

Je suis redescendu par l'escalator. Un taxi vert foncé stationnait devant les portes du cinéma ; je m'y suis engouffré avant de donner au chauffeur l'adresse d'une maison située à deux numéros de celle devant laquelle j'avais laissé ma jeep. Un agent de sécurité s'était garé derrière le Hummer et avait allumé le gyrophare sur le toit de son véhicule. En sortant du parking, nous avons croisé une voiture de patrouille. Kenny n'avait plus beaucoup de temps devant lui.

Lorsque le chauffeur m'a déposé à Tuck Terrace, j'ai réglé la course en ajoutant un pourboire correct mais pas suffisamment généreux pour éveiller sa curiosité et lui permettre de m'identifier au milieu d'un groupe de suspects. Je me suis dirigé vers la maison au moment où il redémarrait, puis j'ai fait semblant d'introduire une clé dans la serrure tandis qu'il s'éloignait. Quand il a disparu, j'ai marché vers ma jeep, retraversé le chantier ainsi que l'étendue de sable, et enfin je me suis retrouvé une nouvelle fois devant les baies vitrées du pavillon d'Helene et Kenny. Elles n'étaient pas verrouillées, aussi ai-je pu aisément me faufiler dans le salon, où j'ai regardé Kenny entasser les ordinateurs portables dans un sac de sport posé par terre pendant qu'Helene emballait les routeurs.

Enfin, il a remarqué ma présence.

– T'as mes clés ?

En palpant machinalement mes poches, j'ai eu la surprise de les sentir sous mes doigts.

– Tiens, ai-je dit en lui expédiant le trousseau.

Il a fermé le sac et l'a soulevé.

– Où t'as garé la bagnole ?

– Ben, justement…

– J'arrive pas à croire que t'aies bousillé ma caisse, a maugréé Kenny alors que nous passions devant la guérite vide à l'entrée de Nottingham Hill.

– C'est pas moi qui l'ai bousillée. C'est Yefim.

– J'arrive pas à croire que tu l'aies abandonnée là-bas.

– Écoute, Kenny, ton Hummer est dans le même état que le bus à la fin de *L'Épreuve de force*… Pour te le ramener, il aurait fallu l'acheminer par pont aérien.

Nous approchions de ce même feu de circulation où j'avais bien failli rejoindre le pick-up de Pavel et Yefim. Une petite armada de voitures de la police de Foxboro fonçait vers nous. Kenny et Helene ont vivement baissé la tête quand elles ont grillé le feu rouge, toutes sirènes hurlantes. Quinze secondes plus tard, les quatre véhicules avaient disparu de l'autre côté de la pente derrière nous comme s'ils n'avaient été qu'un mirage. J'ai jeté un coup d'œil à Kenny recroquevillé sous ma boîte à gants.

– Bien joué, ai-je commenté.

– On préfère éviter d'attirer l'attention, a lancé Helene de la banquette arrière.

– Bien sûr, c'est pour ça que vous roulez dans un Hummer jaune, ai-je répliqué au moment où le feu passait au vert.

J'ai longé une nouvelle fois le stade au bord de la Route 1. Plusieurs voitures de patrouille étaient garées autour du Hummer, ainsi qu'une fourgonnette noire de la police scientifique et deux camionnettes de la télé. La mine de Kenny s'est allongée tandis qu'il découvrait l'état de son bien – les pneus crevés, le pare-brise explosé, les impacts de balles sur le capot… Une autre camionnette de la télé s'est approchée. Un hélicoptère survolait le site.

— Merde, Kenny, t'as vu ça ? Quel succès !

— Laisse-moi faire mon deuil en paix, OK ?

Nous nous sommes arrêtés à Dedham, derrière l'Holiday Inn au croisement de la Route 1 et de la 1A.

— Bon, ai-je dit. Au cas où vous ne l'auriez pas encore compris, vous êtes faits comme des rats. D'accord, vous avez embarqué les ordinateurs, mais je suis sûr que vous avez oublié dans cette baraque suffisamment de trucs pour mettre au jour vos arnaques à l'identité. Et je ne parle même pas de la poudre dans le micro-ondes ! J'ai beau ne pas connaître tous les rouages du système, je suis prêt à parier qu'à midi les flics auront obtenu un mandat de perquisition et qu'avant ce soir ils auront de quoi vous inculper.

— Vous bluffez, a répliqué Helene en allumant une cigarette. Comme un pied, en plus.

— On parie ?

Le temps de me retourner, et j'ai saisi la cigarette fichée entre ses lèvres pour l'expédier par la vitre ouverte à côté de Kenny.

— Ma gosse de quatre ans monte dans cette voiture, imbécile.

— Et alors ?

— Alors, je n'ai pas envie qu'elle pue la tabatière froide dans la cour de récréation !

— Oh, c'est qu'on est chatouilleux…

J'ai tendu la main vers elle.

— Quoi ?

— Le paquet.

— Oh, ça va…

— Le paquet, ai-je répété.

– File-lui tes clopes, Helene, est intervenu Kenny d'une voix lasse.

Elle m'a donné le paquet, que j'ai glissé dans ma poche.

– T'as quelque chose à proposer pour nous sortir de là ? m'a demandé Kenny.

– Je sais pas. Expliquez-moi d'abord pourquoi Kirill Borzakov veut retrouver Amanda.

– Qui t'a dit qu'il la cherchait, d'abord ?

– Yefim.

– Ah ouais, c'est vrai.

– Alors, pourquoi ils s'intéressent à elle ?

– Elle s'est tirée avec une de leurs livraisons.

J'ai imité le son d'un buzzer de la NBA à la dernière seconde d'une période de jeu.

– Arrête tes salades, Kenny.

– C'est pas des salades ! a protesté Helene, les yeux ronds.

– Allez, dehors, ai-je ordonné.

– Non, écoutez…

Je me suis penché pour ouvrir la portière côté passager.

– À plus.

– Je déconne pas.

– Moi non plus. On a moins de deux jours pour récupérer ce qu'ils réclament en échange de la vie de Sophie. Oh, je sais bien que vous n'en avez rien à cirer de cette gamine, mais moi je ne m'en fiche pas. Ça doit être mon côté vieux jeu.

– Ben t'as qu'à aller trouver les flics.

J'ai opiné du chef comme si cette solution allait de soi.

– Bien sûr, et après j'irai déposer au tribunal contre la mafia russe… (Je me suis gratté le menton.) Résultat, quand ma fille pourra quitter sans crainte le programme de protection des témoins, elle aura, quoi, cinquante-cinq ans ? (J'ai reporté mon attention sur Kenny.) Non, personne n'ira trouver les flics.

– Vous pouvez me rendre mes cigarettes ? a lancé Helene. S'il vous plaît ?

– Vous avez l'intention de fumer dans ma bagnole ?

– J'ouvrirai la portière, d'accord ?

De guerre lasse, je lui ai jeté le paquet.

– Alors qu'est-ce qu'on fait ? m'a demandé Kenny.

– Je viens de te le dire : il faut qu'on procède à un échange. Et plus vous me baladerez avec vos histoires sur Amanda, moins Sophie aura de chances de finir en un seul morceau.

– Et nous, on vient de te dire qu'Amanda leur a fauché…

– … un putain de bijou, a lâché Helene.

Elle a ouvert sa portière en grand et posé un pied par terre en même temps qu'elle allumait une cigarette. Après avoir longuement soufflé la fumée dehors, elle m'a jeté un coup d'œil appuyé, genre : « Satisfait ? »

– Un bijou, donc.

Helene a acquiescé tandis que Kenny baissait les paupières et appuyait sa nuque contre l'appuie-tête.

– C'est ça, a-t-elle confirmé. Me demandez pas à quoi il ressemble ou comment elle est tombée dessus, mais le fait est qu'elle leur a piqué ce… C'est une espèce de crucifix, non ?

– Sauf qu'eux, ils parlent toujours d'une « croix », a précisé Kenny. (Il a haussé les épaules.) C'est tout, on sait rien d'autre.

– Si je comprends bien, vous n'avez aucune idée de la façon dont Amanda est entrée en possession de cette croix, ni de ce qu'elle fabriquait avec des mafieux russes. C'est ce que vous essayez de me faire avaler ?

– Hé, on est pas sans arrêt sur son dos ! a répondu

Helene. On la laisse prendre ses décisions toute seule. C'est une question de respect pour elle.

J'ai contemplé le parking pendant quelques instants.

Estimant sans doute que le silence se prolongeait un peu trop, Helene a demandé :

– À quoi vous pensez ?

J'ai tourné la tête vers elle.

– J'étais en train de me dire que je n'avais jamais eu envie de frapper une femme de toute ma vie, mais là, je me surprends à avoir des pulsions à la Ike Turner.

Elle a expédié son mégot sur le bitume.

– Comme si c'était la première fois que j'entendais ça !

– Où. Est. T-elle ?

– On. Sait. Pas.

Helene m'a fait les gros yeux comme une gosse de douze ans contrariée – ce qui, en termes d'âge mental, n'était pas tellement loin du compte.

– Foutaises.

– Merde, j'ai appris à cette gamine comment se créer des identités tellement inattaquables qu'elle pourrait entrer à la CIA ! s'est exclamé Kenny. Pour moi, c'est évident qu'elle s'en est approprié d'autres en douce et qu'elle en utilise une que je connais pas, avec une carte de sécu et un acte de naissance parfaitement en règle, tu peux me croire ! Et peut-être aussi un historique bancaire sur dix ans en prime. À partir de là, le monde entier devient un vaste guichet automatique…

– T'as dit à Yefim que t'étais tout près du but, ai-je fait remarquer.

– J'aurais dit à cet enfoiré tout ce qu'il avait envie d'entendre du moment qu'il sortait de chez moi.

– Donc, t'as raconté des craques.

Il a confirmé d'un signe de tête.

J'ai jeté un coup d'œil à Helene dans le rétroviseur.

Nous avons tous gardé le silence pendant quelques instants.

— Alors à quoi vous pourriez me servir ? ai-je marmonné en tournant la clé de contact. Allez, foutez le camp.

Je devais aller prendre une bière avec Mike Colette, cet ami qui possédait des plateformes logistiques. Il m'avait engagé pour découvrir lequel de ses employés se livrait à des malversations, et les explications que je comptais lui donner n'allaient certainement pas lui plaire. Me sentant en outre toujours un poil ébranlé par les huit balles tirées dans ma direction, j'ai envisagé d'annuler le rendez-vous, mais comme nous avions prévu de nous retrouver à West Roxbury et que je n'en étais plus très loin, je l'ai finalement appelé sur son mobile pour lui dire que j'arrivais.

Assis près de la fenêtre au comptoir du West On Centre, Mike m'a fait signe dès que je suis entré, bien qu'il fût le seul client dans la salle. Il n'avait pas changé depuis qu'on s'était connus à la fac ; c'était toujours un type solide, sérieux, ayant l'honnêteté chevillée au corps. À ma connaissance, tout le monde l'appréciait. Dans notre bande de copains, on avait établi un principe : Si t'aimes pas Mike, ça en dit long sur toi, pas sur lui.

Plutôt petit, il avait des cheveux noirs bouclés coupés court et une poignée de main que, d'expérience, je savais redoutable. Mais ce jour-là, j'étais tellement distrait qu'il m'a pris au dépourvu, et c'est tout juste si je ne suis pas tombé à genoux. J'en serais sans doute quitte pour un bon syndrome du canal carpien.

Il a indiqué la bière devant ma chaise.

— J'ai commandé pour toi.

— Merci, vieux.

– Tu veux autre chose ? Un truc à grignoter, peut-être ?

– Non, non, ça va.

– T'es sûr ? T'as pas l'air dans ton assiette…

J'ai avalé une gorgée de bière.

– Je viens d'avoir une petite altercation avec des Russes.

Les yeux ronds, il a porté à ses lèvres sa chope glacée.

– Ces gars-là, c'est un putain de fléau dans les transports. Oh, pas tous, bien sûr, mais la bande de Kirill Borzakov… Un bon conseil, garde tes distances.

– Trop tard.

– Sérieux ? (Il a posé sa bière sur le sous-bock.) Tu t'es frité avec les hommes de Borzakov ?

– Oui, m'sieur.

– Borzakov est plus qu'un truand, vieux, c'est un truand complètement cinglé ! Tu sais qu'il a encore été arrêté pour conduite en état d'ivresse ?

– Oui. La semaine dernière, je crois.

– Hier soir. (Mike a poussé vers moi le *Herald* plié.) Et ce coup-ci, c'est le pompon.

L'article se trouvait en page six : « Borzakov le Boucher en pleine Bérézina. » Il avait emmené sa Targa dans une station de lavage Danvers, et, alors que les rouleaux faisaient leur œuvre, il avait apparemment été gagné par l'impatience – une mauvaise nouvelle pour la voiture qui le précédait : Borzakov l'avait percutée par-derrière, la projetant hors du portique, mais sous le choc son moteur avait calé. La police l'avait appréhendé sur le parking alors que, dégoulinant d'eau savonneuse, il essayait d'attaquer les pompistes panaméens avec un essuie-glace qu'il avait arraché à sa propre voiture. Il avait fallu une décharge de Taser et quatre flics pour le maîtriser. Le résultat de son alcootest avait atteint des sommets, et une fouille en règle de sa Porsche avait révélé la présence d'un demi-gramme de cocaïne dans la console centrale. Il avait dû attendre jusqu'à l'heure du dîner pour obtenir sa libération sous caution. Après avoir résumé les faits, le journaliste citait le nom de quatre hommes dont Borzakov était soupçonné d'avoir commandité le meurtre l'année précédente.

J'ai replié le quotidien.

— Le plus inquiétant d'après toi, ce n'est pas que ce soit un tueur, mais plutôt qu'il nous fasse une bonne petite dépression des familles ?

— Entre autres, oui. (Mike a appuyé son index sur l'aile de son nez.) J'ai entendu dire qu'il puisait dans ses stocks de poudre.

J'ai haussé les épaules. Bon sang, ce que je pouvais en avoir marre de toutes ces conneries !

— Patrick, le prends pas mal, mais t'as déjà pensé à changer de métier ?

— C'est la seconde fois qu'on me pose la question en deux jours.

— En fait, il se pourrait bien que je sois à la recherche d'un nouveau manager après cette conversation, et si je me rappelle bien, t'as bossé dans une société de transport pendant tes années de fac, pas vrai ?

Je me suis ressaisi.

— Non, ça va. Mais merci, Mike.

— Bah, il ne faut jamais dire jamais. N'oublie pas, c'est tout.

— J'apprécie. Bon, venons-en à ton affaire.

Il a joint les mains avant de se pencher vers moi.

— Tu soupçonnes quelqu'un en particulier ? lui ai-je demandé.

— Le superviseur de nuit, Skip Feeney.

— C'est pas lui.

Mike m'a jeté un coup d'œil étonné.

– Au début, j'ai cru aussi que c'était notre homme, ai-je expliqué. Attention, je ne dis pas qu'il est fiable à cent pour cent. À mon avis, il récupère de temps en temps un carton tombé d'un camion ; si t'allais chez lui, tu trouverais sûrement les matériels stéréo qui sont portés manquants sur les bordereaux de livraison, ce genre de truc. Mais il n'a pas la possibilité de trafiquer les factures. Or la facturation, c'est la clé de tout, Mike. Dans certains cas, tu te retrouves à payer pour des chargements qui ne partent pas de chez toi et n'arrivent jamais à destination, pour la bonne raison qu'ils n'existent pas.

– Ah.

– Une commande de cinq palettes de pots d'échappement Flowmaster, ça te paraît normal ?

– Oui. On ne les vendra qu'en juillet, mais si on avait attendu le mois d'avril pour les commander, le prix aurait augmenté de peut-être six à sept pour cent. C'est un risque calculé, même si entre-temps ça nous bouffe un peu d'espace.

– Sauf qu'il y a seulement quatre palettes dans ton entrepôt. Le bordereau de réception en indique quatre, c'est vrai, mais ta boîte en a payé cinq. Et j'ai vérifié : c'est bien cinq palettes qui ont été expédiées. Alors où est la cinquième ? (J'ai pris le bloc-notes rangé dans ma sacoche d'ordinateur, puis je l'ai ouvert.) Qu'est-ce que tu peux me dire sur Michelle McCabe ?

Il s'est redressé, l'air soudain abattu.

– C'est ma comptable. La femme d'un copain. Un bon copain.

– Je suis désolé, vieux. Sincèrement.

– T'es sûr de ce que t'avances ?

J'ai retiré cette fois de ma sacoche le dossier que j'avais constitué, et je l'ai poussé vers lui.

– Jette un coup d'œil aux vingt premières factures, elles sont toutes falsifiées. J'ai joint celles reçues par les fournisseurs pour que tu puisses comparer.

– Vingt ?

– Il y en a peut-être plus, mais celles-là constitueraient des preuves accablantes devant un tribunal si jamais ta comptable décidait d'intenter des poursuites contre toi. Ou de porter plainte auprès de l'Inspection du travail et de t'emmerder avec des histoires de licenciement abusif. Si tu veux la faire arrêter…

– Non, non.

Je m'attendais à cette réaction.

– Je sais. Mais au cas où tu changerais d'avis, toutes les preuves dont tu as besoin se trouvent là-dedans. La moindre des choses, Mike, ce serait de l'obliger à rembourser.

– Ça porte sur combien ?

– Au moins vingt mille dollars, rien que sur l'exercice en cours.

– Oh, merde…

– Et encore, ça, c'est juste le résultat de mon enquête. Alors qui sait ce qu'un audit en bonne et due forme pourrait mettre au jour…

– T'es en train de me dire que, dans le contexte économique actuel, je devrais virer à la fois ma comptable et mon superviseur de nuit ?

– Oui, pour des raisons différentes.

– Quelle chierie !

Nous avons commandé deux autres bières. La salle commençait à se remplir ; dehors, dans Centre Street, la circulation était de plus en plus dense. De l'autre côté de la rue, des gens s'arrêtaient devant The Continental Shoppe pour récupérer le chien qu'ils avaient donné à toiletter. En quelques minutes, j'ai vu défiler deux caniches, un beagle, un colley et trois bâtards. J'ai songé à Amanda et à son faible pour les chiens – le seul aspect de sa personnalité, dans tout ce qu'on nous avait raconté sur elle, qui lui conférait un semblant de douceur et d'humanité.

– Vingt mille…, a répété Mike.

Il n'aurait pas eu l'air plus sonné s'il avait reçu un coup de batte dans l'estomac et une claque en pleine figure alors qu'il était plié en deux.

– Quand je pense que j'ai encore dîné chez eux la semaine dernière ! Et qu'on est allés ensemble voir les Sox deux ou trois fois cet été… Tiens, il y a deux ans, je venais de l'embaucher, et je lui ai quand même filé mille dollars de prime pour Noël, parce que je savais qu'ils risquaient la saisie de leur bagnole. (Il a levé les mains au-dessus de sa tête puis les a ramenées dans sa nuque.) Tu vois, Patrick, j'ai quarante-quatre ans, et plus ça va moins je comprends les gens. Je ne les comprends plus. (Il a posé ses mains sur la table.) Plus du tout, a-t-il répété dans un souffle.

Et moi, je ne supportais plus mon boulot.

III

LA CROIX DU BÉLARUS

17

Mon face-à-face avec Yefim remontait déjà à plusieurs heures, mais je n'arrivais toujours pas à m'en remettre. À la belle époque, j'aurais surmonté ça en buvant un verre, voire cinq ou six, et j'aurais peut-être aussi appelé Oscar et Devin pour leur donner rendez-vous dans un rade quelconque où nous en aurions chacun allègrement rajouté sur notre expérience respective des affrontements musclés.

Malheureusement, Oscar et Devin avaient quitté le BPD[1] quelques années plus tôt et racheté ensemble un bar en faillite à Greenwood, dans le Mississippi, d'où était originaire la famille d'Oscar. L'établissement se situant au bout de la rue où était censée se trouver la tombe de Robert Johnson, ils en avaient fait un club de blues. Aux dernières nouvelles, il était toujours en faillite, mais ses propriétaires étaient en général trop bourrés pour s'en soucier, et les barbecues du vendredi après-midi qu'ils organisaient sur le parking étaient déjà devenus légendaires dans la région. Bref, ils ne reviendraient jamais.

---

1. Boston Police Department.

Je me retrouvais donc privé de cet exutoire, qui de toute façon n'en aurait pas vraiment été un. Au fond, je n'avais qu'une envie : rentrer chez moi, serrer dans mes bras ma femme et ma fille puis prendre une douche pour me débarrasser de l'odeur de la peur sur ma peau. Je songeais déjà à emprunter l'Arborway en direction de Franklin Park pour arriver plus vite dans mon quartier quand mon mobile a sonné. J'ai vu le nom de Jeremy Dent sur l'écran.

– Ah, merde ! ai-je pesté tout haut.

J'avais mis *Sticky Fingers* dans le lecteur CD – à plein volume, comme il se doit quand on écoute *Sticky Fingers* –, et j'en étais pile à ce passage de *Dead Flowers* où je chante toujours en même temps que Jagger qui déconne avec les mots « *Kentucky derby day* ».

J'ai baissé le son et répondu au téléphone.

– Joyeux presque Noël, a dit Jeremy Dent.

– Joyeux presque Festivus[1], ai-je répliqué.

– Vous pourriez faire un saut au bureau ?

– Maintenant ?

– Ce serait bien, oui. J'ai un cadeau de fin d'année pour vous.

– Ah oui ?

– Sur l'étiquette, il y a marqué « embauche définitive ». Ça vous intéresse d'en discuter ?

Assurance maladie, ai-je pensé aussitôt. Crèche. Financement des études. Pot d'échappement flambant neuf.

– J'arrive.

– À tout de suite.

---

1. Fête alternative popularisée par la série *Seinfeld*, célébrée aux alentours du 23 décembre par les déçus des fêtes religieuses traditionnelles *(N.d.T.)*.

Il a raccroché.

J'étais en plein milieu de Franklin Park. Si je n'étais pas ralenti par le feu de Columbia Road, il ne me faudrait pas plus de dix minutes pour arriver chez moi. Au lieu de quoi, j'ai tourné à gauche pour m'engager dans Blue Hill Avenue et retourner dans le centre-ville.

— Croyez-le ou non, Rita Bernardo a accepté un poste à Jakarta, m'a annoncé Jeremy Dent en se carrant dans son fauteuil. Le business de la sécurité est en plein boom, là-bas ; tous ces djihadistes, c'est une plaie pour le monde mais c'est formidable pour notre chiffre d'affaires... (Il a haussé les épaules.) Bref, elle va essayer d'empêcher les discothèques indonésiennes d'exploser, et ce faisant elle laisse vacante une place que nous aimerions vous proposer.

— À quelles conditions ?

Il s'est servi un deuxième scotch puis a penché la bouteille vers mon verre. J'ai décliné d'un geste.

— Il n'y a pas de conditions. Après avoir réévalué la situation, nous sommes parvenus à la conclusion que vos talents d'enquêteur, sans parler de votre expérience sur le terrain, sont des atouts trop précieux pour que nous prenions le risque de les perdre. Vous pouvez commencer sur-le-champ.

Il a poussé une chemise cartonnée sur son bureau jusqu'à ce qu'elle tombe sur mes genoux. Je l'ai ouverte. À l'intérieur, sur le volet de gauche, était agrafée la photo d'un homme d'une trentaine d'années qui me disait vaguement quelque chose : mince, cheveux crépus, nez légèrement aquilin, teint café au lait... Vêtu d'une chemise blanche sur laquelle tranchait une fine cravate rouge, il brandissait un micro.

— Ashraf Bitar, a expliqué Jeremy Dent. Surnommé par certains « Bébé Barack ».

– Et très impliqué dans les questions sociales à Mattapan. (Je le remettais, à présent.) Il s'est opposé à ce projet de stade…

– Il s'est opposé à pas mal de choses, en fait.

– Il adore les photographes.

– C'est un politique, ce qui par définition en fait un narcissique d'envergure olympique. Et ne vous laissez pas abuser par ses liens avec les communautés défavorisées de Mattapan : ce gars-là s'habille dans les magasins chic comme Louis.

– Avec quoi ? Soixante mille dollars par an ?

Il a haussé les épaules.

– Qu'est-ce que vous attendez de moi au juste ? ai-je demandé.

– Que vous braquiez un microscope sur sa putain de vie.

– Qui est le client ?

Jeremy Dent a avalé une gorgée de scotch.

– Aucune importance pour vous.

– OK. Vous voulez que je commence quand ?

– Maintenant. Hier. Mais j'ai dit demain à notre client.

J'ai moi aussi trempé mes lèvres dans mon scotch avant de déclarer :

– Impossible.

– Je vous propose enfin une embauche définitive chez nous, et vous avez déjà des objections à formuler ?

– Je ne me doutais pas que c'était dans l'air. J'ai dû accepter une affaire pour régler les factures, et je ne peux pas tout laisser en plan.

Il a cillé lentement, comme pour me signifier que ce n'était pas son problème.

– Et dans combien de temps pensez-vous pouvoir… diversifier vos activités ?

– Deux ou trois jours.

– Ce qui nous amène à Noël.

– C'est ça.

– En admettant que vous soyez libre à Noël, puis-je garantir à notre client que vous aurez bouclé le dossier pour le nouvel an ?

– Oui, si j'ai terminé mon enquête en cours.

Un soupir lui a échappé.

– Elle est bien payée, au moins, cette enquête ?

– Un tarif raisonnable, ai-je prétendu.

Je suis rentré à la maison avec un bouquet de fleurs et des plats chinois que je n'avais pas les moyens de nous offrir. J'ai enfin pris la douche dont j'avais rêvé tout l'après-midi, enfilé un jean et un T-shirt acheté à l'occasion de la seule et unique tournée de Pela, puis rejoint ma famille à table.

Après le dîner, nous avons joué avec Gabby. Ensuite, je lui ai lu une histoire pour l'endormir, et je suis retourné au salon raconter ma journée à ma femme.

À la fin de mon récit, Angie est allée directement dehors fumer une American Spirit Light.

– Ces deux types de la mafia russe ont gardé ton permis, c'est bien ça ?

– Oui.

– Donc, ils ont notre adresse.

– Vu que l'information en question figure sur le document en question, oui.

– Alors si on prévient la police au sujet de Sophie…

– … les deux Ruskoffs risquent de mal le prendre. Au fait, je t'ai dit que Jeremy Dent m'avait proposé une embauche définitive ?

– Un bon millier de fois. OK, j'imagine que tu laisses tomber tout de suite l'affaire McCready.

– Non.

– Pardon ?

– Non, Ange. Ils ont enlevé une gamine de…

– … dix-sept ans, j'ai compris. Ils ont aussi transformé en passoire la bagnole que tu conduisais avant de te piquer ton permis pour pouvoir nous trouver plus facilement le jour où ils auront envie d'enlever *notre* fille. Alors, désolée pour la gosse de dix-sept ans, mais moi j'en ai une de quatre ans que je compte bien protéger.

– Même au prix d'une autre vie.

– Sans la moindre hésitation.

– Tu déconnes, là.

– Oh non, pas du tout.

– Oh si. C'est toi qui as insisté pour que je m'occupe de cette affaire…

– Hé, parle moins fort ! D'accord, je t'ai demandé de…

– … malgré tout le mal que ça m'a fait – que ça *nous* a fait – la première fois que je suis parti à la recherche d'Amanda. Mais tu n'en avais que pour l'intérêt supérieur. Et maintenant que ce même intérêt supérieur nous revient en pleine figure et qu'une autre gamine est en danger, tu voudrais que je renonce ?

– Il en va de la sécurité de notre fille.

– Pas seulement, Ange. On est dedans jusqu'au cou, maintenant. Tu veux emmener Gabby chez ta mère ? Parfait, c'est une excellente idée, elles meurent d'envie de se voir. Mais moi, je vais tâcher de retrouver Amanda et de récupérer Sophie.

– Tu leur donnerais la priorité sur…

– Stop ! Ne viens pas m'emmerder avec ces conneries. Surtout pas.

– Baisse d'un ton, s'il te plaît.

– Tu me connais, tu savais parfaitement qu'à partir du moment où j'accepterais d'aider Beatrice, je ne lâcherais plus le morceau. Et aujourd'hui, tu voudrais que j'abandonne ? Eh bien, c'est non. Je vais la retrouver.

— Laquelle, hein ? Amanda ou Sophie ? Tu ne fais même plus la différence.

Nous étions au bord de l'explosion, nous le savions tous les deux. Et nous savions aussi à quel point la situation risquait de dégénérer si nous franchissions cette limite ; quand on marie un tempérament irlandais à un tempérament italien, on peut s'attendre à pas mal de vaisselle cassée. Nous avions fait quelques séances de thérapie de couple avant la naissance de Gabby pour nous aider à relâcher la pression lorsqu'elle devenait trop forte, et en général ça fonctionnait.

J'ai pris une profonde inspiration. Angie m'a imité, puis elle a tiré sur sa cigarette. L'air était vif – mordant, même –, mais nous étions habillés en conséquence et j'avais l'impression qu'il me décrassait les poumons. J'ai relâché mon souffle. Longuement. Comme si je le retenais depuis vingt ans.

Quand Angie est venue se blottir contre mon torse, je l'ai serrée dans mes bras. La tête calée sous mon menton, elle a déposé un baiser dans le creux de ma gorge.

— Je déteste quand on s'engueule, a-t-elle dit.

— Pareil.

— Alors comment se fait-il qu'on s'engueule aussi souvent ?

— Sûrement parce qu'on aime bien se réconcilier après.

— J'adore quand on se réconcilie.

— Toi et moi, même combat.

— Tu crois qu'on l'a réveillée ?

Je me suis approché de la porte qui séparait notre chambre de celle de Gabby, et je l'ai ouverte tout doucement. Ma fille dormait, moins à plat ventre qu'en appui sur le haut du torse, la tête tournée vers la droite, les fesses en l'air. Dans deux heures, elle serait sûrement allongée sur le côté, mais avant minuit elle adoptait toujours la position d'une pénitente.

Une fois la porte refermée, je suis revenu vers le lit.

— Elle est au pays des rêves, ai-je annoncé.

— Je vais l'envoyer chez maman. Si Bubba veut bien l'emmener…

— Tu peux toujours l'appeler, mais tu sais déjà ce qu'il te répondra.

Elle a hoché la tête. En fait, la question ne se posait même pas : il suffisait qu'Angie demande à Bubba de filer au plus vite à Katmandou, et il lui ferait remarquer qu'il y était déjà.

— C'est juste que… tu crois qu'il va pouvoir embarquer des armes dans l'avion ?

— Ta mère habite Savannah, Ange. À mon avis, il a des contacts sur place.

— Gabby sera ravie de revoir sa mamie, c'est certain. Elle ne parle que de ça depuis cet été – quand elle ne me rebat pas les oreilles avec les arbres, bien sûr… (Elle m'a dévisagé avec attention.) T'es d'accord ?

Je l'ai regardée droit dans les yeux.

— Ces gars-là sont loin d'être des enfants de chœur, sans compter qu'ils savent où on habite, tu l'as dit toi-même. Si ça ne tenait qu'à moi, je mettrais Gabby dans l'avion dès ce soir. Mais toi ? T'es prête à remonter en selle avec moi ?

— Oui. Peut-être que ça fera avancer les choses.

— Oh, sûrement. Juste un détail : combien de fois t'as été séparée de Gabby depuis qu'elle est née ?

— Une seule. Pendant trois jours.

— C'est bien ce qu'il me semblait. Quand on est partis dans le Maine et que t'as passé ton temps à pleurnicher qu'elle te manquait…

– Je n'ai pas pleurniché, j'ai juste énoncé un fait.

– Une bonne centaine de fois – c'est ce que j'appelle pleurnicher.

Elle m'a donné un coup d'oreiller sur la tête.

– Bref, c'était l'année dernière ; j'ai mûri, depuis, a-t-elle affirmé. Et Gabby sera trop contente – t'imagines, partir à l'aventure avec tonton Bubba pour aller voir sa mamie… ? Si on lui en avait parlé ce soir, elle n'en aurait pas dormi de la nuit. (Elle s'est allongée sur moi.) Alors, qu'est-ce que tu comptes faire ?

– Retrouver Amanda.

– Encore une fois.

– Oui, je la retrouve encore une fois, je rends la croix qu'elle a volée, je récupère Sophie et chacun rentre chez soi.

– Rien ne garantit qu'Amanda acceptera de la redonner, cette croix…

– Sophie est son amie.

– Si j'ai bien compris, elle est plutôt son Robert Ford[1].

– Je ne sais pas si c'est à ce point. (Je me suis gratté la tête.) Je ne sais pas grand-chose, à vrai dire. C'est pour ça que je dois la retrouver.

– Mais comment ?

– La question à un million de dollars…

Elle a tendu le bras pour attraper la sacoche de mon ordinateur posée près du lit. Elle en a retiré le dossier marqué A. McCready et l'a ouvert sur l'oreiller, juste à côté de ma tête.

– Ce sont les photos de sa chambre ?

– Oui. Ah non, celles-là montrent la chambre de Sophie. Continue… Oui, tu y es.

---

1. Admirateur et assassin supposé de Jesse James.

– On dirait une chambre d'hôtel.

– Plutôt impersonnel, hein ?

– Plutôt. À part le maillot des Sox…

– Tout juste. Et le plus bizarre, c'est qu'Amanda n'est pas une fan. Elle ne parle jamais de l'équipe, elle n'a jamais mis les pieds à Fenway, elle n'est pas du genre à essayer de savoir à quoi pensait Theo quand il a laissé partir Julio Lugo ou échangé Kevin Gabbard contre « Going Going Gagné[1] ».

– Bah, c'est peut-être juste à cause de Beckett.

– Pardon ?

– Peut-être qu'elle a le béguin pour Josh Beckett.

– Qu'est-ce qui te fait dire ça ?

– C'est bien son maillot, non ? Le numéro dix-neuf… Hé, qu'est-ce qui t'arrive ? T'es tout pâle !

– Ange…

– Quoi ?

– Son obsession n'a rien à voir avec les Red Sox.

– Ah bon ?

– Et elle n'a pas le béguin pour Josh Beckett.

– Remarque, c'est pas mon genre non plus. Alors, pourquoi ce maillot ?

– Tu te rappelles où on a retrouvé Amanda, il y a douze ans ?

– Ben oui, chez Jack Doyle.

– Et c'était où ?

– Près d'un bled paumé dans les Berkshires, à peut-être vingt ou trente kilomètres de la frontière de l'État de New York… Je me souviens, il n'y avait même pas de café.

– Et le nom, tu t'en souviens ?

– Le nom de quoi ? Du bled ?

---

1. Surnom donné au joueur Éric Gagné.

244

J'ai hoché la tête.

Elle a haussé les épaules.

— Je donne ma langue au chat.

— Becket.

— Viens faire un câlin à papa.

— Non.

— S'il te plaît, ma puce.

— J'ai dit non.

Il y avait de l'orage dans l'air. Nous étions à Logan, terminal C, où Bubba et Gabby, tenant chacun leur billet, avaient pris place dans la file étonnamment courte qui attendait devant les portiques de sécurité, et ma fille s'était braquée contre moi comme seuls les gosses de quatre ans peuvent se braquer : grincements de dents, tapements de pied, mine butée, j'avais droit à la totale.

Quand je me suis accroupi devant elle, Gabby a détourné la tête.

— On en a déjà parlé, mon cœur. Si tu fais un caprice à la maison, c'est quoi ?

— Un problème rien qu'entre nous, a-t-elle marmonné.

— Et si tu fais un caprice dehors ?

Elle a secoué la tête.

— Gabriella…

— La honte pour nous.

— Exactement. Alors viens faire un câlin à papa. Tu as le droit d'être en colère contre moi, mais tu dois quand même me faire un câlin. C'est la règle dans la famille, tu te rappelles ?

Cette fois, elle a lâché Monsieur Lubble pour me sauter dans les bras. Elle m'a serré si fort que j'ai senti ses petits poings s'enfoncer dans mon dos et son menton dans le creux de mon cou.

— On va se revoir très bientôt, lui ai-je assuré.

– Quand ? Ce soir ?

J'ai jeté un coup d'œil à Angie. Zut.

– Non, pas ce soir, mais très bientôt.

– Tu t'en vas tout le temps.

– C'est pas vrai.

– Si, c'est vrai. Tu t'en vas le soir, et même des fois t'es pas là quand je me lève le matin. En plus, t'emmènes maman.

– Papa travaille, mon cœur.

– Ben, tu travailles trop…

Le léger tremblement dans sa voix laissait présager une autre crise imminente.

Je me suis écarté pour la dévisager, tandis qu'elle sondait mon regard telle une version miniature de sa mère.

– C'est la dernière fois, ma chérie, tu m'entends ? La dernière fois que je m'en vais et la dernière fois que je t'envoie loin de nous.

Yeux et lèvres mouillés, elle scrutait toujours mes traits.

– Promis ?

J'ai levé la main droite.

– Juré.

Angie s'est accroupie près de nous afin de l'embrasser à son tour. Je me suis éloigné pour les laisser partager un moment chargé d'une émotion encore plus intense que celle dont je venais de faire l'expérience.

Bubba s'est approché de moi.

– Tu crois qu'elle va chialer dans l'avion, hurler ou un truc comme ça ?

– J'en doute, ai-je répondu. Mais si ça arrive et qu'on vous regarde de travers, t'as le droit de mordre. Ou du moins de montrer les dents. Et si jamais tu vois des Russes lorgner vers elle avec un peu trop d'insistance…

– Tu rigoles ? Le premier qui la reluque bizarrement, je lui arrache les yeux avant de lui couper sa putain de tête !

Après avoir franchi le portique de sécurité, ils se sont retournés. Bubba, qui maintenait d'une main Gabby perchée sur son épaule, a récupéré de l'autre leurs bagages sur le tapis roulant. Ils nous ont fait de grands signes. Nous leur avons répondu, et ils ont disparu.

18

À la sortie du Mass Pike, nous avons pris la direction de Becket sous un ciel laiteux envahi par les nuages bas. La bourgade se situait à une trentaine de kilomètres au sud de la frontière de l'État de New York, en plein cœur des Berkshires. À cette époque de l'année, les collines étaient parsemées de neige et les routes humides, noires et glissantes. Nous avons bien trouvé la rue principale de Becket, mais pas de centre-ville à proprement parler ; nous n'avons même pas vu ne serait-ce qu'une petite zone commerçante regroupant un magasin d'alimentation, un coiffeur, une laverie et une agence immobilière. Et pas de café non plus, comme Angie l'avait noté. Pour faire ses courses, il fallait pousser jusqu'à Stockbridge ou Lenox. Apparemment, il n'y avait à Becket que des maisons, des collines, des arbres, et encore des arbres. Là, un étang en forme d'amibe, couleur soda à la vanille. Et toujours des arbres, dont, pour certains, la cime allait se perdre dans les nuages.

Nous avons tourné toute la matinée dans Becket et West Becket – vers le sud, le nord, les quatre points cardinaux, et rebelote. La plupart des routes dans les

248

collines se terminaient en cul-de-sac, aussi avons-nous eu droit à quelques regards intrigués ou hostiles lorsque, parvenus devant une propriété privée, nous devions faire marche arrière, le gravier crissant sous nos pneus. Quoi qu'il en soit, aucun de ces visages à l'expression intriguée ou hostile n'était celui d'Amanda McCready.

Après trois heures de déambulations, nous avons décidé de nous accorder une pause déjeuner, et nous nous sommes arrêtés dans un snack à Chester, quelques kilomètres plus loin. J'ai commandé un sandwich club à la dinde, sans mayonnaise, Angie un cheeseburger et un Coca. Puis j'ai avalé une gorgée d'eau minérale en feignant de ne pas envier ce qu'elle avait choisi. La plupart du temps, Angie ne fait pas particulièrement attention à ce qu'elle mange, et elle n'a pas plus de problèmes de cholestérol qu'un nouveau-né ; je me nourris presque exclusivement de poisson et de poulet, et mon taux de LDL atteint des sommets dignes d'un sumo à la retraite. Comme quoi, il n'y a pas de justice… Huit autres clients déjeunaient dans la salle, et nous étions les seuls à ne pas porter de bottes. Ni de chemise à carreaux. Tous les hommes étaient en jean et casquette de base-ball. Deux femmes arboraient le genre de pull qu'on reçoit en général à Noël de la part d'une vieille tante. Dans la région, la parka semblait avoir encore de beaux jours devant elle.

– Tu vois un autre moyen de nous familiariser avec le coin ? ai-je glissé à Angie.

– Le journal local.

J'ai parcouru la salle du regard à la recherche d'un quotidien et, n'ayant rien repéré de tel, j'ai voulu faire signe à la serveuse.

Elle avait peut-être dix-huit ou dix-neuf ans. Joli visage abîmé par les cicatrices d'acné, silhouette affublée de vingt kilos de trop qu'elle portait comme une armure, regard rendu vitreux par une colère sourde déguisée en apathie… Si elle continuait sur sa lancée, elle finirait en ménagère débordée qui gave ses gosses de chips pour le petit déjeuner et achète des autocollants de pare-chocs au slogan ponctué par toute une série de points d'exclamation furieux. Mais pour le moment, ce n'était encore qu'une de ces innombrables adolescentes renfrognées qui ne ressemblent à rien et rongent leur frein dans des trous paumés. Quand j'ai enfin réussi à attirer son attention et à lui demander s'il n'y avait pas un journal derrière le comptoir, elle a marmonné :

– Un quoi ?

– Un journal.

Regard vide.

– Un journal, ai-je répété. C'est comme une page d'accueil, mais sans la barre de défilement.

Visage fermé.

– En général, il y a des photos sur la première page, avec des mots en dessous. Oh, et quelquefois aussi des graphiques en bas à gauche.

– C'est un restau, ici, a-t-elle décrété comme si c'était la réponse à tout.

Puis, se désintéressant de nous, elle est allée s'appuyer contre le comptoir, près de la machine à café, pour taper un texto sur son téléphone portable.

J'ai tourné la tête vers le client le plus proche de moi, mais il semblait fasciné par son pain de viande. J'ai interrogé Angie du regard. Elle a haussé les épaules. Après avoir fait pivoter mon tabouret, j'ai fini par découvrir près de la porte un présentoir métallique garni d'imprimés. En m'approchant, j'ai constaté que le casier du haut proposait une revue immobilière, et celui du bas, des dépliants sur la région. J'en ai pris un ; rien d'excitant à première vue – essentiellement des publicités pour les activités locales. À l'intérieur, nous avons toutefois eu la bonne surprise de tomber sur une carte en couleur, indiquant les stations-service, les théâtres de répertoire estivaux, les magasins d'antiquités, le centre commercial de Lee et les verreries de Lenox, ainsi que diverses boutiques qui vendaient des chaises Adirondack, des courtepointes ou encore des pelotes de laine.

Il ne nous a pas fallu longtemps pour localiser Becket et West Becket. J'ai appris que l'école devant laquelle nous étions passés dans la matinée, qui se situait au sommet d'une colline, était l'académie de danse Jacob's Pillow. Quant à l'étang que nous avions longé une bonne dizaine de fois, il n'avait apparemment pas de nom. Sinon, les seules attractions signalées à Becket étaient la forêt de Middlefield et le parc McMillan, qui englobait un espace pour les chiens baptisé « Cour sur pattes ».

– Un parc pour chiens, a commenté Angie au moment où je le remarquais aussi. Ça vaut peut-être le coup d'aller y faire un tour ?

Au même instant, la serveuse lui a flanqué son cheeseburger sous le nez, puis elle a placé mon sandwich devant moi d'un geste las et disparu en cuisine avant même que j'aie eu le temps de dire que je ne voulais pas de mayonnaise. Pendant que nous examinions le plan, presque tous les autres clients étaient partis. Il ne restait plus que nous et un couple de quinquagénaires installés près de la fenêtre, qui préféraient encore contempler la route derrière la vitre plutôt que de se regarder. Je suis allé chercher les couverts enveloppés dans une serviette en papier qui se trouvaient sur le comptoir deux tabourets plus loin, et je me suis servi du couteau pour ôter une bonne partie de la mayonnaise. Angie m'a observé d'un air perplexe avant de se concentrer sur son cheeseburger. Je venais de mordre dans mon sandwich quand le cuisinier visible derrière le passe-plat s'est éclipsé. Une porte s'est ouverte quelque part dans le fond, et, quelques secondes plus tard, nous avons entendu l'homme s'entretenir à voix basse avec la serveuse tandis que nous parvenait une odeur de cigarette.

Mon sandwich s'est révélé infâme : dinde tellement desséchée qu'elle en était crayeuse, bacon caoutchouteux, laitue brunissant à vue d'œil… J'ai tout reposé sur mon assiette.

– Il est comment, ton burger ?

– Dégueulasse.

– Pourquoi tu le manges, alors ?

– Ça m'occupe.

J'ai détaillé l'addition apportée par Miss Bonnes manières : seize dollars pour deux plats immangeables servis par une gamine imbuvable. J'ai glissé un billet de vingt sous la soucoupe.

– Hé, tu ne vas quand même pas lui laisser un pourboire ! a rouspété Angie.

– Bien sûr que si.

– Elle ne le mérite pas.

– Non, c'est vrai. Mais après avoir bossé des années comme serveur avant de devenir privé, je filerais un pourboire même à Staline.

– Ou à sa petite-fille, en l'occurrence.

Nous avons abandonné le billet, pris le dépliant et quitté le snack.

Le parc McMillan comportait un terrain de base-ball, trois courts de tennis, une vaste aire de jeux pour les enfants d'âge scolaire et une autre moins grande, aux couleurs plus gaies, pour les tout-petits. Juste derrière s'étendaient deux aires pour chiens dont l'une, réservée aux modèles réduits, formait un ovale clos au milieu de l'autre. De toute évidence, l'endroit avait été pensé avec soin : il était jonché de balles de tennis et équipé de quatre points d'eau alimentant en permanence de grosses gamelles métalliques. Ici et là, des cordes suffisamment épaisses pour amarrer un bateau traînaient par terre. Aucun doute, il faisait bon être chien à Becket.

En plein après-midi, il n'y avait pas grand monde. Deux hommes, une femme d'un certain âge et un couple de retraités surveillaient deux braques de Weimar, un labradoodle et un corgi du genre roquet qui n'arrêtait pas de harceler les trois autres.

Personne n'a reconnu Amanda sur les photos que nous avons montrées. Ou peut-être que personne n'avait envie de nous renseigner. Les détectives se voient de moins en moins accorder le bénéfice du doute ; pour beaucoup, nous ne sommes qu'un symbole de plus de la « fin du droit à la vie privée ». Et il n'est pas facile de leur prouver le contraire.

Les propriétaires des braques ont cependant observé qu'Amanda leur faisait penser à l'adolescente dans *Twilight* – la ressemblance ne concernait ni la couleur des cheveux ni la forme du visage, d'après eux, mais s'exerçait plutôt au niveau du nez, du front et des yeux rapprochés –, puis ils se sont lancés dans un débat enflammé pour savoir si l'actrice s'appelait Kristen ou Kirsten, et je me suis dirigé vers la promeneuse solitaire avant que la discussion ne dégénère en imbroglio du style fans d'Edward contre fans de Jacob.

L'inconnue était vêtue avec une élégance qui contrastait avec les valises sous ses yeux et les taches de nicotine sur son index et son majeur droits. C'était aussi la seule dans l'enclos à ne pas avoir détaché son animal, le labradoodle. Elle serrait les dents chaque fois qu'il tirait sur sa laisse pour répondre aux sollicitations des trois autres chiens.

– Même si je la connaissais, pourquoi est-ce que je vous le dirais ? Vous, je ne vous connais pas.

– Vous y perdez, croyez-moi, ai-je répliqué.

Cette remarque m'a valu un regard impassible qui m'a paru d'autant plus hostile qu'il n'exprimait aucune hostilité, justement.

– Qu'est-ce qu'elle a fait ?

– Rien, a répondu Angie. Elle n'est pas rentrée chez elle, c'est tout. Et elle n'a que seize ans.

– Je me suis sauvée de chez moi quand j'avais seize ans, a répliqué la femme. Je suis revenue au bout d'un mois, je ne sais toujours pas pourquoi. Il aurait mieux valu que je reste au large.

Tout en parlant, elle a redressé la tête comme pour indiquer un endroit au-delà de l'aire de jeux où s'était réuni un groupe de mères et de jeunes enfants, au-delà aussi du parking et des collines qui se fondaient dans l'immense masse bleue des Berkshires. De l'autre côté de ces montagnes, semblait dire ce geste, une vie meilleure l'avait attendue autrefois.

– Cette jeune fille pourrait bien regretter d'avoir fugué, a poursuivi Angie. Elle a encore la possibilité d'entrer à Harvard ou à Yale – dans n'importe quelle fac de son choix, en fait.

Une nouvelle fois, la femme a tiré sur la laisse de son chien.

– Et ça lui apportera quoi ? Le droit d'avoir sa petite place dans un *open space* pour une paie un peu plus intéressante ? D'accrocher son putain de diplôme à sa moitié de cloison ? De passer les trente ou quarante prochaines années à apprendre comment spéculer et dépouiller les gens de leur boulot, de leur baraque et de leur retraite ? Mais où est le problème, puisqu'*elle est allée à Harvard...* Bien sûr, le soir, elle se répétera qu'elle n'y est pour rien, que c'est le système qui veut ça, et elle dormira comme un bébé. Jusqu'au jour où elle se découvrira une boule au sein. Alors là, ça n'ira plus du tout, sauf que personne n'en aura rien à foutre. Hé oui, ma belle, si t'en es là, tu ne peux t'en prendre qu'à toi-même… Alors fais-nous plaisir et crève !

À la fin de sa tirade, elle avait les yeux rouges, et sa main tremblait quand elle l'a plongée dans son sac pour en retirer ses cigarettes. L'air autour de nous semblait plus glacé que jamais. Quant à Angie, elle avait l'air sonnée. J'avais reculé d'un pas, conscient des regards intrigués que nous jetaient le couple gay et les deux retraités. À aucun moment l'inconnue n'avait haussé le ton, mais la souffrance qu'elle avait rejetée dans l'atmosphère était si violente et pitoyable que nous nous sentions tous ébranlés. D'autant que cette réaction n'avait rien d'exceptionnel, bien au contraire… Aujourd'hui, il suffit parfois de poser une question toute simple ou de faire une remarque innocente pour se retrouver noyé sous un déluge de fureur et de désespoir. Personne ne comprend comment on en est arrivés là, personne ne peut expliquer ce qui s'est passé. C'est comme si on s'était réveillés un beau matin pour découvrir que toutes les plaques de rue avaient disparu, que tous les systèmes de navigation étaient hors circuit. Il n'y a plus d'essence dans la voiture, soudain, plus de meubles dans le salon, et l'empreinte dans le lit à côté de nous a été effacée.

— Je suis désolé, ai-je dit – les seuls mots qui me venaient à l'esprit.

Elle a porté à ses lèvres une cigarette tremblante et l'a allumée à la flamme d'un briquet Bic tout aussi tremblant.

— De quoi ?

— Je suis désolé, c'est tout.

Elle a incliné la tête avant de nous adresser, d'abord à moi et ensuite à Angie, un regard résigné.

– C'est nul, toutes ces conneries qu'on nous fait avaler.

Dans le silence qui a suivi, elle a baissé les yeux en se mordillant la lèvre. Enfin, elle a entraîné le labradoodle vers la grille qui donnait sur le fond du parc.

Angie a allumé une cigarette pendant que j'allais aborder le couple de retraités. L'homme a jeté un coup d'œil à la photo d'Amanda mais sa femme n'a même pas voulu croiser mon regard.

J'ai demandé au mari s'il reconnaissait la jeune fille sur le cliché.

Il l'a de nouveau examinée brièvement avant de secouer la tête.

– Elle s'appelle Amanda, ai-je ajouté.

– On n'est pas très portés sur les noms, ici, a-t-il déclaré. C'est un espace réservé aux chiens, vous comprenez. Cette femme qui vient de partir, c'est la maîtresse de Lucky. On ne sait pas comment elle s'appelle, juste qu'elle a eu un mari, une famille, et qu'elle les a perdus. Je ne pourrais pas vous dire pourquoi ou comment. C'est triste, voilà tout. Ma femme et moi, nous sommes les maîtres de Dahlia. Ces deux messieurs, là-bas, sont les maîtres de Linus et de Schroeder. Mais vous, vous n'êtes que les deux petits cons qui ont fait de la peine à la maîtresse de Lucky. Alors, bonne journée à vous.

Sur ce, il s'est éloigné avec son épouse, imité un instant plus tard par le couple gay. Ils sont tous sortis par la grille latérale du parc avant de se regrouper sur le trottoir. Ils ont ouvert les portières de leurs voitures respectives, et leurs chiens ont sauté à l'intérieur. Angie et moi sommes restés plantés comme deux idiots au milieu de l'aire désertée. Il n'y avait rien à dire, aussi n'avons-nous pas échangé un mot pendant qu'elle fumait sa cigarette.

– On ferait mieux de partir, ai-je enfin suggéré.

Ma femme a acquiescé.

– Par là.

Elle s'est dirigée vers la grille opposée à celle empruntée par les propriétaires de chiens, dont nous avions encore l'impression de sentir le mépris. Derrière se trouvaient les aires de jeux bordant le trottoir le long duquel nous nous étions garés.

Dans cette partie du parc étaient rassemblés des enfants et des mères de famille entourées de landaus, de gobelets, de boîtes de lait en poudre et de sacs de couches. Il devait y avoir une demi-douzaine de femmes et un seul homme. En survêtement, il se tenait légèrement à l'écart du groupe, près d'une poussette de jogging, et ne cessait de porter à ses lèvres une bouteille d'eau presque aussi longue que ma jambe. Il semblait poser pour les mamans, qui avaient l'air d'apprécier.

À une exception près. Cette femme-là s'était isolée à côté de la clôture séparant l'aire de jeux de celle des chiens. Elle avait sanglé son nourrisson dans un porte-bébé, le dos contre sa poitrine comme pour lui permettre de voir le monde. Sauf que ledit nourrisson se moquait bien du monde, apparemment, et s'époumonait à qui mieux mieux. Il s'est calmé pendant quelques secondes lorsque sa mère lui a glissé son pouce dans la bouche, mais en se rendant compte que ce n'était ni le sein, ni la tétine, ni le biberon escompté, il s'est remis à hurler de plus belle, le corps parcouru de tremblements comme s'il recevait une décharge électrique. Cette scène m'a rappelé à quel point, les fois où Gabby réagissait ainsi quand elle était encore toute petite, je me sentais complètement dépassé, impuissant, inutile.

La mère jetait de fréquents coups d'œil par-dessus son épaule, alors j'en ai conclu qu'elle avait envoyé quelqu'un chercher un biberon ou une sucette, et qu'elle s'impatientait. Elle se dandinait sur place pour bercer le bébé, sans parvenir à le calmer.

Et puis, nos regards se sont croisés, et je m'apprêtais à lui dire que ça s'arrange avec le temps quand elle a plissé ses petits yeux. J'ai senti les miens s'arrondir, mes lèvres s'entrouvrir en même temps que les siennes et la sueur inonder soudain le sommet de mon crâne.

Nous ne nous étions pas revus depuis douze ans, mais aucun doute, c'était bien elle.

Amanda.

Avec son enfant.

19

Impossible pour elle de s'enfuir. Pas avec un bébé sanglé sur la poitrine. Pas avec une poussette et un sac de couches à récupérer. Même si elle avait été championne du cent mètres et qu'Angie et moi avions souffert d'une rupture des ligaments croisés, il lui aurait tout de même fallu le temps de monter dans sa voiture, d'attacher l'enfant et de démarrer.

– Salut, Amanda.

Je me suis avancé vers elle sans qu'elle me quitte des yeux. Il n'y avait cependant nulle trace dans son regard de cette expression traquée propre aux personnes qui ne veulent surtout pas être retrouvées. Au contraire, elle me dévisageait ouvertement. Le bébé lui suçait le pouce, estimant probablement que c'était somme toute mieux que rien, et de son autre main Amanda lui caressait le haut de la tête, à l'endroit où le fin duvet brun clair formait des bouclettes.

– Salut, Patrick. Salut, Angie.

Douze ans.

– Alors, quoi de neuf ? ai-je lancé quand nous nous sommes arrêtés près de la clôture qui nous séparait.

– Oh, des hauts et des bas.

Du menton, j'ai indiqué le bébé.

– C'est une fille ?

Amanda a esquissé un sourire attendri.

– Oui. Elle est mignonne, hein ?

Elle-même l'était aussi, mais pas selon les critères recherchés chez les mannequins ou les candidates aux concours de beauté – son visage avait trop de caractère, son regard trop de profondeur. Son nez légèrement busqué s'harmonisait parfaitement avec sa bouche légèrement de travers. Ses longs cheveux bruns lissés avec soin encadraient son visage menu, la faisant paraître encore plus petite qu'elle n'était.

Le nourrisson a remué puis gémi avant de se remettre à sucer le pouce d'Amanda.

– Elle a quel âge ? a demandé Angie.

– Presque quatre semaines. C'est la première fois que je la sors aussi longtemps. Elle semblait apprécier, jusqu'à ce qu'elle commence à pleurer.

– Oh, ils pleurent souvent à cet âge-là.

– Vous avez des enfants ? a interrogé Amanda, les yeux fixés sur le bébé.

– Une fille aussi, a répondu Angie. Elle a quatre ans.

– Elle s'appelle comment ?

– Gabriella. Et cette demoiselle ?

L'intéressée a fermé les yeux – ou comment passer de l'apocalypse à la sérénité en moins de deux minutes chrono.

– Claire.

– C'est joli, ai-je observé.

Amanda m'a gratifié d'un sourire à la fois radieux et empreint d'une timidité qui en accentuait le charme.

– C'est vrai ? Ça vous plaît ?

– Beaucoup. Ça change de tous ces prénoms à la mode.

– Sûr, c'est ridicule, a-t-elle approuvé. Vous imaginez les pauvres gosses baptisés Perceval ou Colleton ?

– Et la phase irlandaise, vous vous en souvenez ? a dit Angie.

Une question saluée par des hochements de tête et un grand éclat de rire.

– Il n'y avait plus que des Deveraux et des Fiona !

– Je connais même un couple qui habitait près de l'Avenue…, ai-je renchéri. Ils ont appelé leur môme Bono !

Nouvel éclat de rire de la part d'Amanda, suffisamment brusque pour faire tressauter le bébé.

– J'y crois pas, a-t-elle répliqué.

– Non, je blaguais, ai-je admis.

Dans le silence qui a suivi, nos sourires respectifs se sont évanouis peu à peu. Les mères de famille et le joggeur ne nous prêtaient aucune attention, mais j'ai remarqué un homme immobile dans le parc, à mi-chemin entre l'aire de jeux et la route. La tête baissée, il tournait en rond très lentement, en faisant de toute évidence de gros efforts pour ne pas regarder dans notre direction.

– C'est le papa, là-bas ? ai-je fini par demander.

Amanda a jeté un coup d'œil par-dessus son épaule avant de reporter son attention sur moi.

– Exact.

– Il m'a l'air un peu vieux pour toi, a observé Angie, les yeux plissés.

– Les garçons de mon âge ne m'ont jamais intéressée.

– Comment tu le présentes ? me suis-je enquis. Tu dis que c'est ton père ?

– Mon père, mon oncle ou mon grand frère, ça dépend des fois. (Elle a haussé les épaules.) La plupart du temps, les gens pensent bien ce qu'ils veulent, j'ai pas d'explication à donner.

– Il n'a pas un travail en ville ? s'est étonnée Angie.

– Bah, il avait des vacances à prendre.

Amanda lui a fait signe, et l'homme a enfoncé les mains dans les poches de sa veste avant de se diriger vers nous.

– Et qu'est-ce qui se passera quand les vacances seront finies ? a insisté Angie.

Nouveau haussement d'épaules.

– Ça, on verra quand on y sera.

– C'est vraiment ce que tu veux – faire ta vie ici, dans les Berkshires ?

Elle a balayé les alentours du regard.

– Pourquoi pas ? C'est aussi bien qu'ailleurs, sinon mieux…

– Tu te souviens de ce qui s'est passé dans ce coin quand tu avais quatre ans ? ai-je voulu savoir.

Une lueur fugace a brillé dans ses yeux clairs.

– Je me souviens de tout.

Autrement dit, des pleurs, des cris, de l'arrestation de deux personnes qu'elle adorait, de l'assistante sociale qui l'avait arrachée à leurs bras aimants. Et de moi, le responsable de ce fiasco, cantonné au rôle de spectateur.

Tout, quoi.

Son compagnon nous a rejoints et lui a tendu la sucette.

– Merci.

– De rien. (Il s'est tourné vers nous.) Re-bonjour, Patrick, Angie.

– Salut, Dre. Ça va depuis la dernière fois ?

Ils habitaient à un peu plus d'un kilomètre du parc, dans une de ces maisons de la rue principale devant lesquelles nous étions passés une bonne dizaine de fois ce matin-là. C'était une vieille bâtisse de style Craftsman Foursquare aux couleurs harmonieuses : façade en stuc marron foncé, encadrements de fenêtre blanc cassé, montants de la véranda peints dans une chaude nuance cuivrée. Elle se dressait un peu en retrait de la chaussée elle-même bordée par de larges trottoirs qui donnaient plus l'impression d'être dans une petite ville qu'à la campagne. De l'autre côté de la route, une allée traversait une étendue herbeuse jusqu'à une église au clocher blanc derrière laquelle on apercevait un cours d'eau.

— C'est tellement tranquille, ici, que le glouglou du ruisseau nous empêche parfois de dormir, a commenté Amanda quand, une fois descendus de voiture, nous l'avons rejointe devant chez elle.

— Aïe…

— Vous n'êtes pas un fan de la nature, j'ai l'impression, m'a fait remarquer Andre Stiles.

— Oh si, j'aime la nature, ai-je répliqué. De loin.

Amanda, qui venait de sortir Claire du siège bébé installé à l'arrière de leur Subaru, s'est tournée vers moi.

— Vous voulez bien me la tenir une minute ? a-t-elle demandé en me la plaçant d'autorité dans les bras.

Elle a récupéré le sac de couches, Stiles a déchargé la poussette rangée dans le coffre, et nous nous sommes tous dirigés vers la maison.

— Je peux la prendre, m'a proposé Angie.

— Non, j'aimerais bien la garder encore un peu, si ça ne t'embête pas.

— OK.

J'avais oublié à quel point les nouveau-nés sont petits ; Claire devait peser à peine plus de quatre kilos. Quand le soleil a percé les nuages juste au-dessus de nous, sa figure s'est chiffonnée jusqu'à évoquer un chou, et elle a pressé sur ses paupières closes ses minuscules poings serrés. Puis elle a laissé retomber ses bras, ses traits se sont relâchés et elle a ouvert les yeux.

Ils m'ont paru tirer sur le brun ambré, couleur d'un bon scotch, et j'ai cru y déceler un étonnement sans borne – comme si elle demandait non seulement « Qui es-tu ? », mais aussi « Qu'est-ce que tu es ? », « C'est quoi tout ça ? », « Où suis-je ? »

Cette expression, je l'avais vue souvent sur le visage de Gabby à l'époque où pour elle tout était encore inconnu et innommé, où rien n'était familier. Il n'y avait alors ni repères, ni langage, ni conscience de soi. Pas même de pensée définie en tant que telle.

La stupeur de Claire s'est muée en perplexité quand nous avons franchi le seuil de la maison ; la luminosité a baissé et sa figure s'est assombrie en même temps. Elle était vraiment ravissante avec son visage en forme de cœur, ses joues rondes, ses grands yeux et sa bouche en bouton de rose. Elle deviendrait sûrement une vraie beauté. Du genre à faire tourner les têtes, enflammer les cœurs…

Mais alors qu'elle commençait à s'agiter et qu'Amanda me la reprenait, j'ai été frappé par une autre pensée : s'il n'est pas toujours évident de déceler un air de famille chez les bébés, Claire ne ressemblait décidément ni à Amanda ni à Stiles.

– Alors, Dre…, ai-je dit lorsque nous nous sommes tous installés dans le salon, près de la cheminée en pierre grise.

– Oui, Patrick ?

Ce jour-là, il portait un jean marron foncé, un T-shirt gris perle sous un pull-over bleu marine au col relevé et un feutre gris foncé – rien à voir avec le style vestimentaire répandu dans les Berkshires. Il a retiré de la poche intérieure de sa veste une flasque en étain, puis il l'a portée à ses lèvres. Quand il l'a rangée dans sa poche, j'ai cru déceler de la réprobation dans le regard d'Amanda. Assise à l'autre bout du canapé, elle berçait doucement Claire.

— Je me demandais juste si vous comptiez retourner bosser aux, hum, Affaires familiales alors que, question famille, vous-même n'en avez visiblement rien à foutre de la légalité.

— Pas de gros mots devant le bébé, s'il vous plaît, m'a tancé Amanda.

— Elle n'a même pas un mois, a souligné Dre.

— N'empêche, j'ai pas envie qu'on jure devant elle, a-t-elle rétorqué. Vous jurez devant votre fille, Patrick ?

— Quand elle était bébé, ça m'arrivait. Aujourd'hui, j'essaie d'éviter.

— Et Angie, elle en pensait quoi ?

Ma femme et moi avons échangé un petit sourire.

— Ça l'agaçait un peu, ai-je admis.

— Beaucoup, a rectifié Angie.

Amanda nous a gratifiés d'un regard éloquent, genre : « C'est bien ce que je disais. »

— D'accord, ai-je capitulé. Toutes mes excuses. Je ne le ferai plus.

— Merci.

— Donc, Dre… ?

— Oui, oui, j'ai compris. Est-ce que j'ai l'intention de reprendre mon boulot alors que je vis à la colle avec une ado, c'est ça ?

— C'est l'idée.

Les mains jointes, il s'est penché en avant.

— Pourquoi faudrait-il que ça se sache ?

À ces mots, je me suis fendu d'un grand sourire.

— Je vais vous dire à quoi je pense, Dre. Je suis papa d'une gosse de quatre ans. Je l'imagine à seize, « à la colle », pour reprendre votre expression, avec une espèce de travailleur social minable au moins deux fois plus vieux qu'elle, qui a autant de moralité qu'un producteur d'émissions de téléréalité et qui tète sa flasque avant midi…

– Il est plus de midi, a-t-il objecté.

– De toute façon, vous n'en tenez pas compte, n'est-ce pas ?

Avant qu'il puisse répondre, Amanda a lancé :

– Le biberon doit être prêt, maintenant. Tu peux aller le chercher ?

Stiles s'est levé pour se rendre à la cuisine.

– Les leçons de morale, Patrick, c'est plutôt malvenu, a déclaré posément Amanda. Franchement, je crois qu'on n'en est plus là, vous et moi.

– Oh, parce que tu te places au-dessus de la morale, Amanda ? À l'âge canonique de seize ans ?

– Pas de la morale, juste des grandes tirades pompeuses qui me semblent un peu déplacées compte tenu de ce qu'ont vécu les personnes réunies dans cette pièce. Autrement dit, si vous croyez avoir une seconde chance de sauver mon honneur douze ans après m'avoir rendue à une mère que vous saviez nulle, vous vous fourrez le doigt dans l'œil. Vous voulez l'absolution ? Alors adressez-vous à un prêtre – un qui a une conscience, s'il en reste encore.

Dans le regard d'Angie, j'ai clairement lu : « Celle-là, tu l'as bien cherchée. »

Lorsque Stiles a rapporté le biberon, l'adolescente l'a remercié d'un sourire à la fois doux et las avant de glisser la tétine dans la bouche de Claire. Celle-ci s'est aussitôt mise à boire tandis qu'Amanda lui caressait tendrement la joue. Je me suis soudain demandé qui, parmi nous, étaient les adultes et qui les enfants.

– Quand as-tu découvert que tu étais enceinte ? a demandé Angie.

– En mai, a répondu Amanda au moment où son compagnon se rasseyait sur le canapé, plus près d'elle et du bébé, cette fois.

– Au bout de trois mois, donc, a observé Angie.

– Mmm.

– Vous avez dû recevoir un sacré choc quand elle vous l'a annoncé, ai-je dit à Stiles.

– Bah, pas tant que ça...

Je me suis tourné vers Amanda.

– Une chance que ta mère soit à côté de la plaque, pas vrai ?

– Hein ?

– Ça t'a aidée à lui cacher ta grossesse, j'imagine.

– Et après ? C'est arrivé à d'autres, non ?

– Oh, je sais, ai-je répliqué. J'ai connu deux filles, au lycée, qui ont réussi à tromper tout le monde. L'une d'elles était obèse, alors... bref, je ne te fais pas de dessin, mais l'autre s'est contentée d'acheter des fringues de plus en plus larges tout en se gavant de cochonneries devant nous, si bien que personne ne s'est aperçu de rien. Jusqu'à cette fin d'après-midi, en première, où elle a accouché dans les toilettes. Le concierge est entré pile à ce moment-là, et il est ressorti en hurlant avant de tourner de l'œil dans le couloir. Véridique. (Je me suis penché en avant.) Alors, oui, je sais que ça arrive.

– Parfait.

– Sauf que tu as déjà retrouvé la ligne, Amanda.

– Je fais du sport. (Elle s'est tournée vers Angie.) Vous avez pris combien ?

– Trop.

– Amanda adore le Pilates, a précisé Stiles.

J'ai hoché la tête comme si cette explication tenait la route.

– Et tu ne veux pas qu'on dise de gros mots devant le bébé, mais tu lui donnes du lait en poudre ? ai-je insisté.

– Ben oui, où est le problème ?

– Pour beaucoup de mères, il n'y en aurait pas. Mais toi, t'as tout d'une tigresse. Je le vois dans tes yeux : le premier qui s'avise de regarder cette gosse de travers, tu lui sautes à la gorge.

Elle a approuvé sans hésitation.

– Bref, tu n'es pas du genre à préférer le lait en poudre au lait maternel, en principe meilleur pour l'enfant.

Amanda a levé les yeux vers le plafond.

– Peut-être que…

– Et sans vouloir t'offenser, Claire ne te ressemble pas du tout, l'ai-je interrompue. Pas plus qu'à Dre, d'ailleurs.

Celui-ci s'est redressé.

– Je crois qu'il est temps pour vous de partir, mon vieux.

– Non, je ne crois pas, ai-je rétorqué. *Mon vieux.*

– Claire est ma fille, a affirmé Amanda.

– Mais ce n'est pas toi qui lui as donné le jour, n'est-ce pas ? a répliqué Angie.

– Rassieds-toi, Dre. (Amanda a déplacé la fillette contre sa poitrine, puis elle a ajusté la position du biberon. Elle nous a ensuite regardés tour à tour, Angie et moi.) Qu'est-ce que vous savez exactement ?

À peine Stiles avait-il repris place sur le canapé qu'il ressortait sa flasque, s'attirant de nouveau un coup d'œil méprisant de la part d'Amanda.

– D'abord, que pour une raison ou une autre, tu as une bande de cinglés de Ruskoffs aux trousses, a répondu Angie.

– Ah… Vous les connaissez ?

Angie a secoué la tête en me montrant du doigt.

— J'en ai rencontré deux, ai-je précisé.

— Comme ça, je dirais Yefim et Pavel, a déclaré Amanda.

J'ai acquiescé, notant du coin de l'œil que les traits d'Andre Stiles s'étaient crispés. De son côté, Amanda avait toujours l'air aussi imperturbable.

— Et vous savez aussi pour qui ils travaillent, je suppose, a-t-elle enchaîné.

— Kirill Borzakov.

— Également appelé le « Boucher du Bortsch », a ajouté l'adolescente en caressant le visage de Claire. Mais il a d'autres surnoms.

— T'as quel âge, nom d'un chien ? ai-je lancé, stupéfait.

— Vous avez déjà vu la femme de Kirill ?

— Violeta ? Non, j'ai entendu parler d'elle, c'est tout.

— Son père est le chef d'un cartel mexicain, a expliqué Amanda. Elle-même est adepte d'une espèce de religion mystérieuse dont les membres pratiquent les sacrifices d'animaux, voire pire, à en croire certaines rumeurs. Au Mexique, on lui a diagnostiqué de graves problèmes mentaux ; sa famille a réglé le problème en faisant assassiner le médecin. Et si elle a épousé Kirill, ce n'est pas simplement pour lui garantir un approvisionnement illimité en came, mais parce que c'est la seule personne encore plus déjantée qu'elle, et qu'ils sont raides dingues l'un de l'autre.

— Et toi, tu n'as rien trouvé de mieux à faire que de leur voler leur bébé, a enchaîné Angie.

Au moment même où elle prononçait ces mots, nous avons compris tous les deux qu'elle avait vu juste.

La tétine a glissé de la bouche de Claire.

— N'importe quoi ! s'est exclamée Amanda.

269

– Ah oui ? J'imagine mal des mafieux russes se lancer à ta recherche juste parce que t'es un tel génie de l'usurpation d'identité qu'ils ne peuvent plus se passer de tes services. À propos, Yefim a emmené Sophie, lui ai-je révélé.

– Quoi ?

– Il l'a enlevée. Et juste avant de partir, il a dit : « Peut-être qu'on lui en fera faire un autre, pourquoi pas ? » (J'ai incliné la tête pour mieux examiner Claire. Je savais maintenant d'où elle tenait ses lèvres, la couleur de ses cheveux…) C'est la fille de Sophie, pas la tienne.

– Si, c'est la mienne, a rétorqué Amanda. Sophie n'en voulait pas, elle allait la confier à un service d'adoption.

– Tiens donc. Et qui est le mieux placé pour faciliter le processus ? ai-je lancé en me tournant vers Stiles.

– Et alors ? C'est mieux que de pratiquer l'avortement, non ?

– Bien sûr, et je suis persuadé que ces gosses sont promis à une vie de rêve ! ai-je contre-attaqué. D'ailleurs, Claire a beaucoup de chance pour ses débuts dans l'existence : vous êtes tous les deux en cavale, traqués par des tueurs de la mafia, et vous tirez vos revenus principalement de l'usurpation d'identité et de la fabrication de speed. Oh, et du trafic de bébés, évidemment. Je me trompe, Dre ? C'est ça, la partie confidentielle de votre boulot, je parie : vous vous spécialisez dans les filles-mères. Alors, je chauffe ?

Il m'a adressé un sourire contraint.

– Vous brûlez.

– Vous vous êtes bien organisés, tous les deux, ai-je observé.

– En quoi suis-je différent d'un organisme d'adoption classique ? s'est-il défendu. Je trouve des parents pour les enfants que leur mère ne veut pas garder et…

– Sans prendre la moindre précaution ! l'a coupé Angie. Vous voudriez nous faire croire que vous êtes capable de mener une enquête sur les personnes à qui la mafia russe revend les bébés ?

– Pas toujours, d'accord, mais…

– Amanda ? a repris Angie. Parmi tous les bébés que tu aurais pu voler, pourquoi choisir précisément celui sur lequel les deux plus grands psychopathes de cette ville avaient jeté leur dévolu ?

– Vous avez déjà la réponse dans la question. (Claire s'était endormie contre son sein. Amanda a placé le biberon sur la table basse puis s'est levée.) En général, je ne peux que supposer où vont les bébés dont Dre négocie l'adoption. (Nouveau coup d'œil noir en direction de l'intéressé.) Et non, je ne me dis pas qu'ils vont connaître une « vie de rêve » ! (Elle a couché Claire dans un berceau en rotin installé près de la cheminée.) Sauf que là, je savais pertinemment que ce serait l'enfer pour cette petite fille. Sophie est accro au speed. Elle a arrêté pendant sa grossesse parce que je l'ai obligée à venir habiter chez nous et que j'étais tout le temps sur son dos. Mais elle a repris aussitôt après la naissance de Claire.

– Elle avait des raisons, a fait remarquer Stiles.

– Tais-toi, lui a-t-elle ordonné avant de s'adresser de nouveau à moi. De toute façon, Sophie n'aurait pas élevé Claire, c'est Kirill et sa femme bonne pour l'asile qui allaient l'emmener. (Elle s'est approchée de moi puis assise sur la table basse, amenant ses genoux presque contre les miens.) Oui, ils veulent cette gosse. Et oui, le plus simple serait de la leur rendre. Merde, je n'ose même pas imaginer ce qui se passerait si Yefim et Pavel arrivaient à me coincer seule dans une pièce ! Yefim garde en permanence une lampe à acétylène à l'arrière de son pick-up – comme celles que les ouvriers utilisent

sur les chantiers, avec un casque de protection et tout…
(Elle a hoché la tête.) Ça, c'est pour Yefim. Et c'est
sûrement le moins dingue du lot. Alors, est-ce que j'ai
peur ? Oh oui, je suis tétanisée de trouille. Est-ce que
c'était limite suicidaire de leur avoir enlevé Claire ? Certainement. Mais vous-mêmes, vous accepteriez de
confier votre fille à Kirill et Violeta Borzakov ?

— Bien sûr que non, a répondu Angie.

— Alors ?

— Le choix ne se réduisait pas à la confier aux Borzakov ou l'enlever ! Il y avait d'autres solutions.

— Non, a affirmé Amanda. Il n'y en avait pas.

— Comment peux-tu en être aussi sûre ?

— J'étais là-bas, pas vous…

— Où ça ?

Les lèvres pincées, elle est retournée vers le berceau,
et, les bras croisés, elle a observé le bébé.

— Angie ? Vous pouvez venir une minute ?

— J'arrive.

Ma femme l'a rejointe, et elles se sont toutes les deux
penchées vers Claire.

— Vous voyez ces marques sur sa jambe ? À votre
avis, elle s'est fait piquer par une bestiole ?

Angie s'est accroupie pour mieux voir.

— Je ne crois pas. On dirait juste des rougeurs. Pourquoi tu ne demandes pas à Dre ? Après tout, il était
médecin.

— Je n'ai pas trop confiance en lui, a-t-elle répliqué.
(À ces mots, Stiles a fermé les yeux et baissé la tête.)
Des rougeurs, alors ?

— Oui, c'est fréquent chez les bébés.

— Qu'est-ce qu'il faut faire ?

— Ça n'a pas l'air grave, mais je comprends que tu
t'inquiètes. C'est quand, ton prochain rendez-vous chez
le pédiatre ?

L'espace d'un instant, Amanda a paru presque vulnérable.

— En principe, je dois l'emmener demain pour la visite du premier mois. Vous pensez que ça peut attendre jusque-là ?

Un sourire rassurant aux lèvres, Angie lui a pressé l'épaule.

— Sans problème.

Un claquement sec dans notre dos nous a tous fait sursauter, mais ce n'était que le rabat de la boîte aux lettres aménagée dans la porte. Le courrier est tombé par terre : deux prospectus, quelques lettres…

Devançant Amanda, j'ai ramassé trois enveloppes, toutes adressées à Maureen Stanley : l'une provenait d'un fournisseur d'énergie, la deuxième d'American Express, la troisième de la sécurité sociale.

— Mademoiselle Stanley, je présume ?

Je lui ai tendu le courrier, qu'elle a récupéré d'un geste furieux.

Alors que nous nous retournions vers le berceau, j'ai vu Stiles ranger sa flasque dans sa veste.

Angie n'avait pas bougé. Les yeux toujours fixés sur Claire, elle paraissait rajeunie de dix ans. Soudain, son expression s'est durcie, et elle a foudroyé du regard Amanda et Stiles.

— Parmi tous les trucs qui ne collent pas dans le ramassis de conneries que vous nous avez servi depuis qu'on a franchi cette porte, une question arrive en tête de liste : qu'est-ce que vous faites encore ici ?

— Comment ça, ici ? Sur Terre, vous voulez dire ? a répliqué Amanda.

— Non, ici, en Nouvelle-Angleterre.

— Je m'y sens chez moi.

— Peut-être, mais tu es un as de l'usurpation d'identité.

— Disons que je me débrouille.

– Tu joues un sale tour à des Russes qui, accessoirement, sont des maniaques de la lampe à souder, et tu vas te planquer à moins de cent cinquante kilomètres ? ai-je renchéri. Tu pourrais être à Belize aujourd'hui. Ou au Kenya. Mais non, t'es restée ici. Je suis d'accord avec Angie sur ce coup-là : pourquoi ?

Claire s'est soudain agitée dans son berceau avant de pousser un vagissement strident.

– Ah, c'est malin, a marmonné Amanda. Vous l'avez réveillée !

20

Elle a emmené la fillette dans une chambre qui donnait sur le salon, et durant quelques instants nous les avons entendues toutes les deux à l'intéricur de la pièce – Amanda cajolait la petite en larmes –, puis elle nous a rejoints.

– Ils ne s'arrêtent donc jamais de pleurer ? a marmonné Stiles.

Angie et moi avons éclaté de rire.

– Hé, c'est vous le toubib !

– Je les mets au monde, c'est tout. Une fois qu'ils ont quitté le ventre maternel, je ne les vois plus.

– Vous n'avez pas étudié le développement de l'enfant à la fac de médecine ?

– Si, mais ça remonte à pas mal d'années... Et puis, c'était de la théorie ; là, c'est du concret.

J'ai haussé les épaules.

– De toute façon, y a pas deux gosses pareils. Certains font leurs nuits dès la cinquième ou sixième semaine.

– Ç'a été le cas pour la vôtre ?

– Non, Gabby ne nous a laissés dormir qu'au bout de quatre mois et demi.

– Quatre mois ? La vache !

– Là-dessus, elle a commencé à faire ses dents, a renchéri Angie. Vous croyez savoir ce que c'est, un bébé qui braille ? Laissez-moi vous dire que non, vous n'en avez pas la moindre idée. Et je ne vous parle même pas des otites…

– Tu te rappelles la fois où on a eu droit en même temps à une dent et à une otite ?

– Vous vous foutez de moi, a déclaré Stiles.

Avec un bel ensemble, ma femme et moi lui avons assuré que non.

– Pourquoi on ne les montre jamais comme ça dans les films et les émissions de télé ? a-t-il gémi.

– C'est vrai qu'ils ont tendance à disparaître commodément quand les héros ont besoin d'avoir le champ libre.

– Tout juste. Encore l'autre soir, je regardais cette série où le père est agent du FBI et la mère chirurgienne. Ils ont une gamine de peut-être cinq ou six ans, vous voyez ? Au début de l'épisode, ils sont en vacances ensemble, sans la gosse. Je me dis, OK, elle est avec sa nounou, sauf que dans la scène suivante on apprend que la nounou en question bosse au noir dans le même hôpital que la mère. Où est la gosse, alors ? Partie au supermarché du coin ? En train de jouer à la marelle sur l'autoroute ?

– Bah, c'est la magie d'Hollywood, a répondu Angie. C'est pareil dans les films où il y a toujours une place de stationnement devant l'hôpital ou l'hôtel de ville.

– De toute façon, Dre, qu'est-ce que ça peut vous faire ? ai-je demandé. Claire n'est pas votre fille.

– Peut-être, mais…

– Mais quoi ? Bon, puisqu'on a réglé le problème de votre paternité, question suivante : vous couchez avec Amanda ?

Il s'est calé dans le canapé, puis il a ramené sa cheville droite sur son genou gauche.

— Et après ?

— Répondez-moi, Dre.

— Pourquoi...

— Pourquoi ? Parce que vous ne semblez vraiment pas être son type d'homme.

— Elle a dix-sept ans...

— Seize.

— Elle en aura dix-sept la semaine prochaine, a-t-il précisé.

— Donc, elle en a encore seize.

— Ce que je voulais dire, c'est qu'à cet âge-là on ne sait pas encore trop par quel genre de personnes on est attiré.

— Pas par vous, en tout cas. (J'ai écarté les mains.) Désolé, je ne vous imagine pas un instant ensemble. Quand je vous vois la regarder, d'accord, je vois un mec qui attend ce dix-septième anniversaire pour soulager sa conscience. Mais dans son regard à elle, je ne vois rien de tel.

— Tout le monde change.

— Bien sûr, a approuvé Angie. En attendant, les goûts et les couleurs restent le plus souvent les mêmes.

— Oh, bon sang, a-t-il murmuré, l'air soudain pitoyable. J'en sais rien, bon sang, j'en sais rien...

— Quoi ? Qu'est-ce que vous ne savez pas ? a demandé Angie.

Quand il a levé les yeux vers elle, des gouttes de sueur perlaient sur son front et ses yeux semblaient recouverts d'une fine pellicule laiteuse.

— Je ne sais pas ce qui me pousse à toujours me foutre dans la merde. Je fonce droit dans le mur tous les trois ou quatre ans comme si je voulais m'assurer que je n'aurai jamais une vie normale. Oh, mon psy dirait sans doute que je cède à des comportements compulsifs et que je reproduis des schémas qui remontent au divorce de mes parents dans l'espoir illusoire d'arriver à modifier le dénouement. Ça, je peux le comprendre, croyez-moi, mais je voudrais tellement qu'un jour quelqu'un m'ordonne d'arrêter les conneries... Tenez, vous avez une idée de la façon dont j'ai fini par être interdit d'exercice et par me retrouver endetté jusqu'au cou auprès des Russes ?

Angie et moi avons secoué la tête.

– La drogue ? ai-je suggéré.

– Plus ou moins. Oh, je n'étais pas dépendant ni rien, ce n'était pas le problème. En fait, j'avais rencontré cette fille, une Russe – de Géorgie, plus exactement. Svetlana. Elle était... Merde, c'était une vraie bombe ! Insatiable au lit comme dans tous les domaines. Tellement belle qu'on se brûlait les yeux rien qu'à la regarder. Elle... (Il a reposé son pied droit par terre et l'a contemplé fixement.) Un jour, elle m'a demandé de lui prescrire du Dilaudid. J'ai refusé, évidemment, en me réfugiant derrière le serment d'Hippocrate, les lois du Massachusetts n'autorisant les médecins qu'à rédiger des ordonnances liées à des pathologies diagnostiquées, etc., etc. Quoi qu'il en soit, il ne lui a pas fallu huit jours pour obtenir gain de cause. Pourquoi j'ai cédé ? Je l'ignore. Peut-être parce que je n'ai aucune volonté. Bref, elle m'a usé. Trois semaines plus tard, je lui refilais à la chaîne des ordonnances pour son OxyCon, son putain de fentanyl et... à peu près tout ce qu'elle voulait. Quand je me suis rendu compte que toute cette paperasse risquait d'éveiller les soupçons, j'ai décidé de me servir directement dans la pharmacie de l'hôpital. J'ai même accepté un boulot au noir à Faulkner pour pouvoir me fournir là-bas aussi. Je ne m'en doutais pas, mais à ce moment-là je faisais déjà l'objet d'une enquête. Pour en revenir à Svetlana, elle avait remarqué à quel point j'aimais jouer au black-jack quand on était allés ensemble à Foxboro, et elle m'a introduit dans ce cercle à Allston. Il y avait une salle aménagée au fond d'une boulangerie ukrainienne. La première fois que j'ai joué, j'ai gagné gros. Les mecs étaient sympas, marrants, les filles superbes, et ils avaient tous dû se défoncer avec mes petites pilules. La fois suivante, j'ai encore gagné – beaucoup moins, mais rien d'alarmant. Lorsque j'ai commencé à perdre, ils se sont montrés compréhensifs : ils acceptaient d'être payés en Oxycon plutôt qu'en espèces sonnantes et trébuchantes, ce qui était une bonne chose parce que Svetlana m'avait pratiquement mis sur la paille. Ils m'ont donné une liste de courses : Vicodin HP, Palladone, Fentora, Actiq, ce bon vieux Percodan, j'en passe et des meilleures… Au moment où le conseil de l'ordre a déposé plainte contre moi et m'a fait arrêter, je devais vingt-six mille dollars aux requins de Kirill. Cela dit, vingt-six mille dollars, c'était l'équivalent des pourboires dans un bar en comparaison de ce qui se profilait à l'horizon, car à moins de vouloir faire entre trois et six ans à Cedar Junction, j'avais intérêt à trouver les fonds pour m'offrir de bons avocats… Et vlan, encore deux cent cinquante mille dollars empruntés aux Russes pour régler les honoraires de Cher, Payé & Associés – mais je n'ai eu à déplorer que ma suspension ; pas de peine d'emprisonnement, pas d'inculpation. Deux ou trois semaines plus tard, Kirill est venu s'asseoir à côté de moi dans un de ses restaurants pour me glisser que la partie « pas d'inculpation », c'était grâce à lui. Montant de la facture : un quart de million. Je ne peux pas prouver qu'il n'a pas influencé le juge, et de toute façon, même si j'en avais la possibilité, quand Kirill Borzakov décrète que vous lui devez cinq cent vingt-six mille dollars, qu'est-ce vous faites ?

– Vous lui refilez cinq cent vingt-six mille dollars, ai-je répondu.

– Tout juste.

Comme mon mobile vibrait, je l'ai sorti de ma poche. Constatant qu'il s'agissait d'un numéro inconnu, j'ai ignoré l'appel et remis le combiné dans ma poche.

– Là-dessus, Pavel, un des acolytes de Kirill – j'ai cru comprendre que vous vous étiez rencontrés –, est passé me voir pour me pousser à répondre à une offre d'embauche au Secrétariat des Affaires familiales. En fait, ils avaient un complice à l'intérieur – un gars aux Ressources humaines qui avait lui-même une dette à leur rembourser. C'est ainsi que j'ai obtenu un poste pour lequel j'étais manifestement surqualifié. Au bout de quelques semaines, cette gamine de quatorze ans jolie comme un cœur et enceinte jusqu'aux yeux venait de quitter mon bureau quand j'ai reçu un coup de téléphone me demandant de lui soumettre une proposition.

– Vous touchez combien par bébé ? a lancé Angie d'une voix dégoulinante de mépris.

– Mille dollars de moins sur mon ardoise.

– Donc, vous allez devoir leur fournir cinq cent vingt-six bébés avant de pouvoir remettre les compteurs à zéro ?

Il a acquiescé d'un geste fataliste.

– Vous en êtes à combien ?

– Trop loin du compte.

Mon mobile a de nouveau vibré. Je l'ai de nouveau sorti. Toujours le même numéro. Je l'ai remis dans ma poche.

– Vous imaginez bien que même si vous réussissez à leur trouver cinq cent vingt-six bébés à vendre sur le marché noir…, a commencé Angie.

– … ils n'en auront pas fini pour autant avec moi.

– Non.

Mon téléphone a vibré pour la troisième fois, m'annonçant un texto. J'ai soulevé le clapet.

Prend ce putain d'apel, man.
Cordialeman
Yefim

Dre a porté sa flasque à ses lèvres.

– Vous êtes comme une gamine de quinze ans avec votre portable, a-t-il observé.

– Et vous savez de quoi vous parlez !

Encore un coup de fil. Je me suis levé afin de sortir de la maison. Amanda avait raison : du perron, on entendait le ruisseau.

– Allô ?

– Salut à toi, mon ami. Le Hummer, il est où ?

– Je l'ai laissé près du stade.

– Ah, excellent ! Alors peut-être un jour moi je verrai Belichick[1] le conduire…

Malgré moi, j'ai souri.

– Qu'est-ce qui se passe, Yefim ?

– Où toi tu es, mon ami ?

– Je me balade, pourquoi ?

– Je me disais, tous les deux on devrait causer, tu crois pas ? Des fois qu'on pourrait se donner un coup de main entre nous.

– Comment t'as eu mon numéro ?

Il est parti d'un rire énorme, caverneux, qui a résonné longtemps à l'autre bout de la ligne.

– Toi tu sais quel jour on est ?

_____

1. Entraîneur de football américain.

– Jeudi.

– Très juste, mon ami. On est jeudi. Et vendredi sera un grand jour.

– Parce que Kenny et Helene te donneront ce qu'ils auront trouvé, c'est ça ?

Je l'ai entendu renifler.

– Peuh ! Kenny et Helene, eux ils seraient pas foutus de trouver le poulet dans une soupe au poulet, mon ami. Mais toi… J'ai regardé au fond de tes yeux en vidant mon chargeur sur cette caisse de pédé, et j'ai bien vu que toi t'avais la trouille – sinon, c'est que t'aurais eu du sang de serpent –, mais j'ai vu aussi que toi tu te posais des questions. Tu pensais : Si ce cinglé de Mordve il presse pas la détente, faut que je sache pourquoi il braque son flingue sur moi. Sûr, je l'ai vu dans tes yeux, *man*. Je l'ai vu. Et moi je connais les mecs dans ton genre.

– Quel genre ?

– Ceux qui reviennent tout le temps à l'attaque. C'est quoi déjà ce qu'on dit sur la taille du chien ?

– Ce n'est pas la taille du chien qui compte dans un combat, c'est…

– … l'envie de combattre dans le petit chien.

– Ouais, c'est l'idée.

– Alors forcément moi je crois que toi tu as compris où se planque Amanda la folle.

– Pourquoi tu dis qu'elle est folle ?

– Elle a volé des trucs à Kirill ! Donc elle est complètement barrée, mon ami. Et si toi t'as pas encore découvert sa planque, moi je veux bien parier un sac de souris que toi t'es tout près du but.

– Un sac de quoi ?

– C'est une vieille expression mordve.

– Ah.

– Réponds, mon ami : elle est où ?

— Laisse-moi d'abord te poser une question.

— Vas-y, je t'écoute.

— Qu'est-ce qu'elle a de si précieux pour vous ?

— C'est une blague, mon ami ?

— Non.

— Tu te fous de la gueule de Yefim ?

— Pas du tout.

— Alors pourquoi toi tu poses une question aussi débile ? Tu sais très bien ce qu'on veut.

— Franchement, non. Je sais que vous voulez retrouver Amanda, et aussi…

— C'est pas Amanda qui nous intéresse, mon ami, c'est ce qu'elle nous a pris. Ça donne une mauvaise image de Kirill, tout ça. Lui il passe pour un homme incapable de retrouver la gamine qui lui a volé son bien. Et dans le quartier, tu vois, les Tchétchènes ils commencent à se marrer. Va peut-être falloir qu'on en liquide quelques-uns juste pour leur faire fermer leur grande gueule, histoire qu'on soit plus obligés de regarder leurs putains de dents pourries.

— Alors qu'est-ce que…

— Le foutu bébé, *man* ! Et la foutue croix ! J'ai besoin des deux. Si ce crétin de toubib accro aux cartes il retourne bosser fissa et se démerde pour nous amener un autre mioche, je le refilerai à Kirill, lui il fera pas la différence. Mais si j'ai pas la croix et un bébé pour ce week-end ? Ce sera un putain de massacre, *man*.

— Tu me rendras Sophie en échange ?

— Non, je rendrai pas Sophie. C'est pas un marché. Quand Yefim dit qu'il veut la croix et le bébé, toi tu apportes la croix et le bébé. Sinon, rappelle-toi : y a cette soupe qu'on vend dans les petites villes au bord de la mer Noire, tu peux pas l'acheter ailleurs, elle est vendue en conserve dans des boîtes rouges. Ben, y aura des bouts de toi dans ces boîtes. Et des bouts de ta famille aussi, mon ami.

Durant quelques instants, aucun de nous n'a soufflé mot. À force de crisper ma main sur le combiné, j'avais la paume violacée et je ne sentais plus mon petit doigt.

– T'es toujours là, mon ami ?

– Je t'emmerde, Yefim.

Il a lâché un petit rire étouffé.

– Non, moi, je t'emmerde, *man*. Je vous emmerde tous, toi, ta femme et ta gosse à Savannah.

J'ai contemplé la route dont le bitume me paraissait aussi noir que les arbres dépouillés près de l'église. Les nuages descendus des montagnes s'étaient immobilisés juste au-dessus des lignes téléphoniques qui couraient le long de la rue. L'air était humide.

– Tu croyais qu'on te surveillait pas ? a repris Yefim. Ou qu'on connaissait personne à Savannah ? On a des amis partout, tu sais. OK, c'est vrai, toi tu comptes sur le cinglé de Polack pour protéger la petite, alors peut-être qu'on perdra deux ou trois gars quand on leur tombera dessus. Bah, c'est pas un problème ; on en mettra d'autres sur le coup.

Je contemplais toujours la route. Quand j'ai repris la parole, ma voix a rendu un son plus cassant que je ne l'aurais voulu.

– Vas-y, parle-moi de cette croix.

– C'est la croix du Bélarus, mon ami. Elle est vieille de mille ans. Certains ils l'appellent la croix des Varègues, d'autres la croix de Iaroslav, mais moi j'ai toujours préféré la croix du Bélarus. Elle a pas de prix, *man*. Le prince Iaroslav, tu vois, il a payé les Varègues avec cette croix pour tuer son frère Boris pendant la guerre d'unification, ça devait être en 1010 ou 1011. Mais après, une fois devenu le chef de toute la Russie kiévienne, il la regrettait tellement qu'il a envoyé d'autres

Varègues se battre contre les premiers pour lui rapporter la croix. En 1918, elle était dans la poche du tsar quand ses ennemis l'ont poussé contre le mur de cette cave et, *boum,* lui ont fait sauter sa cervelle. Trotski il l'avait emportée au Mexique quand il a pris un coup de piolet sur le crâne. Cette croix, elle a beaucoup voyagé, *man.* Aujourd'hui, c'est Kirill qui l'a, et lui il veut la montrer pendant la fête de samedi. Y aura tous les gros bonnets. La crème des gangsta. Et lui il a besoin de la croix.

— Et tu penses…

— Moi je pense pas, je sais. C'est la gamine qui l'a. Ou alors ce putain de toubib accro aux cartes. Oh, oublie pas de lui dire de retourner au boulot. Et tu lui dis aussi, il est tellement utile pour nous qu'on coupera pas un de ses doigts ; on coupera juste un orteil. Il s'en sert moins que de ses doigts. Après, c'est sûr, il boitera. Et après ? Y a des tas de gens qui boitent. Bon, toi tu te démerdes pour apporter la croix et le bébé, *man.* Moi je…

— Pas question.

— Je viens de dire…

— Je sais très bien ce que tu viens de dire, espèce d'emmanché ! T'as menacé ma femme et ma fille ! Je te préviens, s'il leur arrive quelque chose, ou si mon copain m'annonce qu'il a vu traîner au centre commercial un de tes enfoirés de potes à la dégaine calquée sur Stallone dans *Les Faucons de la nuit*, je fais sauter toute ta putain d'organisation ! T'entends ? Je…

Il a éclaté d'un rire si tonitruant que j'ai dû écarter le combiné de mon oreille.

— O-*kay*, a-t-il repris au bout d'un moment, des trémolos d'hilarité dans la voix. O-*kay*, môssieur Kenzie. T'es marrant, mon ami. Très très marrant. Toi tu sais où est ma croix ?

— Peut-être. Tu sais où est Sophie ?

– Plus maintenant, mais j'aurai vite fait de le savoir. (Il s'est de nouveau esclaffé.) Ça vient d'où, ça, « emmanché » ? J'avais encore jamais entendu.

– Aucune idée. Un vieux film, peut-être.

– Ça me plaît. Je peux le ressortir ?

– Je t'en prie.

– Le mec, je lui balance : « Crache le fric, l'emmanché, ou sinon… » Ha !

– Te gêne pas.

– Moi je trouve Sophie, toi tu trouves la croix. Je rappelle plus tard.

Sur un dernier éclat de rire, il a coupé la communication.

Je tremblais toujours quand je suis rentré dans la maison, et l'afflux d'adrénaline m'avait flanqué un bon mal de crâne.

– La croix du Bélarus, ça vous dit quelque chose ? ai-je lancé.

Apparemment, Stiles avait ressorti plusieurs fois sa flasque pendant mon absence. Angie était assise dans le fauteuil le plus proche de la cheminée. Sans que je puisse me l'expliquer, elle m'a paru toute petite, soudain, toute perdue. Le regard qu'elle a posé sur moi était insondable mais j'y ai néanmoins décelé une profonde tristesse, presque du désespoir. Amanda avait pris place à l'autre bout du canapé, un moniteur bébé vidéo placé sur le guéridon à côté d'elle. Elle avait ouvert *Last Night at the Lobster*, et à mon approche elle a posé le livre à plat sur la table basse.

– C'était qui ? m'a-t-elle demandé.

– La croix, ai-je répété.

– La quoi ?

– Amanda…

Elle a haussé les épaules.

– Je ne vois pas de quoi vous parlez.

Je n'avais ni le temps ni l'envie de jouer à ce petit jeu. Il ne me restait donc que deux options : la carotte ou le bâton.

– Ils te laisseront le bébé.

Elle s'est redressée.

– Quoi ?

– Tu m'as parfaitement entendu. (De la tête, j'ai indiqué Stiles.) Si ce petit génie, là-bas, est capable de se procurer un autre bébé illico presto, ils ne te reprendront pas Claire.

Amanda s'est tournée vers son compagnon.

– C'est possible ?

– Peut-être.

– Merde, Dre ! C'est possible ou pas ?

– Je ne sais pas, il y a bien cette fille qui est proche du terme... Elle est peut-être déjà en travail, mais rien n'est moins sûr. Vu le matériel dont je dispose, j'en suis réduit à pratiquer une science inexacte.

J'ai vu la mâchoire d'Amanda se crisper. Elle a attrapé ses cheveux à deux mains pour les rassembler en une queue-de-cheval qu'elle a nouée avec un élastique posé sur le bout de canapé.

– Patrick ? Yefim vous a dit quoi, au juste ?

– Il a été on ne peut plus clair : du moment qu'ils récupèrent la croix et un bébé, ils te foutront la paix.

Elle s'est tassée sur elle-même, les genoux ramenés contre la poitrine, ses orteils nus agrippant le coussin de l'assise. Les cheveux tirés, elle aurait dû paraître plus dure, moins vulnérable, mais c'était tout le contraire : en cet instant, elle était redevenue une enfant. Une enfant apeurée.

– Vous y croyez, Patrick ?

– Je crois surtout que Yefim, lui, y croit. De là à ce qu'il réussisse à abuser Kirill et sa femme, c'est une autre histoire.

– En fait, tout a commencé quand Kirill a vu une photo de Sophie, a-t-elle expliqué. Les photos, c'est un des... services que propose Dre, a-t-elle ajouté en lui jetant un rapide coup d'œil. Kirill et Violeta ont vu Sophie, elle leur a rappelé la petite sœur de Violeta, un truc comme ça, et à partir de là ils ont décrété qu'ils voulaient absolument son bébé et pas un autre.

– Donc, ça risque d'être beaucoup moins facile que ne me l'a laissé entendre Yefim.

– Rien n'est jamais facile dans la vie, a-t-elle rétorqué. Vous avez quel âge ?

J'ai répondu par un petit sourire.

Elle a de nouveau regardé Stiles, assis sur le canapé tel un chien attendant que son maître lui dise « parc » ou « croquettes ».

– De toute façon, a-t-elle ajouté, même s'il réussissait à trouver un autre enfant à temps, on serait toujours confrontés au même problème : est-ce qu'on accepterait de le donner à deux psychopathes ?

J'ai hoché la tête.

– Vous seriez prêt à aller jusque-là, Patrick ?

– Écoute, Amanda, je suis venu ici dans l'espoir de te retrouver et de récupérer Sophie. Je n'ai pas vraiment eu l'occasion de réfléchir à la suite des événements.

– Comme c'est commode...

– Hé, quand on a soi-même kidnappé un bébé, on est assez mal placé pour jeter la première pierre !

– Je sais, je me disais juste que vous avez dû tenir le même genre de raisonnement quand vous avez décidé de me ramener chez Helene y a douze ans.

– Ah non, ce n'est pas le moment d'embrayer là-dessus ! Je veux bien qu'on s'explique, mais plus tard, quand les choses se seront calmées. Là, d'accord, je serai ton homme. En attendant, il y a plus urgent : rendre cette satanée croix à Yefim et tenter de le convaincre qu'on lui procurera un autre bébé. La croix nous permettra certainement de gagner du temps ; Kirill a prévu de la montrer à ses invités samedi soir. S'il ne l'a pas récupérée d'ici là, il n'hésitera sans doute pas à tous nous descendre, ma famille comprise. Mais si on la rend à Yefim dans les délais, je suis sûr qu'il nous laissera deux ou trois jours pour le gosse.

Angie fixait sur moi des yeux écarquillés, étincelants de colère.

— Ça me paraît une bonne idée, a commenté Stiles.

— Le contraire m'aurait étonnée, a rétorqué Amanda avant de s'adresser de nouveau à moi. Et s'ils faisaient marche arrière ? Yefim ne devrait pas avoir beaucoup de mal à me localiser ; après tout, il vous a suffi d'une seule matinée pour nous retrouver. Alors qu'est-ce qui pourrait l'empêcher de mettre la main sur la croix et de revenir plus tard chercher Claire ?

— Sa parole.

— Ça vaut quoi, la parole d'un assassin qui a fait ses armes dans la Solntsevskaya Bratva, à Moscou ?

— Dans la quoi ?

— C'est un gang, m'a expliqué Amanda. Une sorte de confrérie. Un peu comme les Crips ou les Bloods, avec une discipline militaire et des ramifications qui vont jusqu'aux plus hautes sphères des conglomérats russes du pétrole.

— Ah.

— C'est là que Yefim a été formé, Patrick. Alors, vous pensez toujours pouvoir vous fier à sa parole ?

— Vu sous cet angle, non. Mais est-ce qu'on a une autre solution ?

Après avoir poussé une série de petits cris timides, Claire s'est mise à hurler. Nous l'entendions à la fois dans le haut-parleur du moniteur et de l'autre côté de la porte. Amanda s'est laissée glisser du canapé, elle a enfilé ses mocassins et attrapé l'appareil avant de se diriger vers la chambre.

— Putains de Ruskoffs ! a lancé Stiles en sortant une nouvelle fois sa flasque.

— Vous devriez ralentir un peu, ai-je observé.

Il a rebu un coup.

— Vous aviez raison, tout à l'heure.

— À quel sujet ?

La nuque calée contre le dossier du canapé, il a jeté un coup d'œil en direction de la porte de la chambre.

— Amanda. Je ne crois pas qu'elle m'aime beaucoup.

— Alors pourquoi elle reste avec vous ? a demandé Angie.

Il a avancé la lèvre inférieure puis lentement relâché son souffle vers ses sourcils.

— Elle a beau être forte, elle avait besoin d'aide pour s'occuper d'un nouveau-né, a-t-il répondu. Au début, vous n'arrêtez pas de cavaler au supermarché : couches, lait en poudre, re-couches, re-lait en poudre. Et toutes les quatre-vingt-dix minutes, le bébé se réveille en braillant. Pas facile de dormir ou d'avoir un moment à soi…

— Si je comprends bien, elle avait besoin d'un larbin. Stiles a acquiescé.

— Mais elle a pris le coup, maintenant. (Il a laissé échapper un petit rire chargé d'amertume.) Quand je l'ai rencontrée, je me suis dit : Tu tiens enfin ta chance, une gamine innocente, pure, intègre et d'une intelligence rare… Mince, elle est capable de citer aussi bien Shaw que Stephen Hawking, ou même de parler de *Frankenstein Junior* et de débattre avec vous de la physique quantique et des paroles de « Monkey Man » dans la même soirée. Elle aime Rimbaud et Axl Rose, Lucinda Williams et…

— Vous allez continuer encore longtemps comme ça ? l'a coupé Angie.

— Hein ?

— J'ai l'impression que vous espériez faire d'elle une sorte de réplicante à la *Blade Runner* en vous inspirant de toutes les nanas qui vous ont snobé au lycée, ai-je déclaré.

— Vous vous trompez.

— Je ne crois pas, non. Cette fille-là ne vous aurait pas repoussé, au contraire elle vous aurait idolâtré. Vous auriez pu la soûler toute la nuit avec vos discours sur Sigur Rós ou la signification métaphorique du lapin géant dans *Donnie Darko*, et elle, elle se serait contentée de battre des cils en demandant pourquoi vous n'étiez pas apparu plus tôt dans sa vie.

Il s'est absorbé dans la contemplation de ses genoux.

— Je vous emmerde, a-t-il marmonné.

— C'est noté.

J'ai repensé à la fillette que j'avais retrouvée au bout de sept mois de recherches, jouant devant une maison auprès d'une femme au grand cœur qui l'adorait et d'un bouledogue appelé Larry. Si je l'avais laissée tranquille ce jour-là, qui serait-elle aujourd'hui ? Peut-être une paumée capable de se remémorer suffisamment de choses au sujet de ses premières années, avant qu'elle ne soit enlevée à un parent négligent, pour savoir que sa vie avec Jack et Patricia Doyle s'était construite sur un mensonge. Ou peut-être n'aurait-elle gardé que de vagues souvenirs de l'époque où elle partageait avec son rebut de mère un appartement à Dorchester qui puait la moquette souillée et le tabac froid – des réminiscences tellement lointaines qu'elles ne l'auraient pas empêchée de mener une existence paisible dans une petite ville de l'Amérique profonde, et que ses connaissances dans le domaine de l'usurpation d'identité, de la fraude à la carte bancaire et des tueurs russes de la Solntsevskaya Bratva se seraient résumées à ce qu'elle aurait appris en regardant *60 minutes* à la télé. Quoi qu'il en soit, avec une mère comme Helene, et même si elle n'avait jamais été kidnappée, ses chances de devenir une personne saine et équilibrée devaient se situer aux alentours d'une sur une centaine de millions. Mais voilà, par une étrange ironie du sort, son enlèvement lui avait permis de découvrir une autre façon de vivre, un environnement d'où étaient absents les cendriers pleins à ras bord, les hamburgers, les avis de mise en demeure et les petits copains tout juste sortis de prison. Alors, après avoir eu un aperçu des perspectives offertes par cette minuscule ville de montagne, elle avait dû décider de tout mettre en œuvre pour y retourner. Et c'était probablement à partir de là que la détermination était devenue son principal trait de caractère.

— Ils ne lâcheront jamais le morceau, même si Yefim vous a dit le contraire, a soudain affirmé Stiles.

— Pourquoi ?

— D'abord, parce qu'ils veulent venger Timur.

— Allons bon ! Qui c'est encore celui-là ? a marmonné Angie en se levant.

— Un Russe.

— Ah. Et qu'est-ce qu'il lui est arrivé ?

— En gros, on l'a tué.

21

– Si je vous ai bien suivi, vous avez « en gros » tué un certain Timur pour pouvoir mettre la main sur la croix du Bélarus.

– Non, a répliqué Stiles.

– Non quoi ? Vous ne l'avez pas tué ?

– Euh, si, mais pas pour mettre la main sur la croix. On ne savait rien de cette fichue croix avant d'ouvrir la valise.

– Quelle valise ? a demandé Angie fort à propos.

– Celle qui était menottée au poignet de Timur.

J'ai plissé les yeux.

– « Kesse-tu me chantes, Willy ? »

Stiles a considéré sa flasque, pour finalement la ranger dans sa poche. Il en a sorti un porte-clés auquel était attaché un petit cadre en plastique contenant une photo de Claire, et il s'est mis à jouer distraitement avec les clés.

– Vous vous souvenez de Zippo ?

– Le petit copain de Sophie, a répondu Angie.

– C'est ça. Vous savez aussi que personne ne l'a vu depuis un bon bout de temps ?

– Oui, on en a déjà parlé.

Il s'est allongé sur le canapé comme s'il était dans le cabinet d'un psy, puis il a levé le porte-clés au-dessus de sa tête, amenant la photo de Claire devant ses yeux.

— Il y a un entrepôt à Brighton, le long du Mass Pike, où sont stockés des tas d'objets récupérés sur les plateaux de tournage. Tout le rez-de-chaussée est consacré aux affiches de film, dont une bonne moitié sont immenses et viennent d'Europe. Le premier est réservé aux accessoires et costumes ; vous voulez le diplôme de philosophie que Swayze avait accroché au mur dans *Roadhouse* ? Pas de problème, ils l'ont. Les Russes ont rassemblé toutes sortes de trucs bizarres, là-dedans : les chaps de Sharon Stone dans *Mort ou vif*, un des costumes en fourrure utilisés dans *Bigfoot et les Henderson*... Le deuxième étage, en revanche, est interdit d'accès, parce que c'est là que se trouvent les salles de travail et de repos. (Il a agité les doigts.) Je suis médecin, ne l'oublions pas, et ces bébés ne peuvent pas venir au monde dans un hôpital ; s'ils entrent dans le système, ils laissent une trace. Alors on conduit les mères sur le point d'accoucher dans cet entrepôt de Brighton, et en général les nouveau-nés sont dans un avion trois jours plus tard. Certains nous quittent même dès que le cordon est coupé.

— Ce qui a été le cas de Claire, est intervenue Angie, penchée en avant, le menton calé sur une main.

Stiles a levé l'index.

— Ce qui *aurait dû* être le cas de Claire, a-t-il rectifié. Mais il n'y avait pas que Sophie et moi dans la salle de travail, Amanda et Zippo étaient là aussi. Oh, ce n'est pas faute de m'être opposé à leur présence ! J'estimais que ce serait encore plus difficile pour eux de se séparer du bébé s'ils assistaient à sa naissance. Et puis, Amanda a eu le dernier mot, comme toujours... Du coup, nous étions tous avec Sophie quand elle a accouché. (Il a soupiré.) On a vécu un moment absolument incroyable. Tout s'est tellement bien passé ! Ça arrive, avec les mères jeunes. La plupart du temps, c'est difficile, mais parfois… (Il a haussé les épaules.) Bref, on était tous dans cette pièce, à rire, à pleurer et à se taper dans le dos – j'ai même serré Zippo dans mes bras, alors que je ne le supportais pas – lorsque la porte s'est ouverte sur Timur. Représentez-vous un géant au crâne rasé, avec des oreilles en feuilles de chou et une tronche à faire peur – le genre de créature tchernobylisée que seule une mère aveugle pourrait aimer. Vous croyez que j'exagère ? Eh bien, non, Timur était réellement né à Tchernobyl dans les années quatre-vingt, et c'était un vrai mutant dégénéré, doublé d'un alcoolique et d'un accro au crack. La totale. Il venait chercher le colis, il était en avance, complètement défoncé, et il avait une valise menottée au poignet.

Une ébauche de scénario prenait forme dans mon esprit : cinq personnes entrent dans une pièce, deux trouvent la mort mais quatre en sortent.

– Donc, il n'y avait pas moyen de le raisonner, ai-je conclu.

– Le raisonner ? (Stiles s'est redressé, puis il a glissé le porte-clés dans la poche de son pantalon.) Timur s'est engouffré dans la pièce en beuglant « Moi je prends bébé ! », et il a voulu couper le cordon ombilical. Je vous jure, je n'avais jamais rien vu de pareil. Cette espèce de monstre a attrapé les ciseaux avant de s'approcher de la petite que je tenais encore contre moi, vous imaginez le tableau ? Il se préparait à sectionner le cordon, un œil fermé sans doute parce que dans son état il voyait double, quand Zippo s'est agrippé à lui par-derrière et lui a tranché la gorge avec le scalpel. Il y est allé franco, croyez-moi, d'un côté à l'autre… (Pendant quelques secondes, il s'est caché le visage dans ses mains.) Ç'a été le pire cauchemar de toute ma vie, et pourtant j'ai été interne au service des urgences à Gary, dans l'Indiana, où le taux de criminalité bat des records...

Cela faisait déjà un bon moment que je n'entendais plus aucun bruit dans la chambre voisine. Intrigué, je me suis levé.

Stiles n'a rien remarqué.

– Mais ça ne s'est pas arrêté là, a-t-il poursuivi. Malgré sa gorge ouverte, Timur le mutant a réussi à se débarrasser de Zippo, et, quand le gamin est tombé, il lui a tiré deux balles dans la poitrine.

Parvenu près de la porte, je me suis immobilisé, aux aguets.

– Juste après, ce monstre a braqué son flingue sur nous, et on a tous cru qu'on allait y passer. Mais soudain, ses yeux se sont révulsés et il a perdu l'équilibre. En fait, il était déjà mort avant de toucher le sol.

J'ai frappé tout doucement.

– Au début, on ne savait pas trop comment réagir, et puis on s'est dit que, quoi qu'il arrive, les Russes voudraient nous faire la peau. Kirill aimait beaucoup Timur, vous comprenez, il le traitait comme son fidèle toutou – ce qu'il était, en un sens.

J'ai frappé de nouveau, avant de tourner la poignée. Elle n'était pas verrouillée. J'ai poussé la porte, pour découvrir une pièce vide. Pas de trace du bébé. Ni d'Amanda.

J'ai reporté mon attention sur Stiles. Il n'a pas paru surpris.

– Elle est partie ?

– Oui, ai-je confirmé.

– C'est une manie chez elle, a-t-il expliqué à l'intention d'Angie.

Postés à l'arrière de la maison, nous avons regardé le petit jardin bordé sur un côté par une allée de gravier qui descendait jusqu'à un étroit chemin de terre. En face s'étendait un autre jardin beaucoup plus grand au milieu duquel se dressait une bâtisse victorienne blanche aux encadrements de fenêtres peints en vert.

– Vous aviez une seconde bagnole garée derrière, c'est ça ? ai-je dit à Stiles.

– Hé, c'est vous les privés ! Vous auriez dû vérifier en arrivant... (Il a inspiré une bonne bouffée d'air pur des montagnes.) C'est une boîte manuelle.

– Hein ?

– Sa voiture. C'est une petite Honda. Amanda a dû desserrer le frein à main, descendre au point mort jusqu'au chemin de terre et tourner à droite. (Il a tendu la main.) De là, il lui a sans doute fallu moins de dix secondes pour rejoindre la route et démarrer. (Il a sifflé entre ses dents.) Et voilà, envolée !

– Super.

– Je vous le répète, c'est une manie chez elle de jouer les filles de l'air. À la moindre contrariété, elle disparaît. Ne vous inquiétez pas, elle reviendra.

– Et si elle ne revient pas ?

– Où voulez-vous qu'elle aille ? a répliqué Stiles.

– C'est une pro de l'imposture, non ? Elle peut aller n'importe où.

– Exact. Sauf qu'elle ne le fera pas. Vous savez, au départ, j'ai réagi comme vous, je lui ai proposé de partir à l'étranger, ou dans les îles... Amanda ne veut rien entendre. C'est ici qu'elle a été heureuse autrefois, alors c'est ici qu'elle tient à vivre.

– On peut la comprendre, mais le sentimentalisme a ses limites, surtout quand on est en danger de mort, a objecté Angie. Sans compter qu'Amanda ne me semble pas être une grande sentimentale...

– Peut-être, et pourtant c'est comme ça. (Stiles a levé les mains.) J'ai froid, je rentre.

Sans plus tarder, il a pénétré dans la maison. J'allais lui emboîter le pas quand Angie m'a retenu :

– Attends.

D'une main mal assurée, elle a allumé une cigarette.

– Yefim a menacé de s'en prendre à Gabby ?

– Technique d'intimidation classique.

– En tout cas, c'est efficace : je suis bel et bien intimidée. (Elle a tiré quelques rapides bouffées de sa cigarette en évitant de croiser mon regard.) Tu as promis à Beatrice de retrouver Amanda et de la ramener chez elle. Et tu… tu préférerais encore te couper un bras plutôt que de revenir sur ta parole, ce qui est sans doute ce que j'aime le plus chez toi. Tu le sais ?

– Oui.

– Tu sais à quel point je t'aime ?

J'ai hoché la tête.

– Bien sûr. Et ça m'aide beaucoup plus que tu ne le crois.

– Pareil pour moi. (Elle m'a gratifié d'un sourire vacillant avant de tirer une autre bouffée tremblante de sa cigarette tremblante.) Donc, tu dois tenir ta parole. D'ailleurs, je n'en attends pas moins de toi.

À ce stade, j'avais déjà compris où elle voulait en venir.

– Mais là, je n'y suis pas obligé, c'est ça ?

– Tout juste. Parce que « ce qui compte, c'est à *qui* tu donnes ta parole ».

Les larmes aux yeux, elle a souri.

– Ange ? T'imagines même pas l'effet que ça me fait quand je t'entends citer *La Horde sauvage*…

Elle s'est fendue d'une petite révérence moqueuse, pour reprendre presque aussitôt un air grave teinté de perplexité.

– Je me fous pas mal de ces deux dingues, Patrick. T'as entendu ce qu'il nous a sorti ? Ce type est une véritable ordure. Il vend des bébés, merde ! Dans un monde plus juste, il serait en taule, en train de défendre son cul, et pas tranquillement assis bien au chaud dans son salon au cœur d'une jolie petite ville… Et c'est à cause d'un taré pareil que ma fille est en danger ? (Elle a indiqué la maison.) Non, je ne peux pas l'accepter.

– J'ai compris.

– Et sachant maintenant que les Russes la savent à Savannah, je ne la laisserai pas dormir loin de moi ce soir.

J'ai eu beau lui expliquer que Bubba était déjà prévenu et qu'il m'avait parlé des « accessoires » qu'il avait emportés dans le Sud, je n'ai pas réussi à apaiser ses craintes.

– Il a bien fait, c'est sûr, a-t-elle admis. Bubba serait prêt à mourir pour protéger Gabby, je n'en doute pas une seconde. Mais moi, je suis *sa* mère. Il faut que j'aille la rejoindre. Ce soir. À n'importe quel prix.

– C'est ce que j'aime le plus chez toi. (Je lui ai pris sa main libre.) T'es sa maman, et elle a besoin de toi.

Angie a laissé échapper un petit rire dont le son m'a paru étranglé, puis elle s'est rapidement essuyé les yeux.

– Tout comme sa maman a besoin d'elle.

Elle m'a passé ses bras autour du cou pour m'embrasser, et dans l'air glacé la douce chaleur de sa langue m'a semblé encore plus douce, encore plus chaude.

Quand nos lèvres se sont écartées, elle a dit :

– Il y a une gare routière à Lenox.

J'ai fait non de la tête.

– Ne sois pas ridicule, Ange. Tu prends la jeep et tu fonces comme… bah, comme moi, quoi. Une fois arrivée à l'aéroport, tu n'auras qu'à la garer sur le parking longue durée. J'irai la récupérer à l'occasion.

– Et toi, comment tu rentreras ?

J'ai laissé ma paume s'attarder un moment sur sa joue en pensant à la chance inouïe que j'avais eue de rencontrer une femme pareille, de l'avoir épousée et d'avoir eu un enfant avec elle.

– Est-ce qu'une fois dans ta vie tu m'as entendu dire que j'avais eu des problèmes pour aller là où je voulais ?

– T'es un modèle d'autonomie. (Elle a levé les yeux vers moi, les joues désormais sillonnées de larmes.) Mais avec ta fille, on est bien parties pour changer ça.

– Oh, j'avais remarqué.

– Ah bon ?

– Ben tiens.

Elle m'a serré contre elle de toutes ses forces, les mains agrippées à ma nuque comme si j'étais la planche de salut qui l'empêchait de se noyer dans l'Atlantique.

Nous avons ensuite contourné la maison jusqu'à la jeep. Je lui ai tendu les clés. Elle s'est installée au volant, et durant une bonne minute nous nous sommes encore laissés aller en public à quelques démonstrations d'affection inconvenantes avant que je m'éloigne de la portière.

Angie a tourné la clé de contact puis m'a jeté un coup d'œil.

– Patrick ? Comment se fait-il qu'ils aient pu localiser Gabby en Géorgie mais pas une gamine de seize ans dans le Massachusetts ?

– Excellente question.

– Une gamine de seize ans qui se promène librement avec un bébé dans une ville qui compte quoi, deux mille âmes maximum ?

– Des fois, pour passer inaperçu, le meilleur moyen est de s'exposer au vu et au su de tous...

– Et des fois, quand un truc commence à sentir trop fort, c'est qu'il est pourri.

J'ai hoché la tête.

Elle m'a soufflé un baiser.

– Dès que t'arrives, tu m'envoies une photo de Gabby, lui ai-je recommandé.

– Ça marche. (Elle a brièvement tourné la tête vers la maison.) Franchement, je ne sais pas comment j'ai pu faire ce boulot pendant quinze ans. Et je me demande comment tu tiens le coup.

– Bah, j'évite d'y penser.

Elle a souri.

– Menteur !

Je suis retourné dans le salon, où j'ai découvert Stiles affalé sur le canapé, en train de regarder un talk-show, *The View*, où Babs et son équipe de filles discutaient avec Al Gore du réchauffement de la planète. La blonde nunuche aux clavicules saillantes lui a demandé des explications sur une étude qu'elle avait lue concernant un lien éventuel entre le réchauffement climatique et les flatulences des bovins. Al a souri avec l'air de quelqu'un qui, plutôt que de répondre, préférerait encore subir une coloscopie pendant qu'on lui dévitaliserait une dent. Mon portable a vibré, affichant un numéro masqué.

– Ça, c'est Yefim, ai-je annoncé.

Stiles s'est redressé.

– Je l'ai.

– Vous avez quoi ?

– La croix. (Avec un grand sourire de gamin espiègle, il a glissé une main dans l'encolure de son pull et du polo en dessous, puis il a tiré sur le cordon passé autour de son cou. Une grosse croix noire, large comme ma paume, pendait au bout.) Voilà. Dites à Yefim…

Avant de prendre l'appel, j'ai levé un doigt pour lui intimer le silence.

— Salut, l'emmanché, mon ami.

J'ai souri.

— Salut, Yefim.

— Ça te fait plaisir ? J'ai dit « emmanché ».

— Oui, c'est sympa.

— Toi t'as ma croix, *man* ?

J'ai jeté un coup d'œil à l'objet en question sur la poitrine de Stiles.

— Je l'ai.

Stiles a levé les pouces en se fendant d'un autre sourire idiot.

— Nous on se voit, alors, a décrété Yefim. Toi tu vas à Great Woods.

— Où ?

— À Great Woods, a-t-il répété. Le Tweeter Center. Ah non, attends… (Il a dû placer une main sur le combiné, car je l'ai entendu s'adresser à quelqu'un d'une voix assourdie.) On me dit que ça s'appelle plus le Tweeter Center. Ça s'appelle… quoi ? Toi tu quittes pas, Patrick.

— Le Comcast Center, ai-je déclaré.

— Le Comcast Center, a fait Yefim en écho. Toi tu connais ?

— Oui. Il est fermé en ce moment. Ce n'est pas la saison.

— Parfait, comme ça y aura personne pour nous embêter. Entre par la porte est. Après toi tu me retrouves près de la scène principale.

— Quand ?

— Dans quatre heures. Oublie pas la croix.

— Et toi, pense à amener Sophie.

— T'amènes aussi le bébé ?

— Pour le moment, j'ai que la croix.

– C'est un marché foireux, *man*.

– C'est le seul que j'ai à te proposer si tu veux que la croix soit chez Kirill samedi soir.

– Alors toi tu viens avec le toubib.

J'ai jeté un coup d'œil à Stiles qui, les yeux écarquillés, me dévisageait toujours. Il débordait d'un enthousiasme enfantin que j'ai supposé provoqué par une drogue quelconque.

– Mais peut-être que j'ignore où il est…

Yefim a poussé un profond soupir.

– Toi t'es trop malin pour pas savoir qu'on en sait plus qu'on dit qu'on sait.

Il m'a fallu une seconde pour donner un sens à sa réponse.

– Qui, « on » ?

– Moi et aussi Pavel. Écoute, mon ami, t'es mêlé à un truc que toi tu peux pas comprendre pour le moment.

– Oh, c'est vrai ?

– Crois-moi. Moi je joue son jeu à elle, toi tu joues le mien. Tu viens avec le toubib.

– Pourquoi ?

– Pour que moi je lui transmette le message en personne.

– Mmm… Ça ne me plaît pas des masses.

– T'en fais pas, *man*, c'est pas pour l'abîmer. Moi j'ai besoin de lui, je veux juste lui dire en face à quel point j'aimerais que lui il reprenne le boulot. Alors tu l'amènes.

– Je lui demanderai.

– O-*kay*. À plus.

Il a coupé la communication.

Stiles a replacé la croix sous son pull, mais j'avais eu le temps de l'examiner. Si je l'avais vue dans un magasin d'antiquités, je l'aurais estimée à environ cinquante dollars, pas plus. De style orthodoxe russe, elle était taillée dans un minéral noir, sans doute de l'onyx, et comportait des inscriptions latines gravées en haut et en bas. Au milieu, un motif sculpté représentait une autre croix, un glaive et une éponge au-dessus d'une petite colline – sans doute le Golgotha.

– On a du mal à croire qu'autant de gens soient morts pour si peu au cours des siècles, hein ? a lancé Stiles.

– Bah, la plupart des trucs pour lesquels les hommes sont prêts à tuer ne valent pas grand-chose…

– Sauf à leurs yeux, hélas.

J'ai tendu la main.

– Donnez-la-moi.

Il m'a décoché un sourire tout en dents.

– Allez vous faire foutre.

– J'insiste.

– « J'insiste », a-t-il répété en me faisant les gros yeux.

– Je ne plaisante pas, Dre. Vous allez me donner cette croix et je me chargerai de procéder à l'échange. Inutile que vous risquiez votre peau en allant affronter ces types ; vous n'êtes pas de taille.

Son sourire s'est élargi.

– Vous arrivez peut-être à tromper tout le monde avec vos beaux discours de gentil, mais moi je ne marche pas. Au fond, vous êtes comme les autres : si jamais vous mettez la main sur cette croix – cette petite chose de rien du tout qui se revendrait peut-être aussi cher qu'un Van Gogh… oh, vous envisagerez de suivre les consignes, jusqu'au moment où vous préférerez continuer tout droit pour aller la fourguer à quelqu'un.

– Ah oui ? Et qu'est-ce qui vous a empêché de le faire vous-même ? ai-je répliqué.

– Je ne connais pas de receleurs, je ne suis qu'un pauvre bouffeur de pilules, moi ! Rien à voir avec Val Kilmer dans *Heat*… Le premier à qui j'accepterais de confier ce truc ne manquerait certainement pas de me tirer une balle dans la tête dès que je lui tournerais le dos. Vous en revanche, vous devez connaître des tas de receleurs, je parie que vous avez des contacts fiables dans le milieu des criminels. Vous seriez déjà en route pour le Mexique avec cette croix si vous en aviez eu la possibilité.

– C'est vraiment ce que vous pensez ?

– Votre petit numéro merdique ne m'abuse pas.

– Apparemment pas, non. Mince alors ! Dites-moi, pourquoi Yefim, qui semble tout savoir sur nous, ne parvient pas à nous localiser ?

– Comment ça ? Qu'est-ce qu'il sait sur nous ?

– Qu'on est ensemble, pour commencer. Il a même fait une allusion à un jeu dont Amanda tirerait les ficelles, et auquel nous serions tous obligés de jouer.

– Et alors ? Vous en doutiez ?

Une heure plus tard, nous partions pour le Comcast Center, à Great Woods, près de Mansfield. Alors que nous approchions de sa voiture, Stiles m'en a confié la clé.

– Pourquoi ? ai-je demandé.

– Compte tenu de mon penchant pour les substances illicites, vous tenez vraiment à ce que je prenne le volant ?

J'ai conduit la Saab tandis que Stiles, sur le siège passager, regardait d'un air rêveur défiler le paysage derrière la vitre.

– Vous n'avez pas que de l'alcool dans le sang, ai-je observé.

Il a tourné la tête vers moi.

– J'ai aussi pris un ou deux Xanax, a-t-il admis. Bah…

Il s'est de nouveau absorbé dans la contemplation du paysage.

— Seulement deux ? ai-je insisté.

— Trois, pour être exact. Plus un Paxil.

— Picole et pilules, c'est tout ce que vous avez trouvé pour lutter contre la mafia russe ?

— Jusque-là, ça ne m'a pas trop mal réussi, a-t-il répliqué en faisant osciller la photo de Claire devant ses yeux larmoyants.

— Pourquoi vous gardez une photo de cette gosse, au fait ?

— Parce que je l'aime, vieux.

— Tiens donc...

Il a haussé les épaules.

— Enfin, je crois.

Trente secondes plus tard, il ronflait.

Quand il s'agit de procéder à une transaction illégale, il est assez rare que le meneur de jeu ne change pas le lieu du rendez-vous à la dernière minute. Pour lui, c'est un bon moyen de minimiser l'éventuelle menace d'une surveillance policière, dans la mesure où la présence de mouchards devient hautement improbable, et où les fédéraux tout de noir vêtus, chargés de micros perches, de matériel d'enregistrement et de téléobjectifs infra-rouges sont plus faciles à repérer lorsqu'ils sont obligés de crapahuter dans les parages.

J'étais donc persuadé que Yefim allait m'appeler pour me donner rendez-vous ailleurs, mais je tenais tout de même à jeter un œil sur place au cas où il s'abstiendrait. J'étais déjà allé au moins une bonne vingtaine de fois au Comcast Center, un amphithéâtre en plein air aménagé au milieu des bois de Mansfield, Massachusetts. Là, j'avais vu Bowie faire la première partie de Nine Inch Nails. J'avais vu Springsteen et Radiohead. Un an plus tôt, j'avais vu The National faire la première partie de Green Day, et pour un peu je me serais cru mort et arrivé au paradis du rock alternatif. Bref, tout ça pour dire que j'avais une idée assez précise de la disposition des lieux – une sorte d'immense cuvette dont une paroi était fortement incurvée et les autres plus larges, moins pentues et aménagées de telle sorte qu'en faisant le tour dans un sens, on finissait par déboucher sur l'amphi-théâtre lui-même, et dans l'autre, sur le parking. Les stands de T-shirts s'installaient en général sur ces hauteurs, à côté des kiosques où l'on vendait de la bière, de la barbe à papa, des bretzels chauds et des hot dogs géants.

Stiles et moi avons marché un moment tandis que la neige faisait une timide apparition dans le crépuscule. De minuscules flocons tournoyaient autour de nous telles des lucioles, pour fondre dès qu'ils touchaient une surface quelconque – un banc, le sol, mon nez. Parvenu près d'une des guérites en bois dressées près d'une rangée de tourniquets, je me suis aperçu que Stiles ne me suivait plus. Je suis revenu sur mes pas en essayant de repérer mes empreintes à peine visibles sur le ciment mouillé. Enfin, j'ai distingué les siennes, qui prenaient une autre direction. Je passais devant les places réservées aux VIP, non loin de la scène, quand mon téléphone a sonné.

– Allô ?

– Vous êtes où ? a lancé Amanda sans préambule.

– Je te retourne la question, ma belle.

– Pour le moment, ça ne vous avancerait à rien de savoir où je suis. On vient de m'appeler pour me dire que le lieu du rendez-vous avait changé. Quel rendez-vous, d'abord ? C'est quoi cette histoire ?

– On est au Comcast Center. Qui t'a appelée ?

– Un type qui avait l'accent russe. Étonnant, non ? Vous en avez d'autres, des questions aussi idiotes ? Il a dit aussi que Yefim n'arrivait pas à vous joindre.

– Comment les Russes ont-ils eu ton numéro ?

– Comment ils ont eu le vôtre ?

Je n'avais pas de réponse à lui fournir.

– Vous devez les retrouver dans une gare, a-t-elle déclaré.

– Laquelle ?

– Celle de Dodgeville.

– Dodgeville ? (Je me rappelais vaguement avoir vu le nom sur des colis quand je chargeais des camions à l'époque du lycée, mais je n'aurais pu le situer sur une carte.) C'est où, ça ?

– D'après le plan que j'ai sous les yeux, il faut prendre la Route 152 en direction du sud. C'est tout près, apparemment. Ah oui, ils ont ajouté qu'un seul de vous deux devrait descendre de voiture avec la croix. Vous l'avez ?

– C'est Dre qui l'a.

– Si vous ne l'apportez pas, ils tueront Sophie devant vous. Et après, ils vous tueront.

– Où… ?

Elle a coupé la communication.

J'ai longé l'allée pour rejoindre Stiles assis au bord de la scène, en contemplation devant les gradins.

– Ils ont changé le lieu du rendez-vous, ai-je annoncé.

Il n'a pas eu l'air surpris.

– Comme vous l'aviez prévu…

J'ai haussé les épaules.

– Ça doit être rudement agréable d'avoir raison tout le temps, a-t-il ajouté.

– C'est l'impression que je vous donne ?

Son regard a cherché le mien.

– Les types dans votre genre brandissent leur vertu en...

– Hé, ce n'est pas la peine de m'agresser parce que vous avez foutu votre vie en l'air ! C'est votre problème, je ne vous juge pas pour ça.

– Alors qu'est-ce que vous me reprochez au juste ?

– De vouloir vous faire une gamine de seize ans.

– Dans beaucoup de cultures, c'est considéré comme normal.

– Ah oui ? Eh bien, allez-vous installer dans un de ces pays. Ici, ça signifie avant tout que vous êtes un minable. Vous ne vous aimez pas ? Je n'y suis pour rien. Vous n'aimez pas le cours qu'a pris votre vie ? Bienvenue au club.

L'air mélancolique, soudain, il s'est de nouveau absorbé dans la contemplation de l'amphithéâtre.

– J'étais un sacré bon bassiste dans ce groupe que j'avais au lycée.

J'ai dû fournir un gros effort pour ne pas lever les yeux au ciel.

– À l'époque, on aurait pu faire tellement de choses ! Mais à un moment donné il faut bien choisir une voie, et c'est comme ça qu'on se retrouve à la fin de ses études de médecine avec une seule certitude : au mieux, on sera un praticien médiocre. À partir de là, comment peut-on vivre avec cette médiocrité ? Comment peut-on se résigner à toujours finir dans le peloton de queue, quelle que soit l'épreuve ?

Je me suis adossé à la scène sans répondre. En face de moi, les innombrables rangées de sièges offraient une vue saisissante. Derrière, l'immense pelouse déserte s'élevait vers le ciel sombre moucheté de flocons. En juillet, les lieux étaient bondés presque tous les soirs – soit vingt mille personnes en délire, le poing levé. Qui ne rêverait pas de monter sur cette scène pour jouir d'un tel panorama ?

Au fond, je plaignais un peu Stiles. Quelqu'un avait dû lui dire autrefois – sa mère, selon toute vraisemblance – qu'il était spécial. Et le lui répéter tous les jours, même s'il paraissait de plus en plus évident au fil du temps qu'il s'agissait juste d'un mensonge, aussi bien intentionné fût-il. Bilan des courses pour lui ? Une première carrière ruinée, une seconde sur le point de l'être, et sans doute aucun souvenir de la dernière fois où il avait passé une journée sans toucher aux stupéfiants.

– À votre avis, pourquoi n'ai-je jamais eu de scrupules à vendre des bébés ? m'a-t-il demandé soudain.

– Je n'en ai pas la moindre idée.

– Parce que tout le monde ignore ce qu'il en est. (Il m'a regardé droit dans les yeux.) Vous croyez que l'État fait mieux quand il place des gosses dans des familles d'accueil ? Qu'une seule personne en sait plus long que moi ? Non, on sait que dalle. Quand je dis « on », je veux parler de nous tous. On se pointe tous à la même réception merdique en espérant convaincre les autres qu'on est conformes à l'image qu'on donne. Et au bout de quelques décennies, qu'est-ce qui se passe ? Rien. Rien du tout. On n'apprend pas, on ne change jamais, et pour finir on meurt. Après, une nouvelle génération d'imposteurs prend le relais. Voilà. C'est comme ça.

Je l'ai gratifié d'une bonne bourrade dans le dos.

– Je suis sûr que vous avez de l'avenir dans l'épanouissement personnel, Dre. Bon, il faut qu'on y aille.

– Où ?

– À la gare de Dodgeville.

Il a sauté de la scène puis m'a emboîté le pas dans l'allée.

– Patrick ? Juste une petite question.

– Oui ?

– C'est où, Dodgeville ?

22

Dodgeville fait partie de ces localités tellement minuscules qu'au premier abord on peut les prendre pour une simple banlieue – en l'occurrence, celle de South Attleboro. Pour autant que je puisse en juger, il n'y avait même pas un feu de circulation, juste un panneau de stop à environ quinze kilomètres de la frontière du Rhode Island. Alors que je m'y attardais, j'ai remarqué sur ma gauche un panneau indiquant « Gare ». J'ai donc quitté la Route 152 pour suivre cette direction, et, au bout de quelques centaines de mètres la gare est apparue, comme tombée du ciel au milieu d'une vaste étendue boisée. De part et d'autre, la voie ferrée s'enfonçait dans la forêt, où elle disparaissait parmi les rangs serrés d'érables rouges. Nous nous sommes engagés sur le parking. À part les rails et le quai, il n'y avait pas grand-chose : pas de structure pour protéger les passagers de la morsure du froid hivernal, pas de distributeurs de sodas, pas de toilettes non plus. Juste deux kiosques à journaux près de l'escalier menant à la plateforme. Et un sous-bois dense derrière la voie ferrée. De notre côté, il n'y avait que le quai, au même niveau que les rails, et le parking où nous venions de nous garer, éclairé par des réverbères diffusant une lumière blafarde sous laquelle tourbillonnaient des flocons pareils à des papillons de nuit.

Mon téléphone a vibré. J'ai consulté le message :

Un des deux apporte la croix sur le quai. L'autre sort pas de la bagnole.

Stiles tendait le cou pour voir l'écran. Je n'avais même pas encore esquissé un geste vers ma portière qu'il ouvrait déjà la sienne pour descendre.

— Je m'en charge, a-t-il dit. Ne bougez pas.

— Non, vous…

Mais il s'éloignait déjà. Il a rapidement gravi les quelques marches qui le séparaient du quai, où il s'est arrêté. Devant lui, une bande de caoutchouc noir bordée de peinture jaune vif traversait la voie.

Durant quelques instants, il est demeuré immobile sous la neige qui tombait de plus en plus dru. Enfin, il a fait deux ou trois pas à droite, puis quatre ou cinq à gauche, avant de revenir vers la droite.

J'ai repéré la lumière avant lui : un petit rond jaune tressautant dans le sous-bois – manifestement le faisceau d'une lampe torche. Elle a décrit un mouvement vers le haut, vers le bas et de nouveau vers le haut, avant de glisser de la gauche vers la droite. La seconde fois, j'ai reconnu le signe de la croix, et pour le coup Stiles a réagi. Il a agité la main. Aussitôt la lumière s'est figée juste en face de lui, comme en attente.

J'ai baissé ma vitre.

Stiles m'a crié « Ne vous en faites pas ! » en s'avançant sur la voie. Les flocons grossissaient à vue d'œil, certains commençaient même à ressembler à des boules de coton.

Puis Stiles a disparu sous le couvert. La lampe s'est éteinte.

J'allais ouvrir ma portière quand mon téléphone a encore vibré.

Sors pas.

Le combiné posé sur mes genoux, j'ai attendu. Quoi de plus simple pour la partie adverse que d'assommer Stiles et de s'évanouir dans la nature avec Sophie, la croix et ma tranquillité d'esprit ? À cette pensée, ma main gauche s'est crispée sur la poignée de la portière. J'ai fait jouer mes doigts pour les détendre. Dix secondes plus tard, je me suis surpris à agripper de nouveau la poignée.

L'écran de mon portable s'est éclairé :

Patience, patience.

Dans les bois, la lumière jaune est réapparue, pour demeurer stationnaire à environ un mètre du sol.

Mon téléphone a vibré une troisième fois. Pour le coup, il ne s'agissait pas d'un message mais d'un appel entrant, numéro masqué.

– Allô ?

– Salut, mon... (La voix de Yefim s'est perdue un instant.) T'es où ?

– Quoi ?

– J'ai dit, où...

La communication a été interrompue.

J'ai entendu un bruit mat sur le gravier près du quai le plus proche du parking. J'ai voulu scruter la nuit derrière le pare-brise mais le capot de la Saab m'en empêchait. J'ai tout de même continué à regarder – qu'est-ce que je pouvais faire d'autre ? –, en actionnant brièvement les essuie-glaces pour dégager la neige. Quelques instants plus tard, Stiles émergeait du sous-bois à l'endroit même où il s'y était enfoncé. Il marchait vite. Et il était seul.

Mon mobile a vibré. Au même moment, j'ai entendu un son strident dehors. J'ai baissé les yeux vers l'écran : numéro masqué.

– Allô ?

– T'es où ?

– Yefim ?

Le pare-brise a disparu sous un paquet de boue en même temps qu'une secousse ébranlait la Saab si violemment que le tableau de bord a tremblé et que j'ai senti le siège tressauter sous mes fesses. Le gobelet vide logé dans le porte-gobelet est tombé sur le tapis de sol côté passager.

– Patrick ? … tu vas à… j'ai pas… scène.

J'ai de nouveau actionné les essuie-glaces, qui ont repoussé la boue à droite et à gauche – une boue pas très épaisse, ai-je noté –, pendant qu'un Acela traversait la gare en trombe.

– Yefim ? Ça passe mal.

– Tu… entends moi ?

En descendant de voiture parce que je ne voyais plus Stiles, j'ai remarqué sur le capot des taches de cette même substance qui avait maculé le pare-brise.

– Oui, moi je t'entends. Et toi ?

Stiles n'était pas sur le quai.

Ni ailleurs.

– Je… putain…

Nous avons été coupés. J'ai refermé le clapet puis regardé à gauche et à droite. Toujours pas de Stiles.

Je me suis retourné pour examiner les véhicules voisins de la Saab. Il y en avait six au total, garés à une certaine distance les uns des autres ; sous les lumières blanches falotes, j'ai remarqué qu'ils avaient tous sans exception le capot et le pare-brise éclaboussés par l'étrange substance. L'Acela avait disparu depuis longtemps, englouti par la nuit, fonçant à une vitesse qu'on imaginait seulement réservée aux jets. Si les voitures et le quai luisaient, ce n'était pas uniquement à cause de la neige en train de fondre.

Une nouvelle fois, j'ai scruté le parking, puis la plateforme.

Stiles n'était nulle part.

Pour la bonne raison que Stiles était partout.

Il y avait une lampe électrique et des sacs en plastique dans le coffre de la Saab. J'en ai pris deux pour protéger mes pieds, en nouant soigneusement les poignées autour de mes chevilles. J'ai ensuite pataugé dans le sang jusqu'au quai. J'ai trouvé une des chaussures de Stiles sur la voie, coincée contre la face interne du rail. Et aussi ce qui ressemblait à une oreille un peu plus loin sur la plateforme, mais c'était peut-être une partie du nez. De toute évidence, un Acela lancé à pleine vitesse ne vous écrase pas ; il vous pulvérise littéralement.

Alors que je longeais la voie, j'ai repéré une épaule à l'orée des bois – le dernier souvenir que j'emporterais d'Andre Stiles.

Je me suis approché de l'endroit où il était entré sous le couvert pour en ressortir quelques minutes plus tard. J'ai braqué ma lampe électrique sur la lisière, sans voir autre chose que des troncs noirs autour desquels s'étaient massées des feuilles mortes. J'aurais pu m'enfoncer sous les arbres, certes, sauf que *a)* je n'aime pas la forêt et *b)* l'heure tournait. L'Acela n'allait pas tarder à atteindre la gare de Mansfield, cinq kilomètres plus loin, et il y avait de bonnes chances pour que quelqu'un remarque le sang sur la motrice ou les voitures.

Sans compter que Yefim avait dû prendre la clé des champs depuis longtemps avec Sophie et la croix.

Quand j'ai retraversé la voie, j'ai d'abord eu toutes les peines du monde à donner un sens à ce que je voyais. Une partie de mon cerveau en avait compris suffisamment pour me pousser à éclairer la scène, mais l'autre nageait en pleine confusion.

Enfin, je me suis accroupi sur le gravier répandu entre les rails et la clôture bordant le parking. Je me suis rappelé le bruit mat que j'avais entendu un peu plus tôt lorsque quelqu'un, Dieu sait pourquoi, avait expédié l'objet de l'autre côté de la voie. Stiles avait dû vouloir le récupérer, pour se retrouver face à six cents tonnes d'acier roulant à plus de deux cent cinquante kilomètres/heure.

La croix du Bélarus.

Je l'ai saisie par l'extrémité de la branche gauche. Elle était mouchetée de flocons qui fondaient rapidement, révélant une surface aussi ensanglantée que les pare-brise sur le parking, les arbres alentour et l'escalier que j'ai descendu pour rejoindre la Saab. J'ai ouvert le coffre, et, assis au bord, j'ai ôté les deux sacs en plastique autour de mes pieds pour les fourrer dans un troisième. Avisant un chiffon, je m'en suis servi pour nettoyer la croix avant de le glisser lui aussi dans le plastique que j'ai fermé. J'ai ensuite placé le tout – plastique et croix – sur le siège passager, et j'ai quitté Dodgeville sans demander mon reste.

23

Il n'y avait qu'un pédiatre dans un rayon de vingt-cinq kilomètres autour de Becket : un certain docteur Chimilewski, à Huntington. Quand Amanda s'est garéc devant le cabinet à dix heures le lendemain matin, je suis resté où j'étais et je l'ai laissée aller à son rendez-vous. Assis dans la voiture de Stiles, j'ai repensé à la conversation que j'avais eue avec Yefim en quittant Dodgeville la veille au soir. Il m'avait appelé dix minutes après mon départ de la gare, et ce que nous nous étions dit alors n'avait toujours aucun sens pour moi.

Lorsque Amanda est sortie, vingt minutes plus tard, je l'attendais avec un gobelet de café que je lui ai tendu.

— J'ai pris les paris : avec crème, sans sucre.

— Je ne peux pas boire de café, a-t-elle répliqué. Ça aggrave mon ulcère. Mais merci quand même d'y avoir pensé.

Elle a pressé le bouton de sa télécommande pour déverrouiller sa voiture, puis, portant Claire dans son siège bébé, elle s'est dirigée vers la portière arrière. Je l'ai ouverte pour elle.

– Tu ne peux pas avoir d'ulcère, tu n'as que seize ans.

Amanda a placé le siège sur le support fixé à la banquette.

– Allez donc expliquer ça à mon ulcère ! Il s'est déclaré quand j'avais treize ans.

Je me suis écarté au moment où elle refermait la portière.

– Claire va bien ?

– Oui, a-t-elle répondu en la regardant par la vitre. C'était juste une inflammation. Provoquée par quoi ? Mystère... Angie avait raison, le médecin m'a dit que ça disparaîtrait tout seul. Apparemment, c'est fréquent chez les bébés.

– Mais c'est dur, pas vrai ? La plupart du temps, on se fait juste une grosse frayeur, il n'y a pas de problème grave, sauf qu'on n'en sait rien tant qu'on n'a pas consulté.

Elle m'a gratifié d'un petit sourire las.

– Je suis sûre qu'à force, le toubib finira par m'envoyer bouler.

– On ne peut pas t'envoyer bouler parce que tu t'inquiètes pour ton enfant.

– Peut-être pas, mais il doit bien rigoler dans mon dos.

– Bah, ça l'occupe...

Parvenue près de la portière côté conducteur, elle m'a jeté un coup d'œil par-dessus le toit.

– Vous pouvez me suivre ou me retrouver à la maison. Je ne compte pas m'enfuir.

– Tant mieux.

Je m'éloignais en direction de la Saab quand elle a demandé :

– Où est Dre ?

Je lui ai fait face.

– Il ne s'en est pas sorti.

– Il est... (Elle a incliné légèrement la tête.) Les Russes ?

Sans répondre, j'ai cherché dans ses yeux quelque chose qui me permettrait de déterminer dans quel camp elle était. À moins qu'elle ne joue sur tous les tableaux ?

– Patrick ?

– On se retrouve chez toi.

Elle s'est préparé du thé vert dans la cuisine, puis elle a apporté une tasse et la théière dans la salle à manger. Claire dormait dans le siège bébé posé au milieu de la table. Elle s'était assoupie pendant le trajet, et Amanda n'avait pas voulu prendre le risque de la réveiller en la transférant dans le berceau.

– Angie a fait bon voyage ? m'a-t-elle demandé.

– Oui, elle est arrivée à Savannah à minuit. Une demi-heure plus tard, elle était chez sa mère.

– C'est drôle, je ne l'imaginais pas originaire du Sud.

– Elle ne l'est pas. Sa mère s'est remariée à plus de soixante ans avec un homme qui habitait Savannah. Quand il est mort, il y a une dizaine d'années, elle a décidé de rester là-bas ; elle était tombée amoureuse du coin.

Amanda a placé la théière sur un dessous de verre avant de s'asseoir.

– Alors, qu'est-ce qui est arrivé à la gare ?

Je me suis installé en face d'elle.

– Explique-moi d'abord comment on a atterri là-bas.

– Vous le savez déjà, non ? On m'a téléphoné pour m'avertir que le lieu du rendez-vous avait changé.

– Qui t'a appelée ?

– Pavel, je crois. Ou peut-être un de ses copains, celui qu'ils appellent Spartak. En fait, maintenant que j'y repense, c'était probablement lui ; il a une voix plus aiguë que les autres. Mais bon, je ne pourrais pas en jurer. (Elle a haussé les épaules.) Avec leur fichu accent, c'est facile de les confondre.

— Et ce Spartak, ou je ne sais qui, t'a dit...

— Un truc du genre : « Le Comcast Center, on aime pas. Tu les préviens, la gare de Dodgeville, dans une demi-heure. »

— Mais pourquoi passer par toi ?

Elle a bu une gorgée de thé.

— Aucune idée. Peut-être que Yefim avait perdu votre...

J'ai secoué la tête.

— Ce n'est pas Yefim qui a donné ce coup de fil.

— Il a dû demander à Spartak, alors.

— Non. Yefim nous attendait au Comcast Center quand Stiles s'est fait pulvériser par un Acela.

La tasse de thé s'est immobilisée à quelques centimètres de la bouche d'Amanda.

— Vous pouvez répéter ?

— Andre Stiles a été happé par un train lancé à pleine vitesse. À l'heure qu'il est, les techniciens de la police scientifique doivent essayer de rassembler ce qu'il reste de lui. Et il ne reste pas grand-chose, crois-moi.

— Qu'est-ce qu'il foutait sur la voie ?

— Il voulait ramasser ça.

J'ai posé la croix du Bélarus sur la table, et nous l'avons contemplée en silence pendant une bonne vingtaine de secondes.

— Je ne comprends pas, a enfin déclaré Amanda. Il l'avait perdue ? Pourtant, il l'avait sur lui quand vous êtes partis d'ici, non ?

— Oui, mais je suppose qu'il l'a remise à quelqu'un, et que ce quelqu'un l'a expédiée sur la voie.

— Donc, vous pensez qu'il... (Elle a fermé les yeux

et secoué la tête.) Non, en fait, je ne sais pas ce que vous pensez.

– À vrai dire, moi non plus. La seule chose que je peux te dire, c'est que Stiles a traversé la voie ferrée pour entrer dans les bois et qu'ensuite la croix a été jetée de l'autre côté des rails. Il s'est précipité pour la récupérer pile au moment où un train arrivait. Pour sa part, Yefim affirme qu'il n'est jamais allé à la gare et qu'il n'a jamais changé le lieu du rendez-vous. Peut-être qu'il ment ou peut-être qu'il dit la vérité ; en tout cas, il n'en démord pas. Résultat des courses, on n'a pas Sophie, ils n'ont pas leur croix et on est vendredi. Sans Stiles, Yefim n'a plus aucune chance de trouver un autre bébé pour Kirill et Violeta. Par conséquent, il veut revenir aux termes du marché initial : la croix et Claire en échange de la vie de Sophie, de la mienne, de celle de mes proches et de la tienne.

Amanda a effleuré la croix à plusieurs reprises, la faisant glisser de quelques centimètres sur la table.

– Elle dit quoi, cette inscription ? a-t-elle demandé. Je ne connais pas le russe.

– De toute façon, c'est du latin.

– Ah. Vous connaissez le latin ?

– J'en ai fait quatre ans au lycée, mais j'ai dû retenir juste de quoi déchiffrer l'inscription qu'on grave sur la première pierre d'un chantier.

– Donc, vous séchez ?

J'ai pris la croix pour l'examiner.

– Peut-être pas. En haut, c'est marqué : « Jésus, fils de Dieu, conquiert. »

Elle a froncé les sourcils.

J'ai haussé les épaules en essayant d'activer mes neurones.

– Non, attends. Pas « conquiert », « écrase ». Non, « triomphe ». C'est ça : « Jésus, fils de Dieu, triomphe. »

– Et celle du bas ?

– Il est question d'un crâne et du paradis, il me semble.

– Vous ne pouvez pas faire mieux ?

– Hé, je te signale que j'ai pris mon dernier cours de latin dix ans avant ta naissance, ma belle ! Personnellement, j'estime que je ne m'en sors pas si mal.

Elle s'est resservi du thé, puis elle a saisi la tasse à deux mains et soufflé dessus. À peine avait-elle trempé ses lèvres dans le breuvage qu'elle a reposé la tasse sur la table. Sans me quitter des yeux, elle s'est appuyée contre le dossier de sa chaise, plus imperturbable que jamais, me renvoyant l'image d'une enfant étrangement sérieuse, d'un véritable modèle de maîtrise.

– Cette croix, elle ne ressemble pas à grand-chose, a-t-elle observé.

– Bah, c'est l'histoire qui lui donne sa valeur. Ou peut-être que quelqu'un a soudain décidé de lui attribuer un prix, comme à l'or.

– Ce système-là, ça me dépasse.

– Moi aussi.

– Quoi qu'il en soit, Kirill s'est déjà tellement ridiculisé dans cette histoire qu'il va vouloir notre peau à tous, a-t-elle affirmé. À commencer par la mienne.

– T'as lu les journaux, ces derniers temps ?

De la tête, elle m'a signifié que non.

– Il abuse de sa marchandise. Ou alors, il est en pleine dépression. Bref, au train où vont les choses, il y a toutes les chances pour qu'il encastre une de ses bagnoles dans un poteau électrique avant d'avoir pu te localiser.

– Ce serait trop beau… (Elle a grimacé.) Bon, admettons que tout se déroule au mieux dans ce scénario idéal que Yefim vous a présenté. On reste tous en vie : Sophie, moi, votre famille… Et elle, alors ? (Elle a désigné Claire toujours endormie, coiffée de son petit bonnet de laine rose assorti à sa grenouillère.) Quand Kirill et Violeta l'emmèneront chez eux, ils ne tarderont pas à découvrir que c'est un authentique bébé, pas une simple idée en l'air : elle peut pleurer à tout moment, elle s'énerve lorsque sa couche est mouillée, et elle pousse des hurlements terribles, dignes d'une banshee électrocutée, quand on l'habille ou quand on la déshabille, parce qu'elle ne supporte pas d'avoir quelque chose sur le visage et que j'oublie toujours de lui acheter des hauts qu'on ne passe pas par la tête... Alors, même en imaginant que ces deux gosses psychotiques enfermés dans des corps d'adultes s'habituent aux cris, aux contraintes et au manque de sommeil dû à la présence d'un bébé vingt-quatre heures sur vingt-quatre, sept jours sur sept... je veux bien leur accorder le bénéfice du doute... vous croyez vraiment que Kirill, après avoir perdu la face en se faisant voler l'enfant qu'il s'était procuré au marché noir, n'en voudra pas à Claire ? Vous l'avez dit vous-même, il est en train de péter les plombs. Vous ne pensez pas qu'un soir, il rentrera complètement défoncé à la vodka polonaise et à la coke mexicaine, et qu'il massacrera Claire juste pour avoir eu l'audace de pleurer parce qu'elle avait faim ? (Amanda a vidé d'un trait sa tasse de thé comme si elle avalait un verre de whiskey.) Et vous voudriez que je leur rende ma fille ?

— Ce n'est pas ta fille.

— Cette carte de sécurité sociale que vous avez vue hier... Ce n'était pas la mienne, mais la sienne. J'en ai déjà une à ce nom. C'est ma fille.

— Tu l'as kidnappée.

— Comme vous l'avez fait avec moi.

Elle n'avait pas haussé le ton, et pourtant j'ai eu l'impression de sentir les murs vibrer autour de nous.

Ses lèvres tremblaient, ses yeux avaient rougi, ses mains étaient parcourues de tressaillements. Jusque-là, si j'avais décelé chez elle quelques signes d'une colère parfaitement maîtrisée, je ne l'avais encore jamais vue manifester son émotion.

J'ai secoué la tête.

– Oh si, Patrick, c'est exactement ce que vous avez fait. (Elle a pris une profonde inspiration et contemplé le plafond pendant quelques secondes.) De quel droit vous êtes-vous permis de décider où se trouvait mon foyer ? Dorchester, c'était l'endroit où j'étais née, rien de plus. Helene m'avait mise au monde mais j'étais l'enfant de Jack et Tricia Doyle. Vous voulez que je vous dise quels souvenirs je garde de mon soi-disant « kidnapping » ? Pendant sept mois, sept mois de rêve, je me suis sentie bien ; je n'étais ni nerveuse ni anxieuse, je n'avais pas de cauchemars, je n'étais pas malade… C'est drôle comme on a tendance à se sentir mieux quand on quitte un logement où le ménage n'est jamais fait, où les cafards pullulent et où les assiettes sales s'empilent dans l'évier ! Je mangeais trois fois par jour, je jouais avec Tricia et le chien… Après le dîner, tous les soirs, elle m'enfilait mon pyjama et m'installait dans un fauteuil près de la cheminée, à sept heures tapantes, et avec Jack ils me lisaient une histoire. (Les yeux fixés sur la table, elle a hoché la tête à plusieurs reprises d'un air absent me laissant supposer qu'elle n'avait pas conscience de son geste. Enfin, elle a planté son regard dans le mien.) Et puis, vous avez fait irruption dans notre vie. On m'a ramenée à Dorchester, un travailleur social a déclaré Helene apte à m'élever, et quinze jours plus tard à sept heures du soir, vous voulez savoir ce qui est arrivé ?

J'ai gardé le silence.

– Ma mère avait passé la journée à boire parce qu'elle s'était fait poser un lapin la veille. Comme elle était trop bourrée pour s'occuper de moi, elle m'a couchée à cinq heures. À sept heures tapantes, elle est entrée dans ma chambre pour s'excuser d'être une aussi mauvaise mère – ou plutôt pour pleurer sur son sort, parce que de toute façon elle est incapable de se mettre à la place des autres. Et en plein milieu de ses discours larmoyants, elle m'a dégueulé dessus.

Amanda a tendu la main pour rapprocher la théière. Elle en a vidé le contenu dans sa tasse, sur laquelle cette fois elle n'a pas eu besoin de souffler.

– Je suis…

– Ah non ! Ne me dites surtout pas que vous êtes désolé, Patrick. Épargnez-moi ça, s'il vous plaît.

Le silence s'est prolongé une bonne minute, tendu, pesant.

– Tu les vois toujours ? ai-je finalement demandé. Les Doyle.

– Tout contact avec moi leur est formellement interdit. C'était une condition de leur remise en liberté.

– Mais tu sais où ils sont.

Elle m'a regardé un moment avant d'acquiescer.

– Tricia a écopé d'un an de prison ferme et de quinze avec sursis et mise à l'épreuve. Jack a été libéré il y a deux ans, après dix passés derrière les barreaux pour m'avoir lu des histoires le soir et nourrie correctement. Ils sont toujours ensemble, vous vous rendez compte ? Elle l'a attendu pendant toutes ces années… (Une lueur de défi a éclairé ses prunelles.) Aujourd'hui, ils habitent en Caroline du Nord, à la sortie de Chapel Hill. (Elle a dénoué sa queue-de-cheval et secoué la tête avec vigueur jusqu'à ce que ses cheveux lui retombent devant le visage. De derrière ce voile ses yeux m'ont de nouveau sondé.) Qu'est-ce qui vous a poussé à faire ça ?

– Faire quoi ? Te ramener chez toi ?

– Chez Helene, a-t-elle rectifié aussitôt.

– J'ai dû choisir entre mon éthique personnelle et celle de la société. Je me suis rangé du côté de la société.

– Dommage pour moi.

– Tu sais, j'ignore si je réagirais différemment aujourd'hui. Tu tiens à me culpabiliser ? Alors laisse-moi te dire que je me sens déjà coupable, et en même temps rien ne prouve que j'ai eu tort. Si tu gardes Claire, crois-moi, il t'arrivera de prendre des décisions qui l'amèneront à te détester, et pourtant tu les prendras quand même parce que tu seras persuadée d'agir pour son bien. Chaque fois que tu lui diras « non », par exemple… Oh, tu t'en voudras parfois, mais ta réaction relèvera de l'émotionnel, pas du rationnel. Moi, sur un plan strictement rationnel, je refuse de vivre dans un monde où les gens s'accordent le droit d'enlever un enfant à un foyer qu'ils estiment malsain pour l'élever d'une manière qui leur paraît plus décente.

– Pourquoi ? Les Affaires familiales sont là pour ça, non ? C'est bien ce que fait l'État tout le temps, quand il retire leurs enfants à des mauvais parents…

– Seulement au terme d'une procédure en bonne et due forme, Amanda. Après des expertises, des contre-expertises, un examen approfondi de la situation. Mais dans ton cas, ça ne s'est pas passé comme ça ! Un jour, ton oncle Lionel a pété les plombs parce que ta mère t'avait laissée au soleil tout l'après-midi. Elle avait trop bu pour se rendre compte de la gravité de la situation, alors elle t'a ramenée à la maison au lieu de t'emmener aux urgences, et c'est Lionel qui s'est occupé de toi. Il a prévenu un flic connu pour ses méthodes radicales lorsqu'il s'agissait de secourir des gosses qu'il pensait en danger, et ils ont organisé ton kidnapping. À aucun moment ta mère…

– Ne l'appelez pas comme ça, s'il vous plaît.

– OK. Il n'y a pas eu de procédure en bonne et due forme pour Helene. Pas d'opportunité pour elle de s'expliquer. Rien.

– Mon oncle Lionel l'avait vue m'« élever », à défaut d'un terme plus adéquat, pendant quatre ans, a-t-elle rétorqué. Je dirais qu'il a eu tout le temps d'examiner la situation et de mener une enquête approfondie.

– Alors il aurait dû s'adresser aux Affaires familiales et demander un droit de garde. Après tout, ça a marché pour la sœur de Kurt Cobain, alors qu'elle se battait contre une star richissime.

Amanda a hoché la tête.

– Bien sûr. Quand on aborde la question de – comment vous avez formulé ça, tout à l'heure… ? Ah oui, de l'éthique personnelle confrontée à celle de la société, Patrick Kenzie invoque la mémoire de Kurt Cobain pour défendre les intérêts de l'État.

Aïe. Touché.

Elle s'est penchée en avant.

– Vous voulez savoir ce que j'ai entendu dire sur vous, des années plus tard, Patrick ? Eh bien, j'ai entendu dire que ce bourreau d'enfants que vous aviez tué pendant que vous me cherchiez… Il s'appelait comment, déjà ?

– Corwin Earle.

– C'est ça. J'ai entendu dire, par des sources au-dessus de tout soupçon, qu'il n'avait pas d'arme quand vous lui avez tiré dessus. Qu'il ne constituait pas une menace pour vous. (Elle a avalé une gorgée de thé.) Pourtant, vous l'avez abattu. D'une balle dans le dos, si j'ai bien compris.

– Dans la nuque, en fait. Et pour être précis, il avait la main sur une arme.

– Donc, vous vous retrouvez face à un bourreau d'enfants qui ne vous menace pas directement, et votre éthique personnelle vous pousse à lui tirer dans la nuque. (Elle a feint de me porter un toast en levant sa tasse.) Bien joué. Je vous applaudirais si je n'avais pas peur de réveiller Claire.

Nous avons gardé le silence un moment sans qu'elle me quitte des yeux un seul instant. Son sang-froid avait quelque chose d'un peu effrayant, et j'avoue qu'il ne m'emplissait pas d'une affection débordante à son égard. En même temps, elle me touchait. Parce que le monde lui avait distribué de mauvaises cartes et qu'elle avait réagi en jouant le jeu, jusqu'au moment où elle avait abandonné la partie en lui faisant un doigt d'honneur. Parce qu'elle refusait de se lamenter sur son sort. Parce qu'elle ne semblait pas se soucier d'obtenir l'approbation de quiconque.

– Tu ne rendras jamais Claire, j'imagine…

– Même s'ils me brisaient tous les os un par un, j'aurais encore des forces pour leur résister, a-t-elle affirmé. Ils auraient beau me couper la langue, je n'arrêterais pas de hurler. Et à la première occasion, je leur arracherais les yeux à coups de dents.

Elle a souri.

– Et vous ? Vous ne me laisseriez pas me battre toute seule, hein, Patrick ?

– Peut-être pas, non. Mais une chose est sûre : je ne veux pas que Sophie meure ou finisse dans le harem d'un émir quelconque à Dubaï.

– Je vois.

– En attendant, Yefim réclame toujours un bébé.

– On n'a qu'à le faire patienter avec la croix.

– D'accord, sauf qu'il ne libérera pas Sophie pour autant, il se contentera de ne pas nous tuer tout de suite.

– L'imbécile…

– Qui ?

– Sophie. Je l'avais envoyée à Vancouver tout de suite après le… la…

– Stiles m'a parlé de ce qui s'est passé avec Timur dans la salle de travail.

– Ah. Eh bien, après, j'ai envoyé Sophie à Vancouver sous une nouvelle identité. Je lui avais fourni des papiers irréprochables, je vous assure – le genre qui se négocie à prix d'or. Je lui ai offert une seconde naissance…

– … qui l'a ramenée droit dans les bras des mafieux russes.

– Oui.

Je l'ai dévisagée durant quelques secondes, scrutant ses traits à la recherche d'une expression de doute, ne serait-ce que fugitive. En vain. Son regard est resté impassible.

– Tu es vraiment prête à tout abandonner ?

– Abandonner quoi ? Harvard et tout ce qui s'ensuit ?

– Entre autres.

Elle a écarquillé les yeux.

– Je me suis forgé cinq identités blindées, Patrick ; sous l'une d'elles, je suis déjà acceptée à Harvard l'année prochaine, et sous une autre à Brown. Je n'ai pas encore choisi. Quoi qu'il en soit, un vrai diplôme délivré par l'une de ces universités ne vaut guère mieux qu'un faux ; dans certains cas, il peut même vous desservir, parce qu'il est moins… malléable. Croyez-moi, Patrick, il existe aujourd'hui un septième continent, auquel on accède par un clavier. Vous pouvez repeindre le ciel, réécrire les règles du voyage, faire ce que vous voulez. Il n'y a ni frontières ni guerres de territoires, parce que rares sont ceux qui savent localiser ce continent. Moi, je sais. Certaines des personnes que j'ai rencontrées savent aussi. Tous les autres, dont vous, sont cantonnés ici. (Elle s'est penchée en avant.) Alors oui, si je me conforme à vos règles, je suis Amanda McCready, une gamine de presque dix-sept ans qui a laissé tomber ses études. Mais si j'applique les miennes, Amanda McCready n'est qu'une carte dans un jeu bien garni. Considérez ça comme…

Elle s'est brusquement interrompue en repoussant sa chaise, les yeux rivés à la fenêtre donnant sur la rue. En un éclair, elle a attrapé le sac à ses pieds et l'a jeté sur la table. En suivant la direction de son regard, j'ai découvert une voiture garée devant la maison.

— C'est qui ? ai-je demandé.

Sans répondre, elle a retiré du sac les deux paires de menottes les plus étranges que j'aie jamais vues : il n'y avait pas de chaîne entre les bracelets ; ils étaient soudés à la base et maintenus par une gaine de plastique noir. L'une des paires était de taille standard, l'autre minuscule. De quoi attacher un oiseau, peut-être.

Ou un bébé.

— D'où tu sors ces foutus trucs ? ai-je lancé en traversant la pièce pour aller verrouiller la porte d'entrée.

— Hé, pas de gros mots devant la petite, Patrick.

J'ai aperçu le haut d'une tête derrière la fenêtre de la salle à manger.

— D'accord. Grands dieux, que sont donc ces objets bizarres ?

— Des menottes rigides de haute sécurité. (Amanda s'est contorsionnée pour enfiler le porte-bébé.) On les utilise surtout pour le transfert des terroristes par avion. Je les ai fait modifier. Elles sont d'enfer, non ?

— Super. Combien de portes dans la maison ?

— Trois avec celle de la cave.

Déjà, elle sortait Claire du siège bébé, lui arrachant un gémissement assourdi suivi de petits cris de mécontentement. Elle a ajusté une des sangles du porte-bébé sur son épaule et l'autre à sa taille avant de glisser les jambes de Claire dans les ouvertures, pile au moment où quelqu'un balançait un coup de pied dans la porte de derrière.

Elle a refermé un des bracelets standard autour de son poignet gauche, l'autre autour de son poignet droit.

J'ai dégainé mon .45, que j'ai braqué sur l'entrée de la salle à manger.

Amanda a emprisonné le poignet gauche de Claire dans l'un des minuscules bracelets.

Une fenêtre a explosé dans le salon, et un instant plus tard nous avons entendu quelqu'un l'escalader. Je ne quittais pas des yeux l'entrée de la salle à manger, tout en sachant que les intrus avaient toujours la possibilité de me prendre en tenaille.

– Vous m'aidez ? a demandé Amanda.

Je me suis approché d'elle, et elle a levé la main droite pour amener le petit bracelet près du bras droit de Claire.

– T'as de la ressource, ma belle.

J'ai refermé la seconde menotte.

– Tant qu'à faire, autant aller jusqu'au bout, non ?

Kenny s'est matérialisé à l'extrémité de la pièce, un fusil braqué sur nous.

Instinctivement, j'ai dirigé mon .45 vers sa tête, mais je savais que ce geste ne rimait à rien ; si Kenny pressait la détente à cette distance, il nous tuerait tous les trois.

Le déclic d'un autre fusil, sur ma gauche cette fois, a attiré mon attention. J'ai tourné la tête, pour découvrir Tadeo au pied de l'escalier, à l'intersection de la salle à manger et du salon.

– Tu viens d'éjecter une cartouche en voulant faire ce joli petit bruit, ai-je observé.

Il s'est légèrement empourpré.

– Il m'en reste une à te loger dans la poitrine.

– Zut alors. T'as remarqué ? Ce flingue est presque aussi gros que toi.

– Il est surtout assez gros pour te couper en deux, connard.

– Sauf que le recul t'enverra mordre la poussière dehors.

– Lâche ton arme, Patrick, a ordonné Kenny.

Je n'ai pas bougé.

– T'es mexicain, Tadeo ?

Celui-ci a calé la crosse du fusil contre son épaule.

– Sûr, plutôt deux fois qu'une.

– Dis donc, je m'étais jamais retrouvé dans une impasse mexicaine avec un vrai Mexicain. C'est marrant, non ?

– Ça m'a tout l'air d'une remarque raciste, ça, connard.

– Comment ça, raciste ? T'es mexicain, on est dans une impasse mexicaine. Ce serait comme jouer à la roulette russe avec un natif de Moscou, tu vois ? Par contre, si sous prétexte que je suis irlandais tu m'accusais d'avoir une petite bite et d'être un poivrot, là, ce serait du racisme. Mais parler d'impasse mexicaine plutôt que d'impasse toute bête pour décrire, ben, une impasse, ça ne me paraît pas fondamentalement porter atteinte à la dignité de tes compatriotes.

– T'essaies de gagner du temps, est intervenu Kenny.

– Disons plutôt que je voulais donner l'occasion à tout le monde de se calmer.

Helene est apparue derrière Kenny. En voyant les trois armes, elle a étouffé un hoquet de stupeur, mais elle n'en a pas moins continué à avancer vers la salle à manger.

– Ne t'en fais pas, ma puce, a-t-elle dit d'une voix mielleuse. On veut juste le bébé.

– M'appelle pas « ma puce », a répliqué Amanda.

– Comment tu veux que je t'appelle, alors ?

– Étrangère.

– Récupère la môme, l'a pressée Kenny.

– D'accord, d'accord.

Amanda a levé les poignets de façon à montrer les menottes.

– Claire et moi, c'est un lot.

La mine de Kenny s'est allongée.

– Où sont les clés ?

– Derrière toi, dans le pot à clés de menottes. (Amanda a fait les gros yeux.) T'es con ou quoi, Ken ?

– Qu'est-ce qui m'empêche de te flinguer et de te scier les poignets ?

– Tu te crois revenu en 67 dans *Luke la main froide* ? a rétorqué Amanda. Tu vois une chaîne sur ces bracelets, quelque chose que tu pourrais cisailler ?

– Hé ! s'est exclamée Helene comme si elle incarnait la voix de la raison. Personne flingue personne, compris ?

– Ah oui ? a lancé Amanda. Et à ton avis, ma p'tite maman, quel sort me réserve Kirill Borzakov ?

– Il te tuera pas, a déclaré Helene en faisant un grand geste dans le vide pour mieux appuyer ses effets. Il a promis.

– Oh, dans ce cas, tout va bien pour toi, ai-je dit à Amanda.

– C'est évident !

– Patrick ? a appelé Kenny.

– Quoi ?

– Tu peux pas t'en tirer. Et tu le sais.

– On veut juste le bébé, a répété Helene.

– Et la croix, a ajouté Kenny, qui venait de la remarquer sur la table. Helene, va chercher ce machin.

– Quel machin ?

– La seule croix russe sur cette putain de table.

– Oh.

Au moment où Helene s'exécutait, j'ai remarqué un objet incongru parmi les affaires qu'Amanda avait sorties en vrac de sa besace – le porte-clés de Stiles. J'ai alors fait l'expérience de ce que Bubba appelle « une perturbation de la Force », et j'en ai conçu un tel choc que j'ai failli sommer Amanda de s'expliquer sur-le-champ, mais Kenny a choisi ce moment pour distraire mon attention en tapotant le canon de son fusil contre le mur.

– Baisse ton arme, Patrick. Je déconne plus, là.

J'ai regardé Amanda, puis le bébé sanglé contre sa poitrine et menotté à ses poignets. Claire n'avait pas émis un seul son depuis que le second bracelet avait été verrouillé ; elle se bornait à lever son petit visage vers Amanda comme si elle l'admirait.

– Votre pistolet me rend nerveuse aussi, m'a glissé Amanda. Et je ne vois pas comment il pourrait nous aider.

J'ai verrouillé le cran de sûreté puis levé la main, l'arme suspendue à mon pouce par le pontet.

– Récupère son flingue, Helene.

Quand cette dernière s'est approchée, je lui ai tendu mon pistolet et elle l'a fourré maladroitement dans son sac. Elle a ensuite jeté un coup d'œil à Claire derrière moi.

– Oh, qu'est-ce qu'elle est mignonne… (Elle a tourné la tête vers Kenny.) Tu devrais venir voir, Ken. Elle a mes yeux.

Durant quelques secondes, personne n'a soufflé mot.

– Comment c'est possible que t'aies le droit de voter et de faire fonctionner des machines ? a fini par lancer Kenny.

– C'est parce qu'on est en Amérique, a-t-elle répondu fièrement.

Il a brièvement fermé les yeux.

— Je peux la toucher ? a demandé Helene à Amanda.

— J'aimerais autant que tu t'abstiennes.

Sans tenir compte de la réponse, Helene a pressé la joue de Claire.

Celle-ci a aussitôt éclaté en sanglots.

— Super, a marmonné Kenny. Va falloir qu'on se farcisse ses braillements jusqu'à Boston.

— Helene ? a dit Amanda.

— Oui ?

— Tu pourrais me rendre un immense service ? Prends le sac de couches et la petite boîte de lait en poudre à côté.

— Qu'est-ce que tu vas faire de moi, Kenny ? ai-je voulu savoir. Me ligoter sur une chaise ou me descendre ?

La question a paru le dérouter.

— Ni l'un ni l'autre. Les Russes tiennent à ce que vous soyez tous là. Et, a-t-il ajouté en pointant trois doigts vers nous, ils paient au poids.

24

Le seul parc de mobile homes dans toute la périphérie de Boston se situe sur la frontière West Roxbury-Dedham, coincé entre un restaurant et un concessionnaire automobile sur une portion de la Route 1 en principe réservée à une utilisation industrielle ou commerciale. Déterminé depuis des décennies à ne pas céder aux promoteurs ni aux offres de rachat par le concessionnaire, il s'accroche toujours obstinément à son bout de terrain le long des eaux brunes stagnantes de la Charles River. J'ai toujours éprouvé une pointe d'affection pour cet endroit, m'enorgueillissant par procuration de la détermination des résidents à bloquer tout nouveau projet de développement. Franchement, ça me fendrait le cœur de passer un jour devant pour voir un McDonald's ou un Outback à la place. Cela dit, on ne m'aurait sans doute pas emmené dans un McDonald's pour me descendre, alors que j'étais apparemment bien parti pour rendre mon dernier souffle parmi les mobile homes.

Kenny a quitté la Route 1 pour se diriger vers la rivière à l'est. Il n'avait toujours pas digéré la perte de son Hummer, avais-je appris. De fait, il nous a soûlés avec ça pendant une bonne moitié du trajet, nous rabâchant que les flics l'avaient remorqué jusqu'à la fourrière de Southie et refusaient de croire à un prétendu vol, que lui-même risquait une révocation de sa conditionnelle s'ils pouvaient prouver sa présence dans les parages ce matin-là, mais que le plus dur pour lui – et de loin ! –, c'était qu'il y était vraiment attaché, à cette bagnole.

– Primo, je ne vois pas comment on peut s'attacher à un Hummer, ai-je objecté.

– Ben moi, j'en étais dingue, connard.

– Secundo, pourquoi tu me prends la tête comme ça ? C'est pas moi qui ai tiré sur cette caisse ridicule, c'est Yefim.

– Tu me l'avais fauchée.

– Mais c'est pas comme si je m'étais dit : « Tiens, et si je la canardais ? » J'essayais juste de savoir où ils emmenaient Sophie quand Yefim a criblé de balles cette mocheté.

– C'est pas une mocheté.

– Elle est monstrueuse, a renchéri Amanda.

– En plus, ça fait bagnole de tapette, est intervenu Tadeo. Je t'assure, Ken, t'es bien mieux sans.

Helene lui a effleuré le bras.

– Moi, je l'aimais bien, ta voiture, a-t-elle dit.

– Vous allez la fermer, tous ? a marmonné Kenny. S'il vous plaît.

Nous avons roulé en silence pendant les dernières quarante minutes. Kenny conduisait un SUV Chevy Suburban de la fin des années 1990 qui, s'il avait sans doute autant de kilomètres au compteur que le Hummer, paraissait cependant deux fois moins ridicule. Amanda, le bébé et moi étions assis à l'arrière, séparés par Tadeo. Ils m'avaient ligoté les mains derrière le dos, me contraignant à adopter une position des plus inconfortables pour faire deux heures de route, et je sentais peu à peu la douleur dans ma nuque se propager vers mes épaules, où elle s'attarderait pendant plusieurs jours, j'en étais sûr. Ça craint de vieillir.

Nous sommes sortis du Pike pour suivre la 95 vers le sud sur une quinzaine de kilomètres. Kenny s'est ensuite engagé sur la 109 en direction de l'est sur encore une dizaine de kilomètres puis il a tourné à droite pour prendre la Route 1, et encore à droite pour entrer dans le parc de mobile homes.

– On te paie combien pour ça ? lui ai-je demandé.

– Si je te disais qu'ils me laissent la vie sauve ? Pas mal, hein ? T'as de quoi doubler la mise ?

– Non.

– C'est bien ce que je pensais. Amanda ? a-t-il lancé en lui jetant un coup d'œil dans le rétroviseur.

– Oui, Ken ?

– Entre nous, j'ai toujours pensé que t'étais une chouette gosse.

– Formidable. Je mourrai comblée, Ken.

Il a ricané.

– Sérieux, t'es ce qu'on aurait appelé une pétroleuse, dans le temps.

– T'as plus de vocabulaire qu'on pourrait le croire, finalement...

Tadeo s'est esclaffé.

– Elle manque pas de couilles, la garce. (Il s'est tourné vers elle.) C'était un compliment.

– Oh, je n'en doutais pas, a-t-elle répliqué.

Nous arrivions au bout de la route. Sous un ciel d'un bleu limpide, les arbres et la rivière étaient du même brun clair, et une myriade de feuilles mortes piquetées de neige recouvrait tout – le sol, les voitures, les toits des logements, les antennes satellite, les abris en tôle faisant office de garages. Un rapace volait bas au-dessus de la rivière. Les mobile homes s'ornaient de couronnes et de guirlandes électriques multicolores, et j'ai même remarqué sur l'un d'eux une décoration lumineuse en forme de Père Noël au volant d'une voiturette de golf – allez savoir pourquoi.

En somme, c'était une de ces magnifiques journées qui, malgré le froid, permettait d'oublier les quatre mois de grisaille glacée encore à venir. L'air vif avait un parfum piquant qui m'évoquait une pomme froide. Quand, après avoir arrêté le Suburban, Kenny a ouvert la portière arrière pour me faire descendre, le soleil m'a ébloui en même temps que je sentais sa chaleur sur ma peau.

Amanda, le bébé et Tadeo sont sortis de l'autre côté et nous nous sommes tous rassemblés près d'un long mobile home installé sur la berge. Cette partie du parc était déserte. Ne voyant aucune voiture devant les quelques résidences proches, j'en ai déduit que leurs occupants devaient encore être au travail ou partis faire des achats de Noël de dernière minute.

Quelques secondes plus tard, la porte devant nous s'est ouverte sur Yefim, souriant la bouche pleine, un sandwich à la main, un Springfield XD .40 glissé dans sa ceinture.

– Bienvenue, mes amis. Venez, venez...

Il nous a invités à le rejoindre, et nous sommes entrés en file indienne.

Au moment où Amanda passait devant lui, il a haussé un sourcil en avisant les menottes.

– Pas mal. (Il a refermé la porte derrière nous avant de s'adresser à moi.) Comment ça va, l'emmanché ?

– Bien. Et toi ?

– Bien, bien.

L'intérieur du mobile home était plus grand que je ne l'avais imaginé de l'extérieur. Un écran plat 150 cm occupait la partie centrale du mur du fond. Deux hommes s'agitaient devant, jouant à Wii Tennis, mimant coups droits et revers et sautillant sur place tandis que leurs avatars nains cavalaient sur le court virtuel. À droite de la télé se trouvait un canapé en cuir bleu pâle, deux fauteuils assortis et une table basse en verre. Juste derrière, un épais rideau noir était tendu d'un côté à l'autre de la pièce. Sophie était assise sur le canapé, bâillonnée par du ruban adhésif, les mains attachées avec un tendeur. Son regard nous a survolés puis s'est subitement éclairé en découvrant Amanda.

Celle-ci lui a souri en retour.

À notre gauche était aménagée une kitchenette, derrière laquelle on voyait une petite salle de bains et une grande chambre. Il y avait des cartons partout, posés sur les étagères, empilés sur le sol, logés au-dessus des placards. J'en ai aperçu d'autres dans la chambre et j'ai supposé qu'il y en avait aussi derrière le rideau noir, constituant une véritable caverne d'Ali Baba version vingt et unième siècle : lecteurs DVD, lecteurs Blu-Ray, Wii, PlayStation, Xbox, enceintes *home cinema* Bose, iPod, iPad, Kindle, systèmes GPS Garmin…

Plantés dans le vestibule, nous avons regardé les deux hommes jouer au tennis virtuel pendant un moment tandis que Sophie continuait de nous dévisager. Elle avait bien meilleure mine que lors de notre dernière rencontre, comme si son organisme privé de speed pendant quelques jours commençait doucement à se remettre.

Yefim a incliné la tête vers moi.

— Pourquoi toi t'es attaché ?

— Demande à ton ami Kenny.

— Lui c'est pas mon ami, *man*. Tourne-toi.

Manifestement blessé par cette remarque, Kenny a jeté à Helene un coup d'œil qui semblait dire : « Ce qu'il faut pas entendre ! »

J'ai présenté mon dos à Yefim, qui a tranché la corde autour de mes poignets sans pour autant cesser de mordre dans son sandwich tout en inspirant bruyamment par ses narines poilues.

— Toi t'as l'air en forme, mon ami.

— Merci. Toi aussi.

Il a assené une grande claque sur sa bedaine proéminente.

— Ha, ha ! C'est marrant, ça, l'emmanché… Pavel ! a-t-il lancé d'une voix forte.

Ce dernier, interrompu en plein revers, a pivoté, laissant son avatar tournoyer sur place puis tomber sur le court tandis que la balle rebondissait près de lui.

— Et le boulot, alors ? Prends leurs armes.

Avec un soupir, Pavel a expédié sa télécommande sur un fauteuil, imité aussitôt par son compagnon. Maigre à faire peur, le crâne rasé et les joues creusées, celui-ci s'était fait tatouer des mots russes sur le côté du cou. Il portait un maillot de corps qui moulait son torse émacié et un pantalon de survêtement à rayures jaunes et noires.

— Spartak, m'a glissé Amanda à voix basse.

Le dénommé Spartak a délesté Tadeo de son fusil tandis que Pavel saisissait celui de Kenny.

— Les autres aussi, a ordonné Pavel en claquant des doigts, la voix et le regard aussi mornes qu'un jour sans soleil. Allez, magnez-vous.

Kenny lui a tendu un Taurus .38 et Tadeo a sorti un FNP-9. Le Russe a placé les deux fusils et les deux armes de poing dans un sac de toile posé par terre.

Ayant enfin terminé son sandwich, Yefim s'est essuyé les mains avec une serviette. Quand il a lâché un rot sonore, nous avons tous eu droit à une bonne bouffée d'un mélange de poivrons, de vinaigre et de ce qui m'a semblé être du jambon.

— Moi je devrais faire de la gym, Pavel.

L'autre barbu a détaché son regard du sac qu'il venait de fermer.

— Pourquoi ? T'es très bien comme ça, Yefim.

— J'ai quand même l'impression que moi je manque de discipline.

Pavel a emporté le sac dans le coin cuisine et l'a placé sur le petit plan de travail près de la gazinière.

— Je t'assure, toi t'es très bien, Yefim. Toutes les dames elles le disent.

À ces mots, un large sourire a illuminé le visage de Yefim, qui a haussé les sourcils en feignant de lisser son brushing.

— Moi je suis George Clooney, hein ? Ha, ha.

— Ouais, George Clooney avec une belle bite russe.

— George Clooney en mieux, alors ! s'est écrié Yefim, avant de s'esclaffer bruyamment, aussitôt imité par ses deux compatriotes.

Il y a eu quelques échanges de regards dans notre petit groupe.

Quand Yefim a cessé de rire, il s'est tamponné les yeux, puis, après avoir laissé échapper un soupir d'aise, il a tapé dans ses mains.

— Bon, on va voir Kirill. Spartak ? Toi tu restes avec Sophie.

Sur un hochement de tête, le squelette ambulant a ouvert le rideau noir, révélant un autre salon plus grand que celui où nous avions été introduits – à vue de nez, j'aurais dit quatre mètres cinquante sur six –, aux murs entièrement tapissés de miroirs. Un immense canapé violet en forme de U, sans doute fabriqué sur mesure car les deux côtés étaient aussi longs que la pièce, occupait presque tout l'espace. Au milieu, il n'y avait rien. Sur un écran de télévision fixé au plafond, et qui se reflétait dans les glaces, passait une *telenovela* mexicaine. Des dizaines de rayonnages couraient au-dessus du canapé, servant eux aussi à entreposer lecteurs Blu-Ray, iPod, Kindle et ordinateurs portables.

Un homme mince à la tête énorme avait pris place sur la partie centrale du sofa, près d'une brune dont l'air hagard exerçait immédiatement une fascination aussi irrésistible que morbide. Violeta Concheza Borzakov avait été belle un jour, mais quelque chose l'avait visiblement rongée de l'intérieur, et elle n'avait que trente ans, trente-deux maximum. Sa peau mate était légèrement grêlée, comme la surface d'un étang piquetée par les premières gouttes d'une pluie fine, et ses cheveux étaient du noir le plus noir que j'aie jamais vu. Dans ses yeux presque aussi sombres brillait une lueur à la fois effrayée et effrayante – reflet d'une âme mutilée, abandonnée et incapable dc trouver le repos. La femme de Kirill portait une casquette grise de livreur de journaux, un pull en soie noire à encolure arrondie sous une étole en soie grise, des collants noirs et des bottes noires. Elle nous a regardés approcher comme si nous étions des morceaux de choix qu'on lui apportait sur un chariot dans un restaurant de viande.

Pour sa part, Kirill Borzakov était vêtu d'un sweat-shirt en soie blanche sous une veste en cachemire également blanche, d'un pantalon de toile fauve et de tennis claires. Ses cheveux gris argent étaient coupés presque à ras sur son crâne disproportionné, et les poches sous ses yeux formaient au moins trois épaisseurs de chair gonflée. Il fumait en produisant ces petits bruits de succion assez répugnants qui vous dégoûtent à jamais de la cigarette, et il expédiait nonchalamment la cendre dans le voisinage d'un cendrier plein à ras bord près de sa main droite. Juste à côté se trouvait un miroir de poche sur lequel étaient disposés plusieurs petits tas de cocaïne. Son regard n'exprimait strictement rien ; à mon avis, cela faisait bien trois décennies que l'empathie s'y était recroquevillée pour mourir. J'avais le sentiment que si ma poitrine s'ouvrait soudain et que Lénine lui-même en sortait, Kirill continuerait de fumer tranquillement en regardant le soap mexicain.

— Mesdames et messieurs, moi je vous présente Kirill et Violeta Borzakov, a déclaré Yefim.

Kirill s'est levé, puis il a fait lentement le tour de notre petit groupe comme pour inspecter ses biens. Il a laissé son regard s'attarder sur Kenny et Helene avant de jeter un rapide coup d'œil à Pavel.

Celui-ci les a aussitôt pris par les épaules pour les obliger à s'asseoir au pied du canapé, sur le côté gauche. Sur un signe de tête du boss, Pavel s'est ensuite dirigé vers Tadeo qui, quelques secondes plus tard, se retrouvait assis sur la banquette près d'Helene.

Kirill tournait désormais lentement autour de moi.

— T'es qui, toi ?

— Je suis détective privé.

Il a tiré sur sa cigarette en émettant ce même petit bruit mouillé, puis il a fait tomber la cendre sur le parquet imitation chêne.

— Le détective privé qui a retrouvé la fille pour moi ?

— Non, je ne l'ai pas retrouvée pour vous.

Il m'a saisi la main gauche tout en hochant la tête comme si j'avais énoncé des paroles pleines de sagesse.

— Pas pour moi ?

— Non.

La pression de sa main sur la mienne était douce, presque délicate.

— Pour qui, alors ?

— Sa tante.

— Mais pas pour moi ?

— Non, pas pour vous.

Il m'a gratifié d'un autre hochement de tête avant de refermer ses doigts autour de mon poignet et d'écraser sa cigarette dans ma paume.

Je ne sais pas trop comment j'ai réussi à ne pas hurler. Durant une bonne trentaine de secondes, je n'ai plus senti que la douleur intolérable de cette braise incandescente en train de consumer ma chair. J'en percevais même l'odeur. Un écran noir a envahi mon esprit, puis il est devenu rouge vif, et sur cette toile de fond sanglante j'ai vu une image des nerfs de ma main semblables à des vrilles fumantes toutes racornies.

Pendant qu'il m'infligeait cette torture, Kirill Borzakov sondait mon regard. Le sien ne reflétait rien. Pas de colère, pas de joie, aucune trace de cette excitation engendrée par un acte de violence ou de cette euphorie que procure le sentiment de pouvoir absolu. Rien du tout. Il avait les yeux d'un reptile se chauffant au soleil sur une pierre.

J'ai grogné à plusieurs reprises avant de relâcher mon souffle à travers mes dents serrées en essayant de ne pas penser à l'aspect de ma paume. Je me suis concentré sur ma fille, ce qui a eu pour effet de me calmer un peu jusqu'au moment où, prenant conscience que jamais je n'aurais dû la mêler à cette scène de folie et de dépravation, j'ai fourni un gros effort pour la chasser de ma tête, et les élancements sont aussitôt devenus deux fois plus douloureux. Enfin, Kirill m'a libéré et il a reculé.

– Demande donc à la tante de faire repousser la peau.

J'ai éjecté le mégot éteint dans ma main en même temps que Violeta Borzakov s'écriait :

– Kirill ? Bouge, tu m'empêches de voir mon feuilleton !

La braise n'était plus que cendres noires, et le centre de ma paume ressemblait au cratère d'un volcan : fond rouge boursouflé, bordé de chair carbonisée.

À la télé, la musique a soudain retenti avec force, et une superbe Latina en chemisier blanc brodé est sortie en trombe d'une pièce couleur terre de Sienne. Son départ a été suivi par un spot publicitaire dans lequel Antonio Sabato Jr. faisait de la retape pour une crème anti-irritations.

J'aurais volontiers donné mille dollars pour cette crème. Deux mille, même, pour la crème plus un glaçon.

Violeta a détaché son regard de l'écran.

— Pourquoi la *bambina* est encore avec la petite fille ?

Amanda s'est tournée de façon à lui montrer les menottes.

— Yefim ? (Violeta s'est redressée, puis penchée en avant.) C'est quoi ce bazar ?

Les yeux du barbu se sont arrondis. Apparemment, il avait peur d'elle.

— Nous, on a amené le bébé comme promis, madame Borzakov.

— Comme promis ? Tu veux rire, t'as des semaines de retard, *pendejo* ! Des semaines. Et c'est toi qui l'as amenée, Yefim, ou eux ? a-t-elle demandé en esquissant un geste vague vers Kenny, Helene et Tadeo.

— C'est nous, a affirmé Kenny, toujours assis par terre. (Il lui a adressé un petit signe de la main qu'elle a ignoré.) Nous tous.

Kirill a allumé une autre cigarette.

— Tu as ton bébé, maintenant. Va le chercher, qu'on en finisse.

Violeta s'est coulée souplement jusqu'à Amanda tel un serpent d'eau. Elle a examiné Claire avant de la renifler.

— Elle est intelligente, au moins ?

— Elle n'a que quatre semaines, a répondu Amanda.

— Elle parle ?

— Elle n'a que quatre semaines.

Violeta a effleuré le front du bébé.

– Dis : « ma-man ». Vas-y, dis : « ma-man ».

Claire a fondu en larmes.

– Chut, a fait Violeta.

Les sanglots de la fillette ont aussitôt redoublé.

– « Chut, petit bébé, pas un mot, a chantonné Violeta. Maman va t'acheter un… »

Elle a balayé la pièce du regard.

– … bel oiseau ? ai-je risqué.

La femme de Kirill a avancé sa lèvre inférieure en signe d'approbation.

– « Et si l'oiseau retient son envol, maman va t'acheter… »

Nouveau coup d'œil interrogateur. Claire vagissait toujours.

– … une Corvette, a suggéré Tadeo.

Elle a froncé les sourcils.

– … une bague en diamant, a proposé Yefim.

– Ça ne rime pas.

– Pourtant moi je suis sûr que c'est ça les paroles, a-t-il protesté.

Les cris de Claire, de plus en plus stridents, évoquaient désormais les hurlements de banshee dont Amanda m'avait parlé.

Sans bouger du canapé, Kirill s'est penché vers le miroir pour sniffer un rail de coke.

– Calme-la.

– J'essaie, figure-toi, a répliqué Violeta. (Elle a de nouveau caressé la tête de Claire.) Chuuuuuut, a-t-elle sifflé entre ses dents. Chuuuuuuuut ! Chuuuuuuuut !

Ces exhortations n'ont rien arrangé, bien au contraire.

Kirill a grimacé avant de s'envoyer une autre ligne de coke. Il a ensuite porté une main à son oreille en accentuant sa grimace.

– Fais-la taire !

– Chuuuuuuuut ! Chuuuuuuuut ! Merde, je sais pas comment l'arrêter, moi ! s'est écriée Violeta. T'avais dit que t'engagerais une nounou.

– Je l'engage, d'accord, mais elle vient pas ici. Fais-la taire.

– Chuuuuuuuuuuuut !

Tadeo et Kenny s'étaient tous les deux bouché les oreilles tandis que Pavel et Yefim arboraient des mines congestionnées. Seule Helene ne paraissait pas affectée par le vacarme ; elle n'avait d'yeux que pour les lecteurs DVD et les iPod.

– Sucette ? ai-je lancé à Amanda.

– Poche droite.

J'ai esquissé un geste vers elle avant de consulter Yefim du regard.

– Je peux ?

– Oh oui, mon ami, vas-y.

J'ai attrapé la tétine.

– Chuuuuuuuuuuuut ! s'est époumonée Violeta.

Quand j'ai retiré la sucette de sa boîte en plastique, j'ai eu l'impression qu'on enfonçait une pointe dans ma paume brûlée. Les larmes me sont montées aux yeux, mais j'ai néanmoins réussi à la fourrer dans la bouche du bébé.

Le silence est aussitôt revenu. Claire s'est mise à téter comme si de rien n'était.

– C'est mieux, a commenté Kirill.

Violeta s'est passé les mains sur les joues.

– Tu l'as trop gâtée, a-t-elle reproché à Amanda.

– Pardon ? a lancé l'adolescente.

– C'est pour ça qu'elle braille pour rien. Il va falloir qu'elle apprenne à mieux se tenir.

– Elle n'a que quatre semaines, connasse !

– Pas de gros mots devant la petite, lui ai-je rappelé.

Amanda a cherché mon regard ; ses yeux brillaient, et j'ai cru y déceler une certaine chaleur.

– *Mea culpa.*

– Qu'est-ce que t'as dit ? (Violeta s'est tournée vers son mari.) Tu l'as entendue, Kirill ?

Celui-ci a étouffé un bâillement derrière son poing.

Violeta s'est approchée d'Amanda, qu'elle a fixée de ses yeux fous.

– Sépare-les, a-t-elle ordonné.

– Quoi ? a fait Yefim.

– Détache le bébé.

– Nous on peut pas cisailler ces menottes, a-t-il expliqué. Faudrait les brûler, peut-être.

Kirill, qui venait d'allumer une cigarette au mégot de la précédente, a déclaré :

– Alors brûle-les.

– C'est que… nous on risque de brûler la fille.

– Pas si tu lui tranches les mains, a déclaré Violeta, amenant son visage si près de celui d'Amanda que leurs nez se touchaient presque. D'abord, on la descend. Ensuite, on lui tranche les mains. Après, on trouvera un moyen d'enlever les bracelets à la *bambina*. (Elle s'est de nouveau tournée vers son mari.) D'accord ?

– Mmm ? a marmonné Kirill, absorbé par l'écran de télé.

– *Escuche ! Escuche !* s'est écriée Violeta en se frappant la poitrine. Je suis là, Kirill ! (Elle s'est frappée plus fort.) J'existe ! (Nouvelle pluie de coups.) Je vis dans ta vie !

– Oui, oui… Quoi encore ?

– On descend la fille, on lui tranche les mains.

– Comme tu veux, ma chérie. (Il a indiqué l'extrémité du mobile home.) Mais dans la chambre du fond, pas ici.

Quand Yefim a posé la main sur Amanda, elle n'a même pas tressailli.

— Non, c'est moi, a décrété Violeta.

Le barbu a haussé les sourcils.

— Hein ?

— Je veux le faire, a-t-elle dit sans quitter Amanda des yeux. Je la connais, elle préférerait qu'une femme s'en charge.

— Laisse-la s'en occuper, Yefim, est intervenu Kirill en esquissant un geste las.

Durant tout cet échange qui portait sur sa mise à mort, Amanda n'avait pas prononcé un mot. Elle ne tremblait pas, n'avait même pas blêmi. Elle se contentait de dévisager les deux autres d'un air impassible.

— Hé, une minute ! a soudain lancé Helene. Qu'est-ce qui se passe, là ?

Elle avait posé son sac à ses pieds. Les Russes ne l'avaient pas fouillé, et il contenait toujours mon .45. Mais il me faudrait faire au moins quatre pas pour l'atteindre, puis plonger la main à l'intérieur, ôter le cran de sûreté et le pointer sur quelqu'un. Autant dire que, dans le plus optimiste des scénarios, Pavel et Yefim auraient largement le temps de me trouer la peau une bonne vingtaine de fois.

Je suis resté où j'étais.

— Qu'est-ce qui se passe ? a répété Helene dans l'indifférence générale.

Violeta a embrassé Amanda sur la joue puis caressé la tête de Claire.

— Madame Borzakov ? est intervenu Yefim. Vous, hum… vous avez déjà tiré avec cette arme ?

Elle s'est approchée de lui.

— Quelle arme ?

— Celle-là, un automatique calibre quarante.

— J'aime mieux les revolvers.

— Moi j'en ai pas pour le moment.

— D'accord. (En soupirant, elle a repoussé ses cheveux en arrière.) Explique-moi comment ça marche.

Yefim lui a placé l'arme dans les mains et lui a montré où se trouvait le cran de sûreté.

— Il dévie un peu à gauche, a-t-il dit. Et ici, entre ces murs, ça va faire un sacré boucan.

— Kenny ? a piaillé Helene. T'avais promis que personne serait blessé !

L'intéressé s'est adressé à Kirill.

— Hum, c'est vrai, monsieur Borzakov. On avait passé, ben, un marché, quoi.

— Nous on passe pas de marché avec toi, a répliqué Kirill.

Il a adressé un signe à Pavel, qui a aussitôt braqué un Makarov sur Helene et Kenny.

— Je les emmène aussi au fond, Kirill ?

— Oui. Où est l'autre fille ?

— La mère du bébé ?

— Oui.

— C'est pas un problème, boss. Elle est dans le salon. Spartak il s'en occupera dès que je lui dirai.

— Bien, bien.

Yefim a terminé ses explications.

— Vous avez compris, madame Borzakov ?

— Oui, j'ai compris.

— Vous êtes sûre ?

Elle lui a rendu l'arme.

— Évidemment que j'en suis sûre ! Tu me prends pour une conne, Yefim ?

— En fait, oui.

D'un mouvement presque imperceptible, il a légèrement relevé le canon et pressé la détente. La balle a percé la chair tendre sous le menton de Violeta pour ressortir par le haut du crâne dans un jaillissement de sang et d'os. La casquette s'est envolée. Ses genoux se sont dérobés, partant d'abord vers la gauche, puis vers la droite, et elle est tombée sur le canapé avant de glisser par terre.

Juste après, Yefim a logé une balle dans le ventre de Kirill qui se redressait, lui arrachant un gémissement semblable à celui que j'avais entendu un chien pousser un jour quand il avait été heurté par une voiture.

Spartak a écarté le rideau pour s'engouffrer dans la pièce, son arme à la main, et Pavel lui a tiré dans la tempe. Le maigrichon a encore fait un pas tandis que sa cervelle formait des traînées grises et rouges sur les miroirs derrière lui, puis il a chuté lourdement près de mon pied en laissant échapper des halètements.

Halètements qui ont cessé au bout de quelques secondes.

Déjà, Pavel pointait son arme sur le torse de Kenny.

– Non, attends ! s'est écrié ce dernier.

Le blond a regardé Yefim, qui a jeté un coup d'œil à Amanda. Un instant plus tard, il a reporté son attention sur Pavel et fermé brièvement les paupières.

Touché en pleine poitrine, Kenny a tressauté comme s'il avait été piqué par un aiguillon.

Helene a hurlé.

Les yeux clos, Tadeo répétait inlassablement :

– Non, non, non, non…

Kenny a levé un bras en roulant des yeux fous, emplis d'une terreur absolue. Pavel a avancé d'un pas pour lui expédier une balle dans le front, l'immobilisant à jamais.

Helene s'est recroquevillée en position fœtale, les lèvres figées sur un cri silencieux, le menton dégoulinant de salive, incapable de détacher son regard de Kenny plus mort que mort gisant à côté de Spartak. Pavel a fait pivoter son arme vers elle mais n'a pas pressé la détente. Tadeo s'est laissé glisser du canapé, il est tombé à genoux et il a commencé à prier.

Kirill tâtonnait à l'aveuglette sur le canapé comme s'il essayait de trouver la télécommande dans le noir. Le pull et le pantalon trempés de sang, il ne cessait de pousser des grognements assourdis. Levant les yeux vers le plafond, il a tenté d'avaler une grande goulée d'air lorsque Yefim a posé un genou sur le coussin à côté de lui et appuyé le canon du Springfield XD sur son cœur.

— Moi je t'aimais comme un père, Kirill, mais toi tu deviens un putain de boulet. Y a trop de poudre dans ton nez, je crois. Et peut-être trop de vodka aussi dans ton bide, hein ?

— Plus personne voudra bosser avec toi si tu descends ton patron, a répliqué Kirill. Plus personne te fera confiance…

Yefim a souri.

— Bah, tout le monde m'a donné le feu vert : les Tchétchènes, les Géorgiens, et même ce dingue de Moscovite là-bas, à Brighton Beach… tu sais, celui qui d'après toi pourrait jamais prendre les commandes. Maintenant c'est lui le chef. Et lui il est d'accord, faut que toi tu dégages.

Les mains plaquées sur la blessure dans son abdomen, Kirill s'est cambré sous l'assaut de la douleur.

Yefim a serré les dents puis aspiré ses lèvres.

— Je vais te dire, Yefim, je…

Le barbu a pressé deux fois la détente, et les yeux de Kirill se sont révulsés tandis qu'un sifflement suraigu montait de sa gorge. Quand Yefim s'est écarté du canapé, de la fumée s'échappait à la fois de la bouche du mort et du trou dans sa poitrine.

— Ta mère, on la laisse vivre ? a demandé Yefim en s'approchant d'Amanda.

– Oh, mon Dieu ! a gémi Helene, toujours roulée en boule sur le canapé.

Amanda l'a regardée un long moment.

– C'est peut-être mieux, oui. En attendant, ne l'appelle pas « ma mère ».

– Et pour le petit Mexicain ?

– Il va probablement avoir besoin de boulot.

– Hé, petit homme ! a lancé Yefim. Toi tu cherches du boulot ?

– Nan, mec, a répondu Tadeo. J'en ai ma claque de ces conneries. Tout ce que je veux, maintenant, c'est bosser avec mon oncle.

– Ah ouais ? Et lui il fait quoi, le tonton ?

Quand Tadeo a repris la parole, son accent avait disparu.

– Il vend des… des assurances.

Yefim a souri.

– Y en a qui font pire que nous, pas vrai, Pavel ?

Celui-ci s'est esclaffé. Il avait un rire étrangement haut perché qui tenait plutôt du gloussement.

– O-*kay*, petit homme, a repris Yefim. Quand tu partiras d'ici, toi t'iras vendre des assurances. Bon, je crois que nous on a notre taf de macchabées pour la journée. Pavel ?

Son comparse a hoché la tête.

– J'ai encore mal à mes putains d'oreilles, *man*.

Yefim a levé les yeux vers le plafond.

– C'est construit n'importe comment, ces trucs. Trop de tôle. Forcément, les *boum*, *boum*, ça résonne. Maintenant que moi je suis roi, Pavel, on oublie les mobile homes.

– George Clooney, c'est pas un roi, a répliqué Pavel.

Yefim a tapé dans ses mains.

– Ha ! T'as raison. On l'emmerde, George Clooney ! Peut-être bien qu'un jour il jouera un roi, mais lui il sera jamais un roi comme Yefim.

– C'est bien vrai, boss.

D'une des poches de sa veste, Yefim a retiré une petite clé noire.

– Tes mains, a-t-il dit en s'approchant d'Amanda.

Docilement, elle les lui a tendues.

Yefim a libéré le poignet droit d'Amanda, puis celui du bébé.

– C'est dingue ! s'est-il exclamé. Elle roupille.

– J'ai l'impression que le bruit ne la gêne pas, a observé Amanda. Décidément, cette gosse me surprend tous les jours.

– Moi je veux bien le croire. (Il a ouvert les autres bracelets.) Toi tu la tiens bien ?

– Oui, je la tiens. Ne t'inquiète pas, elle est dans son porte-bébé.

– Ah, bien sûr, j'avais oublié.

Il a saisi les menottes par leur base pour en débarrasser Amanda et Claire.

Amanda s'est frotté les poignets en regardant le carnage tout autour d'elle.

– Eh bien… c'est du bon boulot.

Yefim lui a tendu la main.

– À votre service, mademoiselle Amanda.

T'es un pro, Yefim. (Elle lui a serré la main.) Oh, au fait, la croix est dans le sac d'Helene.

Quand il a claqué des doigts, Pavel lui a jeté le sac. Yefim en a retiré la croix et s'est fendu d'un grand sourire.

– Avant de se retrouver en Mordovie, y a deux cents ans, ceux de ma famille ils vivaient à Kiev. (Il a haussé les sourcils à mon intention.) Véridique. Mon père, il m'a dit que nous on descendait du prince Iaroslav lui-même. Ça, *man*, c'est un héritage familial.

– D'un prince à un roi, a commenté Pavel.

– Merci, t'es trop gentil. (Yefim a inspecté le contenu du sac puis m'a regardé.) C'est à qui, le flingue ?

– À moi.

– Et il est resté là tout le temps ? Pavel !

Celui-ci a levé les mains.

– Hé, c'est Spartak qui devait fouiller la femme.

Avec un bel ensemble, tous deux ont tourné la tête vers le maigrichon, dont le sang s'étalait jusque sous le canapé. Au bout de quelques secondes, ils ont échangé un coup d'œil et haussé les épaules.

Yefim m'a tendu mon arme comme s'il s'agissait d'une simple canette de soda, et je l'ai glissée dans le holster que je portais toujours. Quatre personnes venaient de mourir sous mes yeux, et pourtant je n'éprouvais rien. Pas le moindre soupçon d'émotion. C'était sans doute le prix à payer pour les vingt années que j'avais passées à patauger dans cette merde.

– Oh, attends. (Yefim a sorti de la poche arrière de son pantalon un épais portefeuille noir d'où il a retiré mon permis de conduire.) Si un jour toi t'as besoin de quelque chose, tu m'appelles, a-t-il ajouté en me le rendant.

– Certainement pas.

– Toi aussi, tu vas vendre des assurances ? a-t-il demandé, les yeux plissés.

– Non.

– Qu'est-ce que toi tu vas faire, alors ?

– Retourner à l'école, ai-je répondu le plus sérieusement du monde.

Il a haussé les sourcils, puis hoché la tête.

– Bonne idée. Cette vie-là, c'est plus pour toi.

– Non.

– Toi t'es trop vieux.

– Exact.

– Maintenant toi t'as une femme, une gosse…

– Tout juste.

– T'es trop vieux.

– Je sais, tu me l'as déjà dit.

Il m'a montré la croix.

– Magnifique, hein ? Chaque fois que quelqu'un meurt pour elle, elle devient encore plus belle.

J'ai indiqué l'inscription latine sur la partie inférieure.

– Ça veut dire quoi ?

– Toi t'as pas une idée ?

– Je crois qu'il est question du ciel ou du paradis. Ou du jardin d'Éden, peut-être. Je ne sais pas trop.

Yefim a jeté un coup d'œil aux corps sur le canapé et le sol. Puis, avec un petit rire, il a déclaré :

– Ça va te plaire, mon ami. Ça veut dire : « Le lieu du crâne est devenu le paradis. »

– Traduction ?

– Pour moi, ça signifie que mourir, c'est pas la mort. Toi, tu vois un crâne, mais son propriétaire il est déjà au paradis. Pour toujours, mon ami. (Il s'est gratté la tempe avec le guidon de son arme avant de pousser un profond soupir.) Bon, toi tu veux un lecteur Blu-Ray ?

– Hein ?

– Toi, t'as un lecteur Blu-Ray ?

– Euh, non.

– C'est fou, ça, *man*. Vas-y, Pavel, explique-lui.

– Les films, tu les as jamais vraiment vus si t'as pas de Blu-Ray, a enchaîné le blond. C'est à cause des pixels, tu comprends ? Résolution 1 080 p, son Dolby True HD… Ça te change la vie, *man*.

Yefim a fait un grand geste vers les cartons entassés au-dessus du corps de Kirill.

– Moi j'aime bien le Sony, mais Pavel il jure que par le JVC. Toi tu prends les deux, tu les regardes avec ta femme et ta fille, et après tu dis à moi lequel tu préfères. D'accord ?

– D'accord.

– Tu veux la PlayStation 3 ?

– Non, c'est bon.

– Un iPod ?

– J'en ai déjà deux, merci.

– Et un Kindle, mon ami ?

– Nan.

– Sûr ?

– Certain.

Il a remué la tête à plusieurs reprises.

– Moi j'arrive pas à refourguer ces putains de trucs.

Je lui ai tendu ma main valide.

– Prends soin de toi, Yefim.

Il a abattu ses deux paumes sur mes épaules et m'a embrassé sur les joues, me soufflant au visage son haleine parfumée au jambon et au vinaigre. Puis il m'a plaqué contre lui en me martelant le dos de ses poings. Enfin, il m'a serré la main.

– Toi aussi, l'emmanché, mon ami.

25

L'un dans l'autre, cette veille de Noël s'est révélée plutôt intéressante.

Nous avons dû attendre un peu pour quitter le parc de mobile homes, car Tadeo et Helene s'étaient souillés quand Yefim et Pavel avaient abattu quatre personnes en moins de temps qu'il n'en faut pour allumer une cigarette. Là-dessus, Tadeo est tombé dans les pommes. Avec Yefim, nous venions de parler de Blu-Ray et de Kindle, et nous échangions une accolade virile à la russe lorsque nous avons entendu un choc sourd puis découvert Tadeo allongé par terre. Il respirait comme un poisson qui se serait laissé porter par une vague jusqu'à la grève en oubliant qu'il ne pouvait pas rester là.

— Si toi tu veux mon avis, moi je suis pas sûr que le petit homme il est taillé pour le monde des assurances, a commenté Yefim.

Nous nous sommes regroupés près du Suburban – Amanda, le bébé, Sophie et moi. Frissonnante, Sophie fumait en me regardant d'un air penaud, comme pour s'excuser de fumer ou de trembler, je n'aurais su le dire. Pavel nous avait demandé de ne pas bouger et là-dessus il s'était engouffré dans le mobile home. Quand il en est ressorti, il était chargé de deux lecteurs Blu-Ray.

À l'intérieur, quelqu'un a fait démarrer une tronçonneuse.

Pavel m'a tendu les lecteurs.

– Amuse-toi. *Do svidanya.*

– *Do svidanya.*

Il s'apprêtait à pousser la porte du mobile home lorsque, parvenu près du coffre du Suburban, je l'ai rappelé.

– Pavel ? On n'a pas les clés de la voiture.

Une main sur la poignée, il s'est retourné.

– C'est Kenny qui les avait, ai-je expliqué. Elles sont toujours dans sa poche.

– OK, donne-moi une minute.

– Hé, Pavel ? T'aurais pas de la glace, là-dedans ? ai-je demandé en lui montrant ma paume brûlée.

– Moi je vais voir.

Sur ce, il est rentré.

Mon téléphone a sonné alors que je venais de poser les lecteurs par terre, près du Suburban. « ANGIE PORT », ai-je lu sur l'écran. J'ai aussitôt soulevé le clapet en me dirigeant vers la rivière.

– Salut, bébé.

– Salut. Quelles nouvelles de Boston ?

– Oh, plutôt bonnes. Il fait un temps superbe. (De la berge, j'ai contemplé les eaux brunâtres de la Charles, sur lesquelles apparaissaient de temps à autre des petits morceaux de glace charriés par le courant.) Il doit faire dans les trois ou quatre degrés. Le ciel est tout bleu, on se croirait à Thanksgiving. Et de ton côté ?

– On se situe plutôt aux environs des douze ou treize degrés. Gabby est aux anges. Les parcs, les voitures à cheval, les arbres… Elle ne s'en lasse pas.

– Tu vas rester, alors ?

360

– Le soir du réveillon ? Tu rigoles ? On est à l'aéroport, l'avion décolle dans une heure.

– Je ne t'ai pas donné le feu vert, que je sache !

– Toi, non, mais Bubba est pour.

– Ah oui ?

– Il a dit que ce serait tout aussi facile de liquider les Russes à Boston.

– C'est pas faux. Bon, d'accord, tu peux rentrer.

– Tout est réglé ?

– Oui, tout est réglé. Attends…

– Quoi ?

– Juste une seconde. (J'ai coincé mon portable entre mon oreille et mon épaule – une manœuvre toujours plus laborieuse avec un mobile qu'avec un combiné fixe. J'ai retiré le Colt Commander .45 du holster que je portais dans le dos.) T'es toujours là ?

– Oui.

J'ai éjecté le chargeur, sorti la balle de la chambre, et ensuite reculé la culasse pour la séparer de la poignée avant de la jeter dans la rivière.

– Qu'est-ce que tu fais ? a demandé Angie.

– Je suis en train de balancer mon flingue dans la Charles.

– Tu déconnes, là…

– Oh non !

Le chargeur a suivi une trajectoire identique, et je l'ai regardé s'enfoncer dans les eaux paresseuses. Il me restait une balle et la carcasse. J'ai considéré les deux.

– On parle bien de la même chose ? a repris Angie. C'est ton .45 que tu bazardes ?

– Oui, m'dame.

Mon bras s'est détendu, la carcasse a décrit un bel arc de cercle dans les airs puis a frappé la surface en produisant un *plouf* des plus satisfaisants.

– T'en avais besoin pour bosser, a souligné Angie.

– Non, j'arrête les conneries. L'autre jour, Mike Colette m'a proposé une place dans sa société et j'ai décidé d'accepter.

– T'es sérieux ?

– Tu veux que je te dise, bébé ? (J'ai tourné la tête vers le mobile home.) Au début, quand tu te lances dans ce métier, tu crois que seuls les trucs les plus atroces vont t'atteindre – comme ce pauvre gosse dans la baignoire en 98, ce qui est arrivé dans le bar de Gerry Glynn ou, bon sang ! ce bunker à Plymouth… (J'ai pris une profonde inspiration puis relâché lentement mon souffle.) Pourtant, ce ne sont pas ces moments-là qui t'usent le plus ; c'est le reste, toute cette accumulation de mesquineries… Tu vois, ce n'est pas que les gens soient prêts à vendre père et mère pour un million de dollars qui me déprime, c'est qu'ils le fassent pour un billet de dix. Je me fous complètement que la femme d'untel le trompe, parce que de toute façon il le méritait sûrement. Quant aux compagnies d'assurances pour lesquelles je bosse, je leur apporte la preuve qu'un type s'est inventé une blessure afin de toucher des indemnités, et dès que la crise frappe elles s'empressent de priver de couverture une bonne moitié de la population du quartier. Depuis trois ans, chaque fois que je m'assois sur le lit le matin pour enfiler mes chaussures, je n'ai qu'une envie : retourner sous la couette. Je ne veux pas y aller, je ne veux pas continuer à faire ce boulot.

– Ce boulot, comme tu dis, t'a permis d'aider pas mal de monde. Tu le sais, pas vrai ?

Non, je ne savais plus rien.

– Je t'assure, a-t-elle insisté. Tous les gens que je connais mentent, tous manquent à leur parole à un moment ou un autre en invoquant des tas d'excuses parfaitement valables pour justifier leur comportement.

Tous sauf toi. T'as jamais remarqué ? Deux fois en douze ans, tu t'es engagé à retrouver cette gamine quoi qu'il advienne. Et tu t'y es tenu. Pourquoi ? Parce que tu avais donné ta parole. Ça ne veut peut-être pas dire grand-chose pour le reste du monde, mais pour toi c'est crucial. Peu importe ce qui a pu se passer aujourd'hui, Patrick ; l'essentiel, c'est que tu l'aies retrouvée pour la seconde fois, quand personne d'autre n'aurait même essayé.

Je contemplais toujours la rivière, en proie à l'envie grandissante de la laisser me recouvrir.

— Alors je comprends que tu ne puisses plus continuer, a enchaîné Angie, mais je ne veux pas t'entendre dire que ça n'a servi à rien.

Sans détacher mon regard de la Charles, j'ai murmuré :

— Tout n'a pas été inutile.

— Exact.

J'ai levé les yeux vers les arbres nus et le ciel limpide au-delà.

— N'empêche, j'arrête les frais. Pas d'objections ?

— Aucune.

— Mike a fait un bon chiffre cette année. Sa plate-forme est en plein essor, à tel point qu'il compte en ouvrir une autre près de Freeport le mois prochain.

— Et bien sûr, toi qui as bossé dans les transports pendant tes études... Tu te vois vraiment là-dedans dans dix ans ?

— Quoi ? Non, non, ce serait juste temporaire. Pourquoi, tu m'y vois, toi ?

— Pas du tout.

— À vrai dire, je pensais préparer une maîtrise. Je suis presque sûr de pouvoir obtenir une aide financière, une bourse ou un truc comme ça. À l'époque, j'avais des notes phénoménales.

Elle a éclaté de rire.

– Je te rappelle que t'étais dans une université publique !

– Ça, c'est bas. N'empêche, elles étaient phénoménales.

– Et mon mari voudrait devenir quoi, dans sa seconde carrière ?

– Prof, ça me plairait bien. D'histoire, pourquoi pas ?

J'ai attendu un commentaire sarcastique, ou du moins une pique moqueuse. Rien n'est venu.

– Tu trouves que c'est une bonne idée ?

– Je suis sûre que tu seras formidable, a-t-elle répondu d'une voix douce. Mais qu'est-ce que tu vas dire à Duhamel & Standiford ?

– Que c'était ma dernière cause perdue. (Un faucon rasait sans un bruit la surface de la rivière.) Je te rejoins à l'aéroport.

– T'as illuminé mon année.

– T'as illuminé ma vie.

Après avoir raccroché, j'ai de nouveau contemplé la Charles. La luminosité avait changé pendant que j'étais au téléphone, et à présent l'eau avait pris une teinte mordorée. J'ai saisi la dernière balle entre mon pouce et mon index, je l'ai observée longuement, les yeux plissés, jusqu'à ce qu'elle prenne l'apparence d'une haute tour dressée sur la berge, puis, d'une chiquenaude, je l'ai expédiée dans les flots couleur de cuivre.

– Joyeux Noël ! s'est exclamé Jeremy Dent quand sa secrétaire me l'a passé. Alors ça y est, vous avez fait votre B.A. ?

– Oui.

– Parfait. On se voit donc après-demain ?

– Non.

– Pardon ?

– Je ne veux pas travailler pour vous, Jeremy.

– Vous m'avez pourtant affirmé l'autre jour que…

– Pour tout dire, je crois que je vous ai mené en bateau. Ça vous la coupe, hein ?

Il me traitait d'un très vilain nom quand j'ai raccroché.

Dans la partie sud-ouest du parc de mobile homes, une âme dévouée avait disposé quelques bancs et des plantes en pot pour créer un espace agréable, propice à la détente. Je suis allé m'y asseoir. Oh, ça ne valait pas la terrasse de The Breakers, le manoir des Vanderbilt, mais ce n'était pas si mal. C'est là qu'Amanda m'a rejoint. Elle m'a tendu les clés de la voiture ainsi qu'un sac en plastique rempli de glace.

– Pavel a rangé vos lecteurs dans le coffre, m'a-t-elle annoncé.

– C'est fou ce qu'ils sont prévenants, ces tueurs mordves…

J'ai placé la glace dans ma paume.

Amanda s'est installée à ma droite avant de s'absorber dans la contemplation de la rivière.

– Je ne retourne pas dans les Berkshires, ai-je dit en posant les clés du Suburban sur le banc à côté d'elle.

– Ah non ? Et vos lecteurs, alors ?

– Garde-les. Fais-toi une orgie de haute définition.

Elle a hoché la tête.

– Merci. Vous allez rentrer comment ?

– Si ma mémoire est bonne, il y a un arrêt de bus dans Spring Street, de l'autre côté de la Route 1. Je m'arrêterai à Forest Hills, où je prendrai le métro pour aller retrouver ma famille à l'aéroport.

– Ça me paraît une bonne idée.

– Et toi ?

– Moi ?

Les yeux toujours fixés sur la Charles, elle a haussé les épaules.

Au bout d'un moment, estimant que le silence se prolongeait un peu trop, j'ai demandé :

– Où est Claire ?

D'un léger mouvement de tête, Amanda a indiqué le Suburban.

– Sophie s'en occupe.

– Helene et Tadeo ?

– La dernière fois que j'ai vu Yefim, il essayait de lui fourguer un jean Mavi, moyennant un supplément. Tadeo était toujours secoué, il n'arrêtait pas de répéter qu'il voulait juste « un putain de Levi's », mais Yefim insistait, genre « Pourquoi un Levi's, *man* ? Je croyais toi plus classe. »

– Et Helene ?

– Il lui a refilé un super jean Made Wells. Gratos.

– Non, je veux dire… elle est encore en train de vomir ?

– Plus depuis cinq minutes. Encore dix, et elle sera capable de monter en voiture.

J'ai jeté un coup d'œil au mobile home, dont la forme claire se détachait sur fond d'eau brune et de ciel bleu. Un restaurant irlandais se dressait de l'autre côté de la rivière. À l'intérieur, je voyais les clients déjeuner ou contempler le paysage d'un air morne sans se douter un seul instant de ce que la tronçonneuse s'apprêtait à découper à quelques centaines de mètres seulement.

– Bon sang, c'était…, ai-je commencé.

Amanda a suivi la direction de mon regard. Il m'a semblé déceler dans ses yeux une lueur incertaine, comme si elle subissait le contrecoup du choc. Elle s'était sans doute crue assez forte pour affronter cette tuerie, mais elle s'était trompée. Une expression étrange, moitié sourire avorté, moitié grimace, a relevé les coins de ses lèvres.

— Ouais, c'est sûr.

— T'avais déjà vu quelqu'un mourir ?

Elle a acquiescé.

— Timur et Zippo.

— C'est vrai. Les morts violentes, ça te connaît.

— Bah, je ne suis pas une spécialiste non plus. Je dirais juste que mes yeux de gamine ont vu pas mal de trucs.

J'ai remonté de quelques centimètres la fermeture éclair de mon blouson, dont j'ai également relevé le col alors que la fraîcheur venue de la rivière s'insinuait dans le parc.

— Y compris Dre se faire réduire en bouillie devant eux, n'est-ce pas ? ai-je murmuré.

Imperturbable, Amanda s'est légèrement penchée en avant pour poser les coudes sur ses genoux.

— C'est le porte-clés qui m'a trahie ?

— Tout juste.

— Mort ou vivant, je ne supportais pas l'idée qu'il puisse se trimballer avec une photo de ma fille dans sa poche. (Elle a haussé les épaules.) C'est tout.

— Tu savais très bien à quelle heure passerait l'Acela quand tu as jeté la croix sur la voie...

Elle a éclaté de rire.

— N'importe quoi ! J'ignore ce que vous vous êtes mis en tête concernant cette rencontre dans les bois, mais vous croyez vraiment qu'on est tous en permanence conscients de nos motivations ? Non, la vie est beaucoup plus imprévisible que ça... J'ai cédé à une impulsion, voilà. J'ai lancé la croix et ce crétin a couru après. Il est mort, point final.

— Mais pourquoi, Amanda ? Qu'est-ce qui t'a poussée à la lancer ?

– Il n'arrêtait pas de me rabâcher qu'il allait arrêter de boire pour devenir l'homme dont j'avais besoin. C'était… beurk, répugnant. Comme je n'avais pas le courage de lui dire que je n'avais besoin de personne, j'ai fini par jeter ce satané truc.

– Pas mal, ton histoire, sauf qu'elle ne répond pas à la question essentielle : qu'est-ce que tu foutais là ? Tu n'étais pas venue chercher Sophie. Elle n'était même pas dans les bois.

Amanda observait une immobilité totale, presque inquiétante. Enfin, elle a déclaré :

– Dre devait disparaître, d'une façon ou d'une autre. Il ne me servait plus à rien. S'il avait juste accepté de s'en aller, il serait encore en vie.

– Tu veux dire, s'il n'avait pas croisé la route d'un putain d'Acela.

– C'est ça.

– Et si je l'avais accompagné ?

– Vous ne l'avez pas fait. Ce n'était pas un hasard. Depuis le jour où Timur et Zippo sont morts, et où je me suis retrouvée avec Claire et la croix… (Elle a remué lentement la tête.) Rien ne s'est produit par hasard.

– Mais il aurait pu y avoir des ratés dans ton plan…

Elle a posé les mains sur ses genoux, paumes vers le ciel.

– Y en a pas eu, justement ! Jamais Kirill n'aurait accepté d'être conduit dans un endroit pareil si tout n'avait pas paru parfaitement logique – dans une perspective complètement tordue, s'entend. Tout le monde devait jouer son propre personnage en étant plus vrai que nature. Et ça, pour autant que je le sache, c'est possible seulement si les participants ignorent qu'ils jouent un rôle.

– Comme moi.

– Peuh… (Elle a pouffé.) Vous vous en doutiez. Franchement, combien de fois vous êtes-vous demandé pourquoi j'avais été si facile à localiser ? Il fallait bien que ce soit facile, vu qu'à eux trois, Kenny, Helene et Tadeo n'avaient même pas assez de cervelle pour faire une grille de mots croisés dans le programme télé ! J'ai dû semer de gros croûtons en guise de miettes de pain.

– Yefim a mis combien de temps à te retrouver après la mort de Timur ?

– Environ six heures.

– Et ?

– Et je lui ai demandé ce qu'il pensait d'un patron largué au point d'envoyer un débile comme Timur récupérer la précieuse croix du Bélarus avant d'aller chercher le bébé. Ça a suffi pour mettre les rouages en branle.

– Donc, le plan consistait à acculer Kirill dans ses derniers retranchements et à le laisser s'enferrer dans une situation embarrassante jusqu'au moment où un renversement semblerait inévitable.

– On a peaufiné les détails par la suite, mais oui, c'était l'idée. Moi, je gardais Claire et Sophie, Yefim tout le reste.

– À propos de Sophie, justement, qu'est-ce qu'elle va devenir ?

– Elle va commencer par faire une cure de désintoxication. Après, on ira voir sa mère.

– Elaine, tu veux dire ?

– Oui. C'est elle, sa vraie mère. Les liens du cœur sont bien plus forts que ceux de la biologie, Patrick.

– Et ta mère de cœur à toi, alors ?

– Beatrice ? (Un sourire a éclairé ses traits.) Bien sûr que je vais aller la voir ! Pas demain, mais bientôt. Il faut que je lui présente sa petite-nièce… Ne vous en faites pas pour elle, Bea sera à l'abri des soucis jusqu'à la fin de ses jours. J'ai déjà engagé un avocat pour négocier la libération d'oncle Lionel. (Elle s'est redressée.) Tout va s'arranger.

Durant quelques secondes, je l'ai regardée en silence, cette gamine de presque dix-sept ans qui allait sur ses… quoi, quatre-vingts ?

– Tu n'as pas de remords ? ai-je demandé.

– Pourquoi ? Ça vous aiderait à mieux dormir si je vous répondais que j'en ai ? (Amanda a ramené une jambe contre elle, posé son menton sur son genou et laissé son regard se perdre dans l'espace entre nous.) Je vais vous dire une chose : je ne suis pas complètement insensible, c'est juste que je ne peux pas encadrer les cons. Alors, si vous espérez me voir verser des larmes de crocodile, désolée, je n'en ai pas en réserve. Franchement, vous voudriez que je pleure sur le sort de qui ? Kenny et son passé de violeur ? Dre et son usine à bébés ? Kirill et sa tarée de femme ? Timur et…

– Et toi, alors ?

– Hein ?

– Toi, ai-je répété.

Elle m'a dévisagé un long moment. Sa mâchoire s'activait sans qu'aucun son franchisse ses lèvres. Enfin, elle a repris la parole :

– Vous savez qui était la mère d'Helene ?

J'ai fait non de la tête.

– Une épave imbibée de gin. Pendant vingt ans, elle a fréquenté le même bar, où à force de boire et de fumer elle a avancé la date de son rendez-vous au cimetière. Quand elle est morte, aucun des autres habitués n'est allé à l'enterrement – pas parce qu'ils ne l'aimaient pas, non, juste parce qu'ils n'avaient jamais appris son nom de famille. (Il m'a semblé qu'une ombre voilait son regard, mais ce n'était peut-être que le reflet de la rivière dans ses yeux.) Pareil pour sa propre mère avant elle…

À ma connaissance, aucune McCready n'a jamais fini le lycée ; elles ont toutes été dépendantes des hommes et de la bouteille. Alors, dans une vingtaine d'années, lorsque Claire sera sur le point d'entrer à la fac et qu'on habitera une maison où les courses de cafards ne seront pas notre principale distraction, où l'électricité n'aura jamais été coupée, où les organismes de recouvrement n'appelleront pas tous les soirs à six heures… Lorsque ce sera *ça*, ma vie, vous pourrez me demander si je regrette ma jeunesse perdue. (Elle a joint les mains au-dessus de son genou. De loin, elle donnait peut-être l'impression de prier.) D'ici là, si vous n'y voyez pas d'objection, je crois que je dormirai comme un bébé.

— Les bébés se réveillent toutes les deux heures en braillant.

Amanda m'a adressé un sourire plein de douceur.

— Alors je me réveillerai toutes les deux heures en braillant.

Nous sommes restés encore quelques minutes assis sur ce banc. Nous n'avions plus rien à nous dire, alors nous regardions la rivière en nous blottissant chacun dans notre blouson. Enfin, nous nous sommes levés pour aller rejoindre les autres.

Toujours sous le choc, Helene et Tadeo allaient et venaient devant le SUV. Sophie, qui serrait Claire contre elle, a regardé Amanda approcher comme si elle n'aspirait qu'à fonder un culte à son nom.

Amanda lui a pris le bébé des bras, puis elle a passé en revue sa troupe éclectique.

— Patrick va rentrer en bus. Dites-lui au revoir.

J'ai eu droit à trois petits signes d'adieu, assorti dans le cas de Sophie d'un autre sourire penaud.

— Tadeo ? a enchaîné Amanda. T'habites du côté de Bromely-Heath, c'est ça ?

– Oui.

– OK. On déposera d'abord Tadeo, et ensuite Helene. Sophie, tu conduis. T'es pas défoncée, j'espère…

– Non, je te jure.

– Bon, il faudra qu'on s'arrête en chemin. Il y a un Costco sur la Route 1, à quelques kilomètres d'ici. Ils ont un rayon enfants.

– C'est pas le moment d'acheter des jouets, s'est plaint Tadeo. C'est le réveillon, merde !

Amanda lui a fait la grimace.

– Il n'est pas question de jouets, crétin ! On a besoin d'un siège bébé. Tu pensais peut-être qu'on allait faire tout le trajet jusqu'aux Berkshires comme ça ? (D'un geste plein de tendresse, elle a caressé les fins cheveux bruns de Claire.) Quel genre de mère je serais, franchement ?

J'ai marché jusqu'à l'arrêt de bus, où j'ai pris le bus jusqu'à la station de métro, où j'ai pris le métro jusqu'à l'aéroport de Logan. Je n'ai jamais revu Amanda.

J'ai retrouvé ma femme et ma fille dans le terminal C. Contrairement à ce que j'avais imaginé, Gabby ne s'est pas précipitée vers moi pour se jeter dans mes bras alors que le temps semblait soudain s'écouler au ralenti. Au lieu de quoi, en proie à un de ses très rares accès de timidité, elle s'est réfugiée derrière la jambe d'Angie pour m'observer. J'embrassais ma femme quand j'ai senti qu'on tirait sur la jambe de mon jean ; Gabby levait vers moi des yeux encore gonflés après le petit somme qu'elle avait fait dans l'avion. Elle a écarté les bras.

– Papa ? Tu me portes ?

Je l'ai soulevée. Je l'ai embrassée sur une joue, et elle aussi. Sur l'autre, et elle aussi. Puis j'ai appuyé mon front contre le sien.

– Je t'ai manqué, ma puce ?

– Oui, papa, tu m'as manqué.

– Tu dis ça d'un ton tellement solennel ! « Oui, papa, tu m'as manqué »… C'est ta grand-mère qui t'a appris les bonnes manières ?

– Oui, et même qu'elle m'a obligée à me tenir droite sur ma chaise.

– Mon Dieu, quelle horreur !

– Tout le temps, en plus.

– Même au lit ?

– Ben non, pas au lit. Tu sais pourquoi ?

– Non, pourquoi ?

– C'est idiot.

– En effet, ai-je approuvé.

– Ça va durer encore longtemps, vos mamours ? a grondé Bubba.

Il semblait surgi de nulle part. Dans la mesure où il a grosso modo la taille d'un jeune rhinocéros dressé sur ses pattes arrière, sa capacité à s'approcher en catimini ne cessera jamais de m'étonner.

– Où t'étais ? ai-je demandé.

– J'avais planqué un truc en arrivant, l'autre jour, il a bien fallu que j'aille le récupérer.

– Ah bon ? Tu l'avais pas passé en douce ?

– Qui te dit que j'en ai pas passé un autre ? (Du pouce, il a indiqué Angie.) Cette nana, elle a un vrai problème avec les bagages.

– C'est juste un petit sac de rien du tout, a protesté Angie en écartant les mains d'une trentaine de centi-mètres – la longueur d'une miche de pain. Et un deuxième, c'est vrai. J'ai fait un peu de shopping, hier.

– OK, on va chercher les bagages.

C'était Logan, alors comme de bien entendu ils ont changé deux fois l'affichage du point de livraison des bagages, et nous avons dû nous déplacer dans la salle. Nous avons ensuite pris place parmi tous les voyageurs qui se bousculaient pour être le plus près possible du tapis, mais il ne se passait toujours rien. Le tapis ne bougeait pas. Le signal lumineux ne s'éclairait pas. L'avertisseur sonore annonçant l'arrivée des bagages ne résonnait pas.

Gabby, assise sur mes épaules, me tirait les cheveux et parfois les oreilles. Angie me tenait par le bras, qu'elle serrait un peu plus fort que d'habitude. Au bout d'un moment, Bubba s'est dirigé nonchalamment vers le marchand de journaux, et, quelques instants plus tard, il s'appuyait contre le comptoir pour engager la conversation avec la vendeuse, un authentique sourire aux lèvres. Âgée d'environ trente-cinq ans, la peau couleur caramel, elle était petite et menue, mais même de loin elle paraissait tout à fait capable de remettre à sa place le premier qui lui chercherait des poux. Face à l'offensive de charme menée par Bubba, son visage s'est éclairé, la rajeunissant d'au moins cinq ans, et elle a commencé à lui rendre sourire pour sourire.

— Qu'est-ce qu'ils peuvent se raconter ? m'a glissé Angie.

— Bah, sûrement des histoires de flingues.

— Au fait, t'as vraiment envoyé le tien au fond de la Charles ?

— Oui, m'dame.

— La rivière n'est pas une poubelle, je te signale.

J'ai hoché la tête.

— Mais comme je suis un fervent adepte du recyclage, je suis sûr que j'ai droit à un petit éco-péché de temps en temps.

Elle m'a pressé le coude avant d'appuyer sa tête sur mon torse. Je l'ai enlacée de mon bras libre. De l'autre, je maintenais ma fille sur mes épaules.

– C'est pas bien de jeter des choses sales dans l'eau, a déclaré Gabby en plongeant en avant pour amener son visage à la hauteur du mien.

– Non, tu as raison.

– Pourquoi t'en as jeté quand même ?

– Des fois, ma puce, les grands aussi font des bêtises.

Cette réponse a dû lui convenir, car elle s'est redressée et remise à jouer avec mes cheveux.

– Alors, qu'est-ce qui s'est passé ? m'a demandé Angie.

– Après qu'on s'est parlé au téléphone ? Pas grand-chose.

– Où est Amanda ?

– Aucune idée.

– Bon sang ! Tu risques ta vie pour la retrouver, et là-dessus tu la laisses filer ?

– En gros, oui.

– Tu parles d'un enquêteur !

– Ex-enquêteur, ai-je souligné. Ex.

Sur le trajet du retour, les filles n'ont pas arrêté de taquiner Bubba au sujet de son flirt avec la vendeuse. Elle s'appelait Anita, avions-nous appris, et elle était originaire de l'Équateur. Elle habitait à East Boston avec deux enfants, pas de mari et un chien. Sa mère vivait avec eux.

– Ça, ça fait peur, ai-je déclaré.

– Bah, je sais pas, a répliqué Bubba. Les mamas équatoriennes, elles sont capables de te mitonner de sacrés bons petits plats.

– Parce que t'en es déjà à envisager un dîner avec les parents ? a lancé Angie. Waouh ! Vous avez aussi choisi le prénom de votre premier gosse ?

Aussitôt, Gabby a poussé un cri strident.

– Tonton Bubba va se marier !

– Non, tonton Bubba va pas se marier, a maugréé l'intéressé. Il a juste un numéro de téléphone.

– Comme ça, tu auras un petit copain ou une petite copine pour jouer avec toi, Gabby, a enchaîné Angie.

– Je veux pas de gosses, a décrété Bubba.

– Vous pourrez vous déguiser, ma puce.

– Combien de fois faudra que…

– Et j'aurai le droit de garder le bébé ? l'a interrrompu Gabby.

– Est-ce qu'elle aura le droit de garder le bébé ? a demandé Angie à Bubba. Quand elle sera plus grande, bien sûr.

Bubba a accroché mon regard dans le rétroviseur.

– Patrick ? Dis-leur d'arrêter.

– Tu sais bien que c'est pas possible, ai-je répondu. Tu les connais, non ?

Nous approchions de la sortie du tunnel Ted Williams en direction du sud quand Angie s'est mise à chanter : « Bub-ba et A-ni-ta assis dans un arbre », et Gabby a aussitôt renchéri : « En train de s'embrasser… »

– Si je te file mon flingue, tu m'achèves ? m'a lancé Bubba.

– Pas de problème. Donne.

Lorsque nous avons émergé de la pénombre du tunnel, les filles chantaient toujours et tapaient dans leurs mains en rythme. La circulation était fluide ; en cette veille de Noël, la plupart des gens n'étaient pas allés travailler ou avaient quitté le bureau de bonne heure. Le ciel avait pris une teinte mauve. Quelques flocons voltigeaient dans l'air, trop épars cependant pour tenir au sol. Une nouvelle fois, Gabby a piaillé, nous faisant grimacer tous les deux, Bubba et moi. Ce son-là n'a décidément rien d'agréable : strident, il vous écorche les oreilles tels des éclats de verre tranchants.

J'ai beau adorer ma fille, jamais je n'aimerai ses piaillements.

Ou peut-être que si.

Peut-être que je les aime déjà.

Tout en roulant vers le sud sur la 93, j'ai eu une révélation : j'aime les choses qui irritent, les choses capables de me plonger dans un tel état de stress que je n'arrive même plus à me souvenir d'une époque où leur poids ne pesait pas sur mon cœur. J'aime tout ce qui, une fois cassé, ne peut être réparé – tout ce qui, une fois perdu, ne peut être retrouvé.

J'aime mes fardeaux.

Pour la première fois de ma vie, j'ai éprouvé de la pitié pour mon père – un sentiment tellement inattendu, tellement bizarre, que j'ai laissé la voiture mordre la ligne blanche quelques secondes avant de rectifier la trajectoire. Mon père n'a jamais eu de chance : sa rage, sa haine et son narcissisme dévorant – toute cette noirceur en lui que je ne m'expliquais toujours pas vingt-cinq ans après sa mort – l'avaient privé de sa famille. Si j'avais piaillé comme Gabriella à l'arrière de la voiture, il m'aurait giflé. Plutôt deux fois qu'une. Ou alors, il se serait garé sur le bas-côté et serait descendu pour me coller une raclée. Il agissait de même avec ma sœur, et, quand nous n'étions pas dans les parages, avec notre mère. Résultat, il est mort seul. Maman, usée à force de mauvais traitements, avait connu une fin prématurée, ma sœur n'a pas voulu revenir à Boston alors qu'il était en phase terminale, et quand, juste avant de rendre l'âme, il a fait un geste vers moi, je me suis borné à regarder sa main jusqu'à ce qu'elle retombe sur les draps et que ses pupilles se figent.

Mon père n'a jamais aimé ses fardeaux parce qu'il n'a jamais été capable d'aimer quoi que ce soit.

377

Je suis un homme bourré de défauts, profondément amoureux d'une femme bourrée de défauts, et nous avons donné le jour à une enfant adorable qui, j'en arrive parfois à le redouter, n'arrêtera peut-être jamais de parler. Ni de piailler. Mon meilleur ami est un frappadingue limite psychopathe qui a plus de péchés à son actif que certains gangs ou gouvernements au grand complet. Et pourtant…

Nous avons quitté la voie express au niveau de Columbia Road alors que le jour achevait de se pelotonner dans un ciel qui avait maintenant la couleur d'une prune. La neige tombait toujours faiblement, comme si elle craignait de s'affirmer. Lorsque j'ai pris à gauche pour m'engager dans Dot Avenue, les lumières s'allumaient peu à peu dans les vieux immeubles, les bars, les maisons de retraite et les commerces. Je souhaiterais pouvoir dire que j'ai trouvé cette vision magnifique, mais ce n'est pas le cas.

Et pourtant.

Pourtant, il y avait cette vie que nous avions construite, et dont la réalité emplissait la voiture telle une présence palpable.

J'ai vu notre rue au loin, et j'aurais voulu ne pas m'arrêter, ne pas mettre fin à ce moment. J'aurais voulu rouler encore, j'aurais voulu que tout reste pareil à jamais.

J'ai néanmoins tourné.

À peine étions-nous descendus de voiture que Gabby attrapait Bubba par la main pour l'entraîner chez nous et descendre à la cave avec lui. L'année précédente, comme elle nous harcelait de questions pour savoir comment le Père Noël pouvait entrer dans une maison sans cheminée, nous avions fini par répondre qu'à Dorchester, il arrivait par la cave. Elle avait donc décidé d'embaucher Bubba pour l'aider à préparer un casse-croûte composé de lait et de cookies.

— Faut pas oublier la bière, a dit Bubba en entrant. Il aime bien la bière, le Père Noël. Et il crache pas non plus sur une petite vodka de temps en temps.

— Hé, attention à ce que tu dis ! l'a tancé Angie alors que nous déchargions le coffre. C'est ma fille que t'es en train de corrompre !

Un flocon a atterri sur ma pommette, où il a instantanément fondu. De l'index, Angie en a essuyé la trace, puis elle m'a embrassé le bout du nez.

— Contente de te revoir.

— Pareil.

Elle a saisi ma main blessée et contemplé le gros pansement que j'avais placé en travers de ma paume.

— Ça va ?

— Bien sûr, ai-je affirmé. Pourquoi ? Tu trouves que ça n'a pas l'air d'aller ?

Elle a plongé ses yeux dans les miens – cette femme superbe, volcanique et débordante de passion dont j'étais amoureux depuis le CE1.

— Si, c'est juste que tu me parais… je ne sais pas, songeur, peut-être.

— Ah bon ?

— Je t'assure.

J'ai retiré les bagages du coffre.

— J'ai pensé à un truc tout à l'heure, au moment de balancer dans la rivière un flingue à cinq cents dollars.

— Dis-moi.

J'ai refermé le hayon.

— Mes joies l'emportent sur mes peines.

La tête penchée de côté, elle m'a gratifié d'un petit sourire vacillant tandis que la neige lui blanchissait les cheveux.

— C'est vrai ?

– Vrai de vrai.

– Alors t'as gagné, bébé.

J'ai aspiré une grande goulée d'air froid mêlé de flocons.

– Pour le moment.

– Oui. (Elle a soutenu mon regard.) Pour le moment.

J'ai passé l'un des sacs en bandoulière et soulevé l'autre de ma main valide. Ma main gauche blessée s'est refermée sur celle de ma femme, et nous nous sommes engagés ensemble sur la petite allée de brique qui menait chez nous.

REMERCIEMENTS

Je remercie tout particulièrement :

Le lieutenant Mark Gillespie, de la police MBTA, et Chris Sylvia, de Foxborough Terminals Co. Inc.

Ann Rittenberg, Amy Schiffman, Christine Caya et ma famille de Midtown : Michael Morrison, Brianne Halverson, Scalc Ballcngcr ct Liatc Stchlik.

Angie, Michael, Sterling et Tom pour les premières lectures.

Et Claire Wachtel pour avoir vermifugé le chien et l'avoir envoyé chez le toiletteur.

Mise en pages PCA
44400 Rezé

Cet ouvrage a été achevé d'imprimer en avril 2011
sur les presses de Normandie Roto Impression s.a.s.
à Lonrai (Orne)
Dépôt légal : février 2011
N° d'impression : 111358

Imprimé en France